Petits Classiques
LAROUSSE

Collection fondée par Félix Guirand, Agrégé des Lettres

Les Misérables

Victor Hugo

Roman épique et historique

Édition présentée,
annotée et commentée
par Alexandre Gefen,
maître de conférences à l'université Bordeaux 3

ISBN : 978-2-03-583425-6

SOMMAIRE

Avant d'aborder l'œuvre

Les Misérables

Victor Hugo

Pour approfondir

AVANT D'ABORDER L'ŒUVRE

Fiche d'identité de l'auteur

Victor Hugo

Nom : Victor Marie HUGO.

Naissance : 26 février 1802 à Besançon (Franche-Comté).

Famille : son père, le colonel Léopold Hugo, est militaire de carrière. Sa mère, Sophie Trébuchet, est issue de la bourgeoise vendéenne et séparée du père de Hugo alors que celui-ci avait dix ans.

Enfance : plusieurs voyages à l'étranger en compagnie de ses parents. Études brillantes à Paris, au lycée Louis-le-Grand. Plusieurs récompenses scolaires, dont un prix d'encouragement de l'Académie française.

Début de la carrière et premiers succès : *Irtamène*, tragédie composée à l'âge de quatorze ans. *Bug-Jargal* (1820), roman historique consacré à la révolte en 1791 des esclaves noirs de Saint-Domingue. Recueils de poésie de jeunesse récompensés par le roi.

Évolution de la carrière littéraire : drames historiques novateurs *(Cromwell, Hernani)* qui font de Hugo le héros des écrivains romantiques. Romans populaires à succès : *Notre-Dame de Paris, Les Misérables, Quatrevingt-treize*. Nombreux recueils de poésie (*Les Contemplations, La Légende des siècles*) abordant des registres variés, de l'épopée à la religion. Engagement politique en faveur de grandes causes (la défense des pauvres, la lutte contre la peine de mort, les valeurs républicaines) qui font de l'écrivain un personnage public essentiel de son siècle.

Mort : 22 mai 1885 à Paris. Funérailles nationales et inhumation au Panthéon.

Pour ou contre Victor Hugo ?

Pour

GIDE :
« Hugo est [...] le plus sûr maître de notre syntaxe et des formes de notre langue que la littérature française ait connu ».
Anthologie de la poésie française, 1949.

HUYSMANS :
« Au dix-neuvième, il y eut de beaux et forts talents, Balzac, Flaubert... Mais seul Hugo a eu du génie ».
La Revue hebdomadaire, 1902.

Ernest RENAN :
« Sa prodigieuse imagination complète ce que la raison n'aperçoit pas. [...] Son œuvre immense est le mirage d'un univers qu'aucun œil ne sait plus voir ».
Feuilles détachées, 1892.

Contre

GIDE :
« Le plus grand poète de langue française ? Victor Hugo, hélas ».
L'Ermitage, 1902.

Charles PÉGUY :
« Ce génie était pourri de talent(s) ».
Victor Marie comte Hugo, 1910.

Repères chronologiques

Vie et œuvre de Victor Hugo

1802
Naissance à Besançon.

1809
Installation dans la maison des Feuillantines à Paris avec sa mère.

1815
Premier cahier de vers.

1821
Mort de sa mère.

1822
Mariage avec Adèle Foucher.

1828
Mort du père de Hugo.

1829
Les Orientales (poésie). *Le Dernier jour d'un condamné* (roman contre la peine de mort).

1830
« Bataille d'*Hernani* » à la Comédie-Française.

1831
Notre-Dame de Paris (roman historique).

1834
Littérature et philosophie mêlées (essai), *Claude Gueux* (roman). Rupture avec Sainte-Beuve.

1838
Ruy Blas (théâtre).

1841
Élection de Hugo à l'Académie française.

1843
Noyade de sa fille Léopoldine.

1845
Commence *Les Misérables*.

Événements politiques et culturels

1802
Chateaubriand, *Génie du christianisme*.

1812
Campagne et retraite de Napoléon en Russie.

1815
Retour de Napoléon (« Cent-Jours »). **Défaite de Waterloo. Seconde Restauration.**

1819
Géricault, *Le Radeau de la Méduse*. Walter Scott, *Ivanhoé*.

1827
Mort de Beethoven. Invention de la photographie.

1828
Vidocq, *Mémoires*.

1831
Tableau de Delacroix, *La Liberté guidant le peuple*.

1833
Loi Guizot sur l'enseignement primaire.

1837
Balzac, *Illusions perdues*.

1838
Dickens, *Oliver Twist*.

1848
Marx et Engels, *Manifeste du Parti communiste*. **Louis Napoléon devient président.**

1851
Melville, *Moby Dick*.

1857
Flaubert, *Mme Bovary*. Baudelaire, *Les Fleurs du mal*.

Repères chronologiques

Vie et œuvre de Victor Hugo	*Événements politiques et culturels*
1848 Hugo demande l'abolition de la peine de mort.	**1864** **Loi qui autorise le droit de grève.**
1851 Début de la période d'exil.	**1866** Théophile Gautier, *Spirite*.
1852 Il s'installe à Jersey. *Napoléon le Petit*, pamphlet contre Louis Napoléon Bonaparte.	**1869** Tolstoï, *Guerre et Paix*. Flaubert, *L'Éducation sentimentale*. Construction du canal de Suez.
1853 *Les Châtiments* (poésies).	**1870** **Proclamation de la IIIe République.** Guerre contre la Prusse et défaite militaire. **Révolte de Paris (la « Commune »), écrasée dans le sang.**
1856 *Les Contemplations* (poésies).	**1874** Loi interdisant le travail aux enfants de moins de douze ans.
1859 *La Légende des siècles* (poésie).	**1876** Invention du téléphone.
1862 **Immense succès populaire des *Misérables*.**	**1877** Invention du phonogramme.
1864 *William Shakespeare* (essai sur le théâtre).	**1878** Hector Malot, *Sans famille*. Jules Vallès, *L'Enfant*. Inauguration de l'Exposition universelle à Paris.
1866 *Les Travailleurs de la mer* (roman).	**1885** Jules Grévy est réélu président de la République.
1869 *L'Homme qui rit* (roman). Mort de sa fille Adèle.	
1870 **Retour à Paris.**	
1874 *Quatrevingt-treize*, dernier roman.	
1876 Hugo élu sénateur de Paris.	
1877 *L'Art d'être grand père*, essai.	
1885 **Mort de Victor Hugo.**	

Fiche d'identité de l'œuvre

Les Misérables

Auteur :
Victor Hugo, XIXe siècle.
Le roman est commencé en 1845 mais ne paraîtra qu'en 1862, après une interruption de douze années entre 1848 et 1860, correspondant à l'exil en Angleterre de Hugo, en désaccord avec la prise de pouvoir par Napoléon III.
C'est le chef-d'œuvre littéraire de son auteur et le triomphe de son idéalisme, de sa générosité, de sa foi en l'homme.

Genre : roman d'aventures épiques (c'est-à-dire propre à une épopée, long récit des aventures d'un personnage héroïque légendaire).

Forme : récit à la troisième personne, mettant en scène des personnages imaginaires dans un cadre historique et géographique réel.

Structure : cinq parties, comportant au total 365 chapitres (autant que de jours dans une année) et d'une longueur totale de 1 500 pages.

Principaux personnages : Jean Valjean, condamné au bagne pour avoir volé du pain ; Javert, policier obsédé jusqu'à la folie par la traque du bagnard ; Marius, jeune étudiant révolutionnaire ; Fantine, ouvrière pauvre, et sa fille Cosette, opprimée par les Thénardier, aubergistes cruels ; Gavroche, enfant de Paris et symbole de la quête de la liberté.

Sujet : le roman se déroule dans la première moitié du XIXe siècle. Il relate la vie et les aventures de Jean Valjean, criminel en fuite qui cherche à se réhabiliter et à faire le bien. Poursuivi par le terrible Javert, Jean Valjean se cache sous une fausse identité et élève une enfant abandonné, Cosette. Rejetant la méchanceté des hommes et la dureté de la société, Jean Valjean devient un héros et presque un saint : il participe aux émeutes révolutionnaires de 1832 en s'associant au combat du peuple avec Gavroche, il pardonne à ses ennemis et sauve Marius, qui épouse Cosette.

Pour ou contre Les Misérables ?

Jean Valjean

Javert

Petit Gervais

Fauchelevent

(9°T.) Cosette

Pour

MAURIAC :

[Hugo] « continue, à travers les personnages qu'il invente, à faire ce qu'il a toujours fait : déchiffrer les signes que les constellations tracent dans la vie humaine ».

« Hugo deux fois solitaire », 1957.

BAUDELAIRE :

« *Les Misérables* sont donc un livre de charité, un étourdissant rappel à l'ordre à une société amoureuse d'elle-même et trop peu soucieuse de l'immortelle loi de charité ».

L'Art romantique, 1869.

Contre

FLAUBERT :

« Je ne trouve dans ce livre ni vérité ni grandeur. Quant au style, il me semble intentionnellement incorrect et bas. C'est une façon de flatter le populaire ».

Correspondance, 1862.

LES FRÈRES GONCOURT :

« Une grande déception pour nous, *Les Misérables* d'Hugo. J'écarte la morale du livre : il n'y a pas de morale en art ; le point de vue humanitaire de l'œuvre m'est absolument égal ».

Journal, avril 1862.

Pour mieux lire l'œuvre

✣ Au temps de Victor Hugo

Une société impitoyable

Les Misérables se veulent d'abord un tableau critique de la misère sociale du début du XIXe siècle : le récit se déroule entre 1795 et 1832 dans un cadre historiquement réaliste. Il évoque la Révolution française et les guerres napoléoniennes et met en scène de manière précise et documentée la société de la fin de la monarchie de Juillet (régime politique conservateur ayant suivi les émeutes de 1830 et durant lequel la France fut dirigé par le roi Louis-Philippe). Cette époque est en effet celle de l'industrialisation de la France, de l'émergence de l'économie capitaliste moderne et de la constitution de la classe ouvrière : toute une partie de la population quitte les campagnes pour venir s'entasser dans les grandes villes, et en particulier à Paris, dans des conditions de vie extrêmement difficiles, privée d'éducation et de logements décents. La misère dans laquelle vit une partie du peuple explique la criminalité qui fait rage à Paris, criminalité qui constitue un thème essentiel du roman : comme en témoigne son recueil intitulé *Choses vues*, Hugo a enquêté sur les conditions réelles de vie des pauvres et les prisons. Pour nourrir son roman, il a recueilli des faits-divers variés et a utilisé une quantité importante de documents, notamment sur la classe ouvrière (tels qu'un rapport intitulé *Tableau de l'état physique et moral des ouvriers* ou un document sur la *Statistique des égouts en 1836*). Il s'indigne à la fois de la logique qui conduit les pauvres de la pauvreté au vol, au meurtre ou à la prostitution, et de la sévérité de la répression policière et judiciaire, qui ne fait qu'assurer un ordre moral en envoyant les criminels au bagne et à l'échafaud, sans leur offrir aucun espoir de se racheter et de réintégrer la société. Sur un plan politique et économique, comme le relate le roman en évoquant les barricades révolutionnaires de 1832, les inégalités conduisent le peuple à la révolte contre l'ordre établi et contre la domination de la bourgeoisie riche et bien-pensante au nom d'un désir de justice dont Hugo se fait le porte-parole. Cette lutte s'accompagne d'une revendication de liberté politique : Hugo, qui entreprend la rédaction de son roman alors qu'il est devenu député républicain de gauche et qu'il s'affirme peu à peu comme un héros des luttes, défend l'héritage de 1789 et prône à la fois l'instauration d'un régime démocratique donnant la parole à tous et le progrès social.

Un chantier titanesque

La rédaction des *Misérables* s'est étalée sur une durée de près de trente ans, période interrompue par l'exil de Victor Hugo après la prise de pouvoir par Napoléon III. Dès sa jeunesse, alors qu'il est un brillant écrivain de la génération romantique et qu'il est encore royaliste, Hugo s'est intéressé à la question sociale et au monde des prisons (qu'il a visitées, par exemple, à Toulon en 1839). *Claude Gueux*, roman de jeunesse paru en 1834, nous raconte l'itinéraire d'un ouvrier pauvre poussé au crime par l'injustice sociale et qui est condamné à mort. En 1842 paraissent *Les Mystères de Paris*, de l'écrivain populaire Eugène Sue, roman noir qui met en scène de manière spectaculaire le monde du crime et qui influencera beaucoup l'auteur des *Misérables*, car Hugo voudra répondre au roman d'Eugène Sue en préférant expliquer la misère des bas-fonds de Paris plutôt que de s'en servir pour terrifier le lecteur. En 1845 commence la rédaction du roman, d'abord appelé *Jean Tréjean* ; Hugo en fixe très vite le thème (l'histoire des souffrances et du rachat d'un bagnard) et les personnages principaux (la petite fille abandonnée et sa mère, l'homme d'Église dont la sainteté pousse le criminel vers le bien, Mgr Myriel). En 1847, Hugo annonce un roman en quatre volumes, intitulé *Les Misères*, mais après trois années de travail acharné, il doit s'interrompre pour se consacrer à son engagement politique. Alors qu'il s'est volontairement exilé dans les îles anglaises de Jersey, puis de Guernesey, pour marquer son désaccord avec le coup d'État de Louis Napoléon Bonaparte, l'œuvre mûrit lentement dans l'esprit de l'écrivain. Le personnage principal change plusieurs fois de nom, pour s'appeler Jean Vlajean puis enfin Jean Valjean. De retour en France en 1860, Hugo reprend son roman, qu'il développe en ajoutant de nouveau personnages (Marius) et de très nombreux souvenirs personnels (le couvent où se passe la deuxième partie des *Misérables* rappelle, par exemple, celui des Feuillantines où il passa une partie de son enfance). Le roman paraît en 1862 en Belgique, puis, à la demande de Hugo, dans une édition illustrée de petit format (chez l'éditeur parisien Hetzel), vendue au prix très abordable pour l'époque de 10 francs. Malgré l'accueil sévère de nombreux critiques, l'œuvre est extrêmement populaire en France (on raconte que la foule se rassembla dès 6 heures du matin devant les grilles des librairies le jour de la parution du roman) et rapidement traduite partout en Europe, ce qui accroît encore la célébrité de Hugo.

L'essentiel

Les Misérables dépeignent de manière réaliste la souffrance de la classe ouvrière parisienne du début du XIXe siècle et la criminalité qui l'accompagne. Le roman dénonce les injustices de la société de son temps.
Le roman a mûri dans l'esprit de Hugo pendant une trentaine d'années ; il témoigne aussi bien de ses préoccupations sociales et spirituelles que de nombreux souvenirs personnels.

L'œuvre aujourd'hui

Un témoignage essentiel sur le XIXe siècle

Dans une lettre datant de la parution des *Misérables*, Victor Hugo écrit à l'un de ses amis : « Ma conviction est que ce livre sera un des principaux sommets, sinon le principal de mon œuvre ». Depuis leur parution, *Les Misérables* sont l'œuvre la plus lue de celui que l'on a pu considérer comme le grand-père de toute la littérature française – et peut-être le roman français le plus célèbre dans le monde. C'est sans doute parce que le récit de Hugo résume tout son siècle : grâce au travail de documentation de l'auteur, le roman nous relate des épisodes historiques légendaires (comme la bataille de Waterloo) et nous fait revivre la géographie parisienne. D'autre part, les personnages représentent symboliquement des types sociaux de leur époque (Fantine incarne la pauvreté ouvrière, les Thénardier sont les bourgeois qui exploitent le peuple, Marius incarne le jeune révolutionnaire idéaliste, etc.) qui nous permettent d'imaginer les grandes questions politiques que l'on se posait au XIXe siècle. En comprenant la manière de penser et de voir le monde de ces personnages, ce sont les mentalités, les idées d'une époque qui se mettent à revivre, sans doute mieux que dans n'importe quel manuel d'histoire.

Injustice sociale et criminalité : deux questions brûlantes

Les crises économiques qui ont frappé la France depuis les années 1960 et le chômage qui les accompagne, comme le développement de formes de pauvreté et de mises au ban de la société que l'on croyait oubliées, font toute l'actualité contemporaine des *Misérables* : Fantine obligée de vendre ses cheveux et ses dents offre un exemple mémorable de déchéance sociale. Malgré l'abolition de la peine de mort en France en 1981, la question évoquée à plusieurs reprises conserve son actualité dans de nombreux pays du monde où ce châtiment est encore en vigueur. La dénonciation hugolienne des lacunes de la justice et des procès expéditifs, comme son analyse des conditions de vie des prisonniers, n'a rien perdu de son actualité : la lutte pour le droit à un procès équitable et à des conditions d'emprisonnement décentes s'oppose à la tentation, qui persiste dans les sociétés démocratiques modernes, d'emprisonner à perpétuité les criminels les plus dangereux ou d'oublier que tout séjour en prison est destiné à permettre une future réinsertion. Le bagne et la guillotine ont disparu, mais la surpopulation et le suicide en prison les ont remplacés. De même, la question du rôle de la police, qui apparaît dans *Les Misérables* à travers la figure inquiétante de Javert comme plus menaçante que protectrice, n'est pas sans trouver des échos dans nos préoccupations actuelles. Nombreux sont donc les écrivains (ou les cinéastes) qui doivent encore aujourd'hui prendre la suite de Victor Hugo.

Un roman exemplaire ayant marqué à jamais l'histoire de la littérature française

Par-delà cette dimension de témoignage sur des problèmes concrets, l'ambition des *Misérables* est de réaliser un roman où la condition humaine tout entière se trouverait résumée. « Ce livre est un drame dont le premier personnage est l'infini. L'homme est le second », écrivait Hugo. Aux problèmes propres à l'époque du roman (l'égalité entre les hommes, le droit à la liberté d'expression, le bagne, la place de la police dans la société, etc.) s'ajoutent en effet des questions à valeur universelle : l'opposition entre le bien et le mal, l'influence de Dieu sur l'histoire humaine, la fatalité de la violence et du crime, la place de l'homme dans l'infini. Un tel projet littéraire utilise toutes les ressources du genre romanesque, qu'Hugo combine avec habileté : personnages héroïques, terrifiants ou pathétiques, mises en scène spectaculaires ou dramatiques, tableaux pittoresques ou réalistes, suspens, passages poétiques ou symboliques… Hugo a ainsi transformé l'histoire de son siècle en une vaste fresque épique et créé des personnages qui sont devenus des mythes en marquant à jamais notre mémoire. Hugo s'adresse à tous, à la fois aux jeunes lecteurs et aux grands amateurs de roman, au public populaire et au public cultivé, et combine dans une seule œuvre de multiples genres littéraires et de multiples formes de roman, allant du roman noir au mélodrame en passant par le roman historique et le roman d'aventure, le conte et la légende. Cette richesse et cette puissance à combiner des formes littéraires en apparence étrangères les unes aux autres expliquent pourquoi le roman de Hugo a été depuis le jour de sa parution considéré comme l'œuvre à laquelle tout autre roman devrait être comparé.

L'essentiel

Le roman de Victor Hugo témoigne de son époque qu'il permet de comprendre dans toute sa richesse et sa complexité. Parce que le problème de la pauvreté et de la criminalité reste brûlant, il conserve toute son actualité.

Les Misérables posent des questions morales et religieuses à valeur universelle sur la nature du bien et du mal. Sur un plan littéraire, il s'agit d'un chef-d'œuvre qui s'est imposé comme une référence absolue du genre romanesque par sa manière de transformer en légende toute l'histoire du XIXe siècle.

Avant-propos des *Misérables*. Estampe.

Les Misérables

Victor Hugo

Roman épique et historique
publié pour la première fois en 1862

L'ŒUVRE

Tant qu'il existera, par le fait des lois et des mœurs, une damnation sociale créant artificiellement, en pleine civilisation, des enfers, et compliquant d'une fatalité humaine la destinée qui est divine ; tant que les trois problèmes du siècle, la dégradation de l'homme par le prolétariat, la déchéance de la femme par la faim, l'atrophie de l'enfant par la nuit, ne seront pas résolus ; tant que, dans de certaines régions, l'asphyxie sociale sera possible ; en d'autres termes, et à un point de vue plus étendu encore, tant qu'il y aura sur la terre ignorance et misère, des livres de la nature de celui-ci pourront ne pas être inutiles.

Hauteville-House, 1er janvier 1862.

PREMIÈRE PARTIE
Fantine

1804

LIVRE PREMIER
Un juste

I. M. Myriel

EN 1815, M. Charles-François-Bienvenu Myriel était évêque de Digne. C'était un vieillard d'environ soixante-quinze ans ; il occupait le siège[1] de Digne depuis 1806. [...]

En 1804, M. Myriel était curé de B. (Brignolles). Il était déjà vieux, et vivait dans une retraite profonde.

Vers l'époque du couronnement, une petite affaire de sa cure, on ne sait plus trop quoi, l'amena à Paris. Entre autres personnes puissantes, il alla solliciter pour ses paroissiens M. le cardinal Fesch. Un jour que l'empereur était venu faire visite à son oncle, le digne curé, qui attendait dans l'antichambre[2], se trouva sur le passage de sa majesté. Napoléon, se voyant regardé avec une certaine curiosité par ce vieillard, se retourna, et dit brusquement :

– Quel est ce bonhomme qui me regarde ?

– Sire, dit M. Myriel, vous regardez un bonhomme, et moi je regarde un grand homme. Chacun de nous peut profiter.

L'empereur, le soir même, demanda au cardinal le nom de ce curé, et quelque temps après M. Myriel fut tout surpris d'apprendre qu'il était nommé évêque de Digne. [...]

M. Myriel était arrivé à Digne accompagné d'une vieille fille, mademoiselle Baptistine, qui était sa sœur et qui avait dix ans de moins que lui.

---

1. **Siège :** résidence d'une haute autorité (ici, l'évêque).
2. **Antichambre :** entrée.

Ils avaient pour tout domestique une servante du même âge que mademoiselle Baptistine, et appelée madame Magloire, laquelle, après avoir été *la servante de M. le Curé*, prenait maintenant le double titre de femme de chambre de mademoiselle et femme de charge[1] de monseigneur. [...]

L'installation terminée, la ville attendit son évêque à l'œuvre.

II. M. Myriel devient Monseigneur Bienvenu

LE PALAIS ÉPISCOPAL[2] de Digne était attenant[3] à l'hôpital. [...]

L'hôpital était une maison étroite et basse à un seul étage avec un petit jardin.

Trois jours après son arrivée, l'évêque visita l'hôpital. La visite terminée, il fit prier le directeur de vouloir bien venir jusque chez lui.

– Monsieur le directeur de l'hôpital, lui dit-il, combien en ce moment avez-vous de malades ?

– Vingt-six, monseigneur.

– C'est ce que j'avais compté, dit l'évêque.

– Les lits, reprit le directeur, sont bien serrés les uns contre les autres.

– C'est ce que j'avais remarqué.

– Les salles ne sont que des chambres, et l'air s'y renouvelle difficilement.

– C'est ce qui me semble.

– Et puis, quand il y a un rayon de soleil, le jardin est bien petit pour les convalescents.

– C'est ce que je me disais.

– Dans les épidémies, nous avons eu cette année le typhus, nous avons eu une suette miliaire[4] il y a deux ans, cent malades quelquefois ; nous ne savons que faire.

– C'est la pensée qui m'était venue.

---

1. **Femme de charge :** femme de ménage.
2. **Épiscopal :** qui se rapporte à l'évêque.
3. **Attenant :** immédiatement voisin, qui touche.
4. **Typhus [...] suette miliaire :** maladies graves et très contagieuses.

– Que voulez-vous, monseigneur ? dit le directeur, il faut se résigner.

Cette conversation avait lieu dans la salle à manger-galerie du rez-de-chaussée.

25 L'évêque garda un moment le silence, puis il se tourna brusquement vers le directeur de l'hôpital.

– Monsieur, dit-il, combien pensez-vous qu'il tiendrait de lits rien que dans cette salle ?

– La salle à manger de monseigneur ! s'écria le directeur 30 stupéfait.

L'évêque parcourait la salle du regard et semblait y faire avec les yeux des mesures et des calculs.

– Il y tiendrait bien vingt lits ! dit-il, comme se parlant à lui-même ; puis élevant la voix : – Tenez, monsieur le directeur de 35 l'hôpital, je vais vous dire. Il y a évidemment une erreur. Vous êtes vingt-six personnes dans cinq ou six petites chambres. Nous sommes trois ici, et nous avons place pour soixante. Il y a erreur, je vous dis. Vous avez mon logis, et j'ai le vôtre. Rendez-moi ma maison. C'est ici chez vous.

40 Le lendemain, les vingt-six pauvres étaient installés dans le palais de l'évêque et l'évêque était à l'hôpital.

(M. Myriel mène une existence très modeste à Digne : il distribue la plupart de son argent aux pauvres de sa paroisse. Sa bonté et sa charité lui valent rapidement le surnom de Monseigneur Bienvenu.)

LIVRE DEUXIÈME
La chute

I. Le soir d'un jour de marche

DANS LES PREMIERS JOURS du mois d'octobre 1815, une heure environ avant le coucher du soleil, un homme qui voyageait à pied entrait dans la petite ville de Digne. Les rares habitants qui se trouvaient en ce moment à leurs fenêtres ou sur le seuil de leurs maisons regardaient ce voyageur avec une sorte d'inquiétude. Il était difficile de rencontrer un passant d'un aspect plus misérable. C'était un homme de moyenne taille, trapu[1] et robuste, dans la force de l'âge. Il pouvait avoir quarante-six ou quarante-huit ans. Une casquette à visière de cuir rabattue cachait en partie son visage brûlé par le soleil et le hâle[2] et ruisselant de sueur. Sa chemise de grosse toile jaune, rattachée au col par une petite ancre d'argent, laissait voir sa poitrine velue ; il avait une cravate tordue en corde, un pantalon de coutil[3] bleu, usé et râpé, blanc à un genou, troué à l'autre, une vieille blouse grise en haillons[4], rapiécée à l'un des coudes d'un morceau de drap vert cousu avec de la ficelle, sur le dos un sac de soldat fort plein, bien bouclé et tout neuf, à la main un énorme bâton noueux, les pieds sans bas dans des souliers ferrés, la tête tondue et la barbe longue.

La sueur, la chaleur, le voyage à pied, la poussière, ajoutaient je ne sais quoi de sordide[5] à cet ensemble délabré.

Les cheveux étaient ras, et pourtant hérissés ; car ils commençaient à pousser un peu, et semblaient n'avoir pas été coupés depuis quelque temps.

Personne ne le connaissait. Ce n'était évidemment qu'un passant. D'où venait-il ? Du midi. Des bords de la mer peut-être. Car il faisait son entrée dans Digne par la même rue qui sept mois auparavant avait vu passer l'empereur Napoléon allant de Cannes à Paris[6]. Cet homme avait dû marcher tout le jour. Il paraissait très fatigué. Des femmes de l'ancien bourg qui est au bas de la ville l'avaient vu s'arrêter sous les arbres du boulevard Gassendi et boire à la fontaine qui est à l'extrémité de la promenade. Il fallait qu'il eût bien

---

1. **Trapu :** court et massif.
2. **Hâle :** couleur brunie de la peau, bronzage.
3. **Coutil :** grosse toile.
4. **En haillons :** déchiré, en loques.
5. **Sordide :** délabré.
6. **L'empereur Napoléon allant de Cannes à Paris :** Napoléon, détrôné en 1814, avait dû quitter la France. Il entreprit de reconquérir le pouvoir et débarqua à Cannes en 1815, puis traversa la France jusqu'à Paris avec son armée en passant par Digne.

soif, car des enfants qui le suivaient le virent encore s'arrêter, et boire, deux cents pas plus loin, à la fontaine de la place du marché.

Arrivé au coin de la rue Poichevert, il tourna à gauche et se dirigea vers la mairie. Il y entra, puis sortit un quart d'heure après. Un gendarme était assis près de la porte sur le banc de pierre où le général Drouot[1] monta le 4 mars pour lire à la foule effarée des habitants de Digne la proclamation du golfe Juan[2].

L'homme ôta sa casquette et salua humblement le gendarme.

Le gendarme, sans répondre à son salut, le regarda avec attention, le suivit quelque temps des yeux, puis entra dans la maison de ville[3]. [...]

(Le vagabond erre dans Digne et se voit refoulé à chacune des portes auxquelles il frappe dans l'espoir d'être hébergé.)

La nuit continuait de tomber. Le vent froid des Alpes soufflait. À la lueur du jour expirant[4], l'étranger aperçut dans un des jardins qui bordent la rue une sorte de hutte qui lui parut maçonnée en mottes de gazon. Il franchit résolument une barrière de bois et se trouva dans le jardin. Il s'approcha de la hutte ; elle avait pour porte une étroite ouverture très basse et elle ressemblait à ces constructions que les cantonniers[5] se bâtissent au bord des routes. Il pensa sans doute que c'était en effet le logis d'un cantonnier ; il souffrait du froid et de la faim ; il s'était résigné à la faim, mais c'était du moins là un abri contre le froid. Ces sortes de logis ne sont habituellement pas occupés la nuit. Il se coucha à plat ventre et se glissa dans la hutte. Il y faisait chaud, et il y trouva un assez bon lit de paille. Il resta un moment étendu sur ce lit, sans pouvoir faire un mouvement tant il était fatigué. Puis, comme son sac sur son dos le gênait et que c'était d'ailleurs un oreiller tout trouvé, il se mit à déboucler une des courroies. En ce moment un grondement farouche se fit entendre. Il leva les yeux. La tête d'un dogue énorme se dessinait dans l'ombre à l'ouverture de la hutte.

1. **Général Drouot :** général qui accompagnait Napoléon lors de la reconquête.
2. **Proclamation du golfe Juan :** célèbre discours de Napoléon, dans lequel il accuse les traîtres qui ont, selon lui, provoqué la chute de l'Empire.
3. **La maison de ville :** la mairie.
4. **Expirant :** finissant.
5. **Cantonniers :** employés chargés de l'entretien des routes.

C'était la niche d'un chien.

Il était lui-même vigoureux et redoutable ; il s'arma de son bâton, il se fit de son sac un bouclier, et sortit de la niche comme il put, non sans élargir les déchirures de ses haillons. [...]

Il pouvait être huit heures du soir. Comme il ne connaissait pas les rues, il recommença sa promenade à l'aventure.

Il parvint ainsi à la préfecture, puis au séminaire[1]. En passant sur la place de la cathédrale, il montra le poing à l'église.

Il y a au coin de cette place une imprimerie. C'est là que furent imprimées pour la première fois les proclamations de l'empereur et de la garde impériale à l'armée, apportées de l'île d'Elbe[2] et dictées par Napoléon lui-même.

Épuisé de fatigue et n'espérant plus rien, il se coucha sur le banc de pierre qui est à la porte de cette imprimerie.

Une vieille femme sortait de l'église en ce moment. Elle vit cet homme étendu dans l'ombre. – Que faites-vous là, mon ami ? dit-elle.

Il répondit durement et avec colère : – Vous le voyez, bonne femme, je me couche.

La bonne femme, bien digne de ce nom en effet, était madame la marquise de R.

– Sur ce banc ? reprit-elle.

– J'ai eu pendant dix-neuf ans un matelas de bois, dit l'homme, j'ai aujourd'hui un matelas de pierre.

– Vous avez été soldat ?

– Oui, bonne femme. Soldat.

– Pourquoi n'allez-vous pas à l'auberge ?

– Parce que je n'ai pas d'argent.

– Hélas, dit madame de R., je n'ai dans ma bourse que quatre sous.

– Donnez toujours.

L'homme prit les quatre sous. Madame de R. continua : – Vous ne pouvez vous loger avec si peu dans une auberge. Avez-vous essayé pourtant ? Il est impossible que vous passiez ainsi la nuit. Vous avez sans doute froid et faim. On aurait pu vous loger par charité.

– J'ai frappé à toutes les portes.

---

1. **Séminaire :** institution où l'on forme les prêtres.
2. **L'île d'Elbe :** île de Méditerranée où s'était réfugié Napoléon après sa défaite.

– Eh bien ?

– Partout on m'a chassé.

La « bonne femme » toucha le bras de l'homme et lui montra de l'autre côté de la place une petite maison basse à côté de l'évêché[1].

– Vous avez, reprit-elle, frappé à toutes les portes ?

– Oui.

– Avez-vous frappé à celle-là ?

– Non.

– Frappez-y.

II. La prudence conseillée à la sagesse

CE SOIR-LÀ, M. l'évêque de Digne, après sa promenade en ville, était resté assez tard enfermé dans sa chambre. [...]

Il travaillait encore à huit heures, écrivant assez incommodément sur de petits carrés de papier avec un gros livre ouvert sur ses genoux, quand madame Magloire entra, selon son habitude, pour prendre l'argenterie dans le placard près du lit. Un moment après, l'évêque, sentant que le couvert était mis et que sa sœur l'attendait peut-être, ferma son livre, se leva de sa table et entra dans la salle à manger. [...]

En ce moment, on frappa à la porte un coup assez violent.

– Entrez, dit l'évêque.

III. Héroïsme de l'obéissance passive

LA PORTE s'ouvrit.

Elle s'ouvrit vivement, toute grande, comme si quelqu'un la poussait avec énergie et résolution.

Un homme entra.

1. **Évêché :** résidence de l'évêque.

5 Cet homme, nous le connaissons déjà. C'est le voyageur que nous avons vu tout à l'heure errer cherchant un gîte[1].

Il entra, fit un pas, et s'arrêta, laissant la porte ouverte derrière lui. Il avait son sac sur l'épaule, son bâton à la main, une expression rude, hardie, fatiguée et violente dans les yeux. Le feu de la 10 cheminée l'éclairait. Il était hideux. C'était une sinistre apparition.

Madame Magloire n'eut pas même la force de jeter un cri. Elle tressaillit, et resta béante.

Mademoiselle Baptistine se retourna, aperçut l'homme qui entrait et se dressa à demi d'effarement[2], puis, ramenant peu à 15 peu sa tête vers la cheminée, elle se mit à regarder son frère et son visage redevint profondément calme et serein.

L'évêque fixait sur l'homme un œil tranquille.

Comme il ouvrait la bouche, sans doute pour demander au nouveau venu ce qu'il désirait, l'homme appuya ses deux mains à la 20 fois sur son bâton, promena ses yeux tour à tour sur le vieillard et les femmes, et, sans attendre que l'évêque parlât, dit d'une voix haute :

– Voici. Je m'appelle Jean Valjean. Je suis un galérien[3]. J'ai passé dix-neuf ans au bagne[4]. Je suis libéré depuis quatre jours et en 25 route pour Pontarlier[5] qui est ma destination. Quatre jours et que je marche depuis Toulon. Aujourd'hui, j'ai fait douze lieues à pied. Ce soir, en arrivant dans ce pays, j'ai été dans une auberge, on m'a renvoyé à cause de mon passeport jaune[6] que j'avais montré à la mairie. Il avait fallu. J'ai été à une autre auberge. On m'a dit : 30 Va-t-en ! Chez l'un, chez l'autre. Personne n'a voulu de moi. J'ai été à la prison, le guichetier n'a pas ouvert. J'ai été dans la niche d'un chien. Ce chien m'a mordu et m'a chassé, comme s'il avait été un

---

1. **Un gîte :** un lieu où dormir.
2. **Effarement :** surprise mêlée de frayeur.
3. **Galérien :** homme condamné aux travaux forcés, détenu dans un bagne, bagnard, forçat.
4. **Bagne :** lieu de détention où les prisonniers étaient astreints à des travaux très pénibles.
5. **Pontarlier :** ville du Doubs, non loin de la Suisse.
6. **Passeport jaune :** passeport que les bagnards libérés devaient porter sur eux et faire viser à la mairie chaque fois qu'ils arrivaient dans une ville.

homme. On aurait dit qu'il savait qui j'étais. Je m'en suis allé dans les champs pour coucher à la belle étoile. Il n'y avait pas d'étoile. J'ai pensé qu'il pleuvrait, et qu'il n'y avait pas de bon Dieu pour empêcher de pleuvoir, et je suis rentré dans la ville pour y trouver le renfoncement d'une porte. Là, dans la place, j'allais me coucher sur une pierre. Une bonne femme m'a montré votre maison et m'a dit : Frappe là. J'ai frappé. Qu'est-ce que c'est ici ? êtes-vous une auberge ? J'ai de l'argent. Ma masse[1]. Cent neuf francs quinze sous que j'ai gagnés au bagne par mon travail en dix-neuf ans. Je payerai. Qu'est-ce que cela me fait ? j'ai de l'argent. Je suis très fatigué, douze lieues à pied, j'ai bien faim. Voulez-vous que je reste ?

– Madame Magloire, dit l'évêque, vous mettrez un couvert de plus.

L'homme fit trois pas et s'approcha de la lampe qui était sur la table. – Tenez, reprit-il, comme s'il n'avait pas bien compris, ce n'est pas ça. Avez-vous entendu ? Je suis un galérien. Un forçat. Je viens des galères. – Il tira de sa poche une grande feuille de papier jaune qu'il déplia. – Voilà mon passeport. Jaune, comme vous voyez. Cela sert à me faire chasser de partout où je suis. Voulez-vous lire ? Je sais lire, moi. J'ai appris au bagne. Il y a une école pour ceux qui veulent. Tenez, voilà ce qu'on a mis sur le passeport : « Jean Valjean, forçat libéré, natif de[2]... – cela vous est égal... – Est resté dix-neuf ans au bagne. Cinq ans pour vol avec effraction. Quatorze ans pour avoir tenté de s'évader quatre fois. Cet homme est très dangereux. » – Voilà ! Tout le monde m'a jeté dehors. Voulez-vous me recevoir, vous ? Est-ce une auberge ? Voulez-vous me donner à manger et à coucher ? avez-vous une écurie ?

– Madame Magloire, dit l'évêque, vous mettrez des draps blancs au lit de l'alcôve[3].

(Malgré les réprimandes de Madame Magloire, l'évêque fait un accueil somptueux au forçat, en le faisant dîner dans sa vaisselle

---

1. **Masse :** somme retenue sur le salaire d'un prisonnier, qu'on ne lui donne qu'à sa libération.
2. **Natif de :** né à.
3. **Alcôve :** renfoncement dans une pièce, formant une petite chambre supplémentaire.

la plus fine, à la lueur de deux chandeliers en argent massif. Une fois rassasié, le vagabond va goûter les délices du sommeil dans des draps bien frais.)

VI. Jean Valjean

VERS LE MILIEU de la nuit, Jean Valjean se réveilla. Jean Valjean était d'une pauvre famille de paysans de la Brie[1]. Dans son enfance, il n'avait pas appris à lire. Quand il eut l'âge d'homme, il était émondeur[2] à Faverolles. Sa mère s'appelait Jeanne Mathieu ; son père s'appelait Jean Valjean, ou Vlajean, sobriquet[3] probablement, et contraction de *Voilà Jean*.

Jean Valjean était d'un caractère pensif sans être triste, ce qui est le propre des natures affectueuses. Somme toute, pourtant, c'était quelque chose d'assez endormi et d'assez insignifiant, en apparence du moins, que Jean Valjean. Il avait perdu en très bas âge son père et sa mère. Sa mère était morte d'une fièvre de lait[4] mal soignée. Son père, émondeur comme lui, s'était tué en tombant d'un arbre. Il n'était resté à Jean Valjean qu'une sœur plus âgée que lui, veuve, avec sept enfants, filles et garçons. Cette sœur avait élevé Jean Valjean, et tant qu'elle eut son mari elle logea et nourrit son jeune frère. Le mari mourut. L'aîné des sept enfants avait huit ans, le dernier un an. Jean Valjean venait d'atteindre, lui, sa vingt-cinquième année. Il remplaça le père, et soutint à son tour sa sœur qui l'avait élevé. Cela se fit simplement, comme un devoir, même avec quelque chose de bourru[5] de la part de Jean Valjean. Sa jeunesse se dépensait ainsi dans un travail rude et mal payé. On ne lui avait jamais connu de « bonne amie » dans le pays. Il n'avait pas eu le temps d'être amoureux.

Le soir il rentrait fatigué et mangeait sa soupe sans dire un mot. Sa sœur, mère Jeanne, pendant qu'il mangeait, lui prenait souvent

1. **La Brie :** région située entre la Seine et la Marne, à l'est de Paris.
2. **Émondeur :** ouvrier qui taille les arbres.
3. **Sobriquet :** surnom.
4. **Fièvre de lait :** crise de fièvre qui survient à la suite d'un accouchement.
5. **Bourru :** rude.

dans son écuelle[1] le meilleur de son repas, le morceau de viande, la tranche de lard, le cœur de chou, pour le donner à quelqu'un de ses enfants ; lui, mangeant toujours, penché sur la table, presque la tête dans sa soupe, ses longs cheveux tombant autour de son 30 écuelle et cachant ses yeux, avait l'air de ne rien voir et laissait faire. Il y avait à Faverolles, pas loin de la chaumière Valjean, de l'autre côté de la ruette[2], une fermière appelée Marie-Claude ; les enfants Valjean, habituellement affamés, allaient quelquefois emprunter au nom de leur mère une pinte[3] de lait à Marie-Claude, 35 qu'ils buvaient derrière une haie ou dans quelque coin d'allée, s'arrachant le pot, et si hâtivement[4] que les petites filles s'en répandaient sur leur tablier et dans leur goulotte[5]. La mère, si elle eût su cette maraude[6], eût sévèrement corrigé les délinquants. Jean Valjean, brusque et bougon, payait en arrière de la mère la pinte de 40 lait à Marie-Claude, et les enfants n'étaient pas punis.

Il gagnait dans la saison de l'émondage vingt-quatre sous par jour, puis il se louait comme moissonneur, comme manœuvre, comme garçon de ferme bouvier[7], comme homme de peine. Il faisait ce qu'il pouvait. Sa sœur travaillait de son côté, mais que faire 45 avec sept petits enfants ? C'était un triste groupe que la misère enveloppa et étreignit[8] peu à peu. Il arriva qu'un hiver fut rude. Jean n'eut pas d'ouvrage. La famille n'eut pas de pain. Pas de pain. À la lettre[9]. Sept enfants !

Un dimanche soir, Maubert Isabeau, boulanger sur la place de 50 l'Église, à Faverolles, se disposait à se coucher, lorsqu'il entendit un coup violent dans la devanture grillée et vitrée de sa boutique. Il arriva à temps pour voir un bras passé à travers un trou fait d'un coup de poing dans la grille et dans la vitre. Le bras saisit un pain

1. **Écuelle :** assiette creuse, sans bord, souvent utilisée à la campagne.
2. **Ruette :** petite rue (terme vieilli).
3. **Pinte :** mesure de 90 centilitres.
4. **Hâtivement :** en se dépêchant.
5. **Goulotte :** cou.
6. **Maraude :** vol.
7. **Bouvier :** homme chargé de s'occuper des bœufs.
8. **Étreignit :** de « étreindre », serrer, presser.
9. **À la lettre :** au sens propre, exactement.

et l'emporta. Isabeau sortit en hâte ; le voleur s'enfuyait à toutes
55 jambes ; Isabeau courut après lui et l'arrêta. Le voleur avait jeté le pain, mais il avait encore le bras ensanglanté. C'était Jean Valjean.

Ceci se passait en 1795. Jean Valjean fut traduit devant les tribunaux du temps « pour vol avec effraction[1] la nuit dans une maison habitée ». Il avait un fusil dont il se servait mieux que
60 tireur au monde, il était quelque peu braconnier[2] ; ce qui lui nuisit. Il y a contre les braconniers un préjugé légitime. Le braconnier, de même que le contrebandier, côtoie[3] de fort près le brigand. Pourtant, disons-le en passant, il y a encore un abîme entre ces races d'hommes et le hideux assassin des villes. Le braconnier vit
65 dans la forêt ; le contrebandier vit dans la montagne ou sur la mer. Les villes font des hommes féroces parce qu'elles font des hommes corrompus[4]. La montagne, la mer, la forêt, font des hommes sauvages. Elles développent le côté farouche, mais souvent sans détruire le côté humain.

70 Jean Valjean fut déclaré coupable. Les termes du code étaient formels. Il y a dans notre civilisation des heures redoutables ; ce sont les moments où la pénalité[5] prononce un naufrage. Quelle minute funèbre que celle où la société s'éloigne et consomme l'irréparable abandon d'un être pensant ! Jean Valjean fut condamné à cinq ans
75 de galères.

X. L'homme réveillé

DONC, comme deux heures du matin sonnaient à l'horloge de la cathédrale, Jean Valjean se réveilla.

Ce qui le réveilla, c'est que le lit était trop bon. Il y avait vingt ans bientôt qu'il n'avait couché dans un lit, et quoiqu'il ne se fût
5 pas déshabillé, la sensation était trop nouvelle pour ne pas troubler son sommeil.

---

1. **Effraction :** fait de briser une porte ou une serrure.
2. **Braconnier :** personne qui chasse sans permis.
3. **Côtoie :** se trouve juste à côté.
4. **Corrompus :** pourris, pervertis.
5. **La pénalité :** le système pénal.

Il avait dormi plus de quatre heures. Sa fatigue était passée. Il était accoutumé à ne pas donner beaucoup d'heures au repos.

Il ouvrit les yeux, et regarda un moment dans l'obscurité autour de lui, puis il les referma pour se rendormir.

Quand beaucoup de sensations diverses ont agité la journée, quand des choses préoccupent l'esprit, on s'endort, mais on ne se rendort pas. Le sommeil vient plus aisément qu'il ne revient. C'est ce qui arriva à Jean Valjean. Il ne put se rendormir, et il se mit à penser.

Il était dans un de ces moments où les idées qu'on a dans l'esprit sont troubles. Il avait une sorte de va-et-vient obscur dans le cerveau. Ses souvenirs anciens et ses souvenirs immédiats y flottaient pêle-mêle et s'y croisaient confusément, perdant leurs formes, se grossissant démesurément, puis disparaissant tout à coup comme dans une eau fangeuse et agitée. Beaucoup de pensées lui venaient, mais il y en avait une qui se représentait continuellement et qui chassait toutes les autres. Cette pensée, nous allons la dire tout de suite : – il avait remarqué les six couverts d'argent et la grande cuiller que madame Magloire avait posés sur la table.

Ces six couverts d'argent l'obsédaient. – Ils étaient là. – À quelques pas. – À l'instant où il avait traversé la chambre d'à côté pour venir dans celle où il était, la vieille servante les mettait dans un petit placard à la tête du lit. – Il avait bien remarqué ce placard. – À droite, en entrant par la salle à manger. – Ils étaient massifs. – Et de vieille argenterie. – Avec la grande cuiller, on en tirerait au moins deux cents francs. – Le double de ce qu'il avait gagné en dix-neuf ans. [...]

Il se leva debout, hésita encore un moment, et écouta ; tout se taisait dans la maison ; alors il marcha droit et à petits pas vers la fenêtre qu'il entrevoyait. La nuit n'était pas très obscure ; c'était une pleine lune sur laquelle couraient de larges nuées[1] chassées par le vent. Cela faisait au dehors des alternatives d'ombre et de clarté, des éclipses, puis des éclaircies, et au dedans une sorte de crépuscule. Ce crépuscule, suffisant pour qu'on pût se guider, intermittent[2] à cause des nuages, ressemblait à l'espèce de lividité[3]

1. **Nuées :** nuages.
2. **Intermittent :** qui se produit par intervalles.
3. **Lividité :** pâleur qui rappelle le teint d'un mort.

qui tombe d'un soupirail[1] de cave devant lequel vont et viennent des passants. Arrivé à la fenêtre, Jean Valjean l'examina. Elle était sans barreaux, donnait sur le jardin et n'était fermée, selon la mode du pays, que d'une petite clavette[2]. Il l'ouvrit, mais, comme
45 un air froid et vif entra brusquement dans la chambre, il la referma tout de suite. Il regarda le jardin de ce regard attentif qui étudie plus encore qu'il ne regarde. Le jardin était enclos d'un mur blanc assez bas, facile à escalader. Au fond, au-delà, il distingua des têtes d'arbres également espacées, ce qui indiquait que ce mur séparait
50 le jardin d'une avenue ou d'une ruelle plantée.

Ce coup d'œil jeté, il fit le mouvement d'un homme déterminé, marcha à son alcôve, prit son havre-sac[3], l'ouvrit, le fouilla, en tira quelque chose qu'il posa sur le lit, mit ses souliers dans une des poches, referma le tout, chargea le sac sur ses épaules, se couvrit
55 de sa casquette dont il baissa la visière sur ses yeux, chercha son bâton en tâtonnant, et l'alla poser dans l'angle de la fenêtre, puis revint au lit et saisit résolûment l'objet qu'il y avait déposé. Cela ressemblait à une barre de fer courte, aiguisée comme un épieu à l'une de ses extrémités.

60 Il eût été difficile de distinguer dans les ténèbres pour quel emploi avait pu être façonné ce morceau de fer. C'était peut-être un levier ? C'était peut-être une massue ?

Au jour on eût pu reconnaître que ce n'était autre chose qu'un chandelier de mineur[4].

XI. Ce qu'il fait

(Armé de son chandelier de mineur, Jean Valjean pénètre dans la chambre de Monseigneur Bienvenu ; après avoir été terrorisé par les grincements de la porte, il finit par s'approcher du lit où son hôte

---

1. **Soupirail :** ouverture tenant lieu de fenêtre dans une cave.
2. **Clavette :** sorte de loquet.
3. **Havre-sac :** genre de sac à dos.
4. **Chandelier de mineur :** gros chandelier de forme pointue que les mineurs plantaient dans la roche pour éclairer la galerie de mine.

est paisiblement endormi, enveloppé d'une lumière angélique. Cette vision extraordinaire trouble le voleur...)

SON ŒIL ne se détachait pas du vieillard. La seule chose qui se dégageât clairement de son attitude et de sa physionomie[1], c'était une étrange indécision. On eût dit qu'il hésitait entre les deux abîmes, celui où l'on se perd et celui où l'on se sauve. Il semblait prêt à briser ce crâne ou à baiser cette main.

Au bout de quelques instants, son bras gauche se leva lentement vers son front, et il ôta sa casquette, puis son bras retomba avec la même lenteur, et Jean Valjean rentra dans sa contemplation, sa casquette dans la main gauche, sa massue dans la main droite, ses cheveux hérissés sur sa tête farouche.

L'évêque continuait de dormir dans une paix profonde sous ce regard effrayant.

Un reflet de lune faisait confusément visible au-dessus de la cheminée le crucifix[2] qui semblait leur ouvrir les bras à tous les deux, avec une bénédiction pour l'un et un pardon pour l'autre.

Tout à coup Jean Valjean remit sa casquette sur son front, puis marcha rapidement, le long du lit, sans regarder l'évêque, droit au placard qu'il entrevoyait près du chevet ; il leva le chandelier de fer comme pour forcer la serrure ; la clef y était ; il l'ouvrit ; la première chose qui lui apparut fut le panier d'argenterie ; il le prit, traversa la chambre à grands pas sans précaution et sans s'occuper du bruit, gagna la porte, rentra dans l'oratoire[3], ouvrit la fenêtre, saisit un bâton, enjamba l'appui du rez-de-chaussée, mit l'argenterie dans son sac, jeta le panier, franchit le jardin, sauta par-dessus le mur comme un tigre, et s'enfuit.

XII. L'évêque travaille

(Le lendemain, l'évêque s'aperçoit qu'il a été volé : loin de se fâcher, il décrète que l'argenterie était revenue à qui de droit, c'est-à-dire à un pauvre...)

1. **Physionomie :** traits, expression du visage.
2. **Crucifix :** statuette représentant le Christ sur sa croix.
3. **Oratoire :** petite pièce aménagée en chapelle.

COMME LE FRÈRE et la sœur allaient se lever de table, on frappa à
5 la porte.

– Entrez, dit l'évêque.

La porte s'ouvrit. Un groupe étrange et violent apparut sur le seuil. Trois hommes en tenaient un quatrième au collet. Les trois hommes étaient des gendarmes ; l'autre était Jean Valjean. [...]

10 Cependant monseigneur Bienvenu s'était approché aussi vivement que son grand âge le lui permettait.

– Ah ! vous voilà ! s'écria-t-il en regardant Jean Valjean. Je suis aise de vous voir. Et bien mais ! je vous avais donné les chandeliers aussi, qui sont en argent comme le reste et dont vous pourrez bien
15 avoir deux cents francs. Pourquoi ne les avez-vous pas emportés avec vos couverts ?

Jean Valjean ouvrit les yeux et regarda le vénérable[1] évêque avec une expression qu'aucune langue humaine ne pourrait rendre.

– Monseigneur, dit le brigadier de gendarmerie, ce que cet
20 homme disait était donc vrai ? Nous l'avons rencontré. Il allait comme quelqu'un qui s'en va. Nous l'avons arrêté pour voir. Il avait cette argenterie...

– Et il vous a dit, interrompit l'évêque en souriant, qu'elle lui avait été donnée par un vieux bonhomme de prêtre chez lequel
25 il avait passé la nuit ? Je vois la chose. Et vous l'avez ramené ici ? C'est une méprise[2].

– Comme cela, reprit le brigadier, nous pouvons le laisser aller ?

– Sans doute, répondit l'évêque.

Les gendarmes lâchèrent Jean Valjean qui recula.

30 – Est-ce que c'est vrai qu'on me laisse ? dit-il d'une voix presque inarticulée et comme s'il parlait dans le sommeil.

– Oui, on te laisse, tu n'entends donc pas ? dit un gendarme.

– Mon ami, reprit l'évêque, avant de vous en aller, voici vos chandeliers. Prenez-les.

35 Il alla à la cheminée, prit les deux flambeaux d'argent et les apporta à Jean Valjean. Les deux femmes le regardaient faire sans un mot, sans un geste, sans un regard qui pût déranger l'évêque.

---

1. **Vénérable :** digne d'être adoré.
2. **Une méprise :** une erreur.

Jean Valjean tremblait de tous ses membres. Il prit les deux chandeliers machinalement et d'un air égaré.

40 – Maintenant, dit l'évêque, allez en paix. – À propos, quand vous reviendrez, mon ami, il est inutile de passer par le jardin. Vous pourrez toujours entrer et sortir par la porte de la rue. Elle n'est fermée qu'au loquet jour et nuit.

Puis se tournant vers la gendarmerie :

45 – Messieurs, vous pouvez vous retirer.

Les gendarmes s'éloignèrent.

Jean Valjean était comme un homme qui va s'évanouir.

L'évêque s'approcha de lui, et lui dit à voix basse :

– N'oubliez pas, n'oubliez jamais que vous m'avez promis d'employer 50 cet argent à devenir honnête homme.

Jean Valjean, qui n'avait aucun souvenir d'avoir rien promis, resta interdit[1]. L'évêque avait appuyé sur ces paroles en les prononçant. Il reprit avec une sorte de solennité[2] :

– Jean Valjean, mon frère, vous n'appartenez plus au mal, mais 55 au bien. C'est votre âme que je vous achète ; je la retire aux pensées noires et à l'esprit de perdition[3], et je la donne à Dieu.

(Jean Valjean reprend sa route et croise en chemin un gamin, Petit-Gervais, à qui il s'amuse à voler une pièce ; mais c'est pour regretter aussitôt son geste. Pour la première fois depuis dix-neuf ans, le forçat 30 *se met à pleurer : il prend conscience qu'il vient de faire injustement le mal.)*

1. **Interdit :** stupéfait.
2. **Solennité :** allure majestueuse.
3. **L'esprit de perdition :** tendance à pécher et à oublier la loi divine.

LIVRE QUATRIÈME
Confier, c'est quelquefois livrer

I. Une mère qui en rencontre une autre

(Nous sommes en 1817, dans le Nord de la France. Une jeune femme, nommée Fantine, est séduite par un homme sans scrupules du nom de Tholomyès, qui l'abandonne après lui avoir fait un enfant. Honte à la fille-mère à cette époque-là ! Il faut dissimuler la petite fille pour espérer trouver un travail...)

IL Y AVAIT, dans le premier quart de ce siècle, à Montfermeil, près de Paris, une façon de gargote[1] qui n'existe plus aujourd'hui. Cette gargote était tenue par des gens appelés Thénardier, mari et femme. Elle était située dans la ruelle du Boulanger. On voyait au-dessus de la porte une planche clouée à plat sur le mur. Sur cette planche était peint quelque chose qui ressemblait à un homme portant sur son dos un autre homme, lequel avait de grosses épaulettes de général dorées avec de larges étoiles argentées ; des taches rouges figuraient du sang ; le reste du tableau était de la fumée et représentait probablement une bataille. Au bas on lisait cette inscription : AU SERGENT DE WATERLOO[2]. [...]

À quelques pas, accroupie sur le seuil de l'auberge, la mère, femme d'un aspect peu avenant[3] du reste, mais touchante en ce moment-là, balançait les deux enfants au moyen d'une longue ficelle, les couvant des yeux de peur d'accident avec cette expression animale et céleste propre à la maternité. [...]

Une femme était devant elle, à quelques pas. Cette femme, elle aussi, avait un enfant qu'elle portait dans ses bras.

---

1. **Gargote :** mauvaise auberge.
2. **Waterloo :** dernière bataille de Napoléon, qui conduisit à la chute définitive de l'Empire.
3. **Avenant :** aimable.

Elle portait en outre un assez gros sac de nuit qui semblait fort lourd.

L'enfant de cette femme était un des plus divins êtres qu'on pût voir. C'était une fille de deux à trois ans. Elle eût pu jouter[1] avec les deux autres pour la coquetterie de l'ajustement[2] ; elle avait un bavolet[3] de linge fin, des rubans à sa brassière et de la valenciennes[4] à son bonnet. Le pli de sa jupe relevée laissait voir sa cuisse blanche, potelée et ferme. Elle était admirablement rose et bien portante. La belle petite donnait envie de mordre dans les pommes de ses joues. On ne pouvait rien dire de ses yeux, sinon qu'ils devaient être très grands et qu'ils avaient des cils magnifiques. Elle dormait.

Elle dormait de ce sommeil d'absolue confiance propre à son âge. Les bras des mères sont faits de tendresse ; les enfants y dorment profondément.

Quant à la mère, l'aspect en était pauvre et triste. Elle avait la mise d'une ouvrière qui tend à redevenir paysanne. Elle était jeune. Était-elle belle ? peut-être ; mais avec cette mise il n'y paraissait pas. Ses cheveux, d'où s'échappait une mèche blonde, semblaient fort épais, mais disparaissaient sévèrement sous une coiffe de béguine[5], laide, serrée, étroite, et nouée au menton. Le rire montre les belles dents quand on en a ; mais elle ne riait point. Ses yeux ne semblaient pas être secs depuis très longtemps. Elle était pâle ; elle avait l'air très lasse et un peu malade ; elle regardait sa fille endormie dans ses bras avec cet air particulier d'une mère qui a nourri son enfant. Un large mouchoir bleu, comme ceux où se mouchent les invalides[6], plié en fichu, masquait lourdement sa taille. Elle avait les mains hâlées et toutes piquées de taches de rousseur, l'index durci et déchiqueté par l'aiguille, une mante[7] brune de laine bourrue[8], une robe de toile et de gros souliers. C'était Fantine. [...]

---

1. **Jouter :** rivaliser, lutter.
2. **Ajustement :** toilette, parure.
3. **Bavolet :** bonnet qui couvre la nuque.
4. **Valenciennes :** dentelle fabriquée à Valenciennes.
5. **Béguine :** religieuse flamande.
6. **Invalides :** personnes handicapées.
7. **Mante :** genre de cape.
8. **Laine bourrue :** laine grossière, d'aspect irrégulier.

– Vous avez là deux jolis enfants, madame.

Les créatures les plus féroces sont désarmées par la caresse à leurs petits. La mère leva la tête et remercia, et fit asseoir la passante sur le banc de la porte, elle-même étant sur le seuil. Les deux femmes causèrent.

– Je m'appelle madame Thénardier, dit la mère des deux petites. Nous tenons cette auberge. [...]

La voyageuse raconta son histoire, un peu modifiée :

Qu'elle était ouvrière ; que son mari était mort ; que le travail lui manquait à Paris, et qu'elle allait en chercher ailleurs ; dans son pays ; qu'elle avait quitté Paris, le matin même, à pied ; que, comme elle portait son enfant, se sentant fatiguée, et ayant rencontré la voiture de Villemomble, elle y était montée ; que de Villemomble elle était venue à Montfermeil à pied, que la petite avait un peu marché, mais pas beaucoup, c'est si jeune, et qu'il avait fallu la prendre, et que le bijou s'était endormi.

Et sur ce mot elle donna à sa fille un baiser passionné qui la réveilla. [...]

– Comment s'appelle votre mioche[1] ?

– Cosette. [...]

– Quel âge a-t-elle ?

– Elle va sur trois ans.

– C'est comme mon aînée.

Cependant les trois petites filles étaient groupées dans une posture d'anxiété profonde et de béatitude ; un événement avait lieu ; un gros ver venait de sortir de terre ; et elles avaient peur, et elles étaient en extase.

Leurs fronts radieux[2] se touchaient ; on eût dit trois têtes dans une auréole[3].

– Les enfants, s'écria la mère Thénardier, comme ça se connaît tout de suite ! les voilà qu'on jurerait trois sœurs !

Ce mot fut l'étincelle qu'attendait probablement l'autre mère. Elle saisit la main de la Thénardier, la regarda fixement, et lui dit :

– Voulez-vous me garder mon enfant ?

---

1. **Mioche :** enfant.
2. **Radieux :** éclatant de bonheur.
3. **Auréole :** cercle lumineux dont les peintres entourent le visage du Christ et des saints.

La Thénardier eut un de ces mouvements surpris qui ne sont ni le consentement ni le refus.

La mère de Cosette poursuivit :

90 – Voyez-vous, je ne peux pas emmener ma fille au pays. L'ouvrage ne le permet pas. Avec un enfant, on ne trouve pas à se placer. Ils sont si ridicules dans ce pays-là. C'est le bon Dieu qui m'a fait passer devant votre auberge. Quand j'ai vu vos petites si jolies et si propres et si contentes, cela m'a bouleversée. J'ai dit :
95 voilà une bonne mère. C'est ça ; ça fera trois sœurs. Et puis, je ne serai pas longtemps à revenir. Voulez-vous me garder mon enfant ?

– Il faudrait voir, dit la Thénardier.

– Je donnerais six francs par mois.

Ici une voix d'homme cria du fond de la gargote :

100 – Pas à moins de sept francs. Et six mois payés d'avance.

– Six fois sept quarante-deux, dit la Thénardier.

– Je les donnerai, dit la mère.

– Et quinze francs en dehors pour les premiers frais, ajouta la voix d'homme. [...]

105 – Je les donnerai, dit la mère, j'ai quatre-vingts francs. Il me restera de quoi aller au pays. En allant à pied. Je gagnerai de l'argent là-bas, et dès que j'en aurai un peu, je reviendrai chercher l'amour. [...]

Le marché fut conclu. La mère passa la nuit à l'auberge, donna
110 son argent et laissa son enfant, renoua son sac de nuit dégonflé du trousseau[1] et léger désormais, et partit le lendemain matin, comptant revenir bientôt. On arrange tranquillement ces départs-là, mais ce sont des désespoirs.

Une voisine des Thénardier rencontra cette mère comme elle
115 s'en allait, et s'en revint en disant :

– Je viens de voir une femme qui pleure dans la rue, que c'est un déchirement.

1. **Trousseau :** ensemble de vêtements et d'objets de toilette donné à un petit enfant ou à une jeune fille qui va se marier.

LIVRE CINQUIÈME
La descente

I. Histoire d'un progrès dans les verroteries noires

CETTE MÈRE cependant qui, au dire des gens de Montfermeil, semblait avoir abandonné son enfant, que devenait-elle ? où était-elle ? que faisait-elle ?

Après avoir laissé sa petite Cosette aux Thénardier, elle avait 5 continué son chemin et était arrivée à Montreuil-sur-Mer[1].

C'était, on se le rappelle, en 1818.

Fantine avait quitté sa province depuis une dizaine d'années. Montreuil-sur-Mer avait changé d'aspect. Tandis que Fantine descendait lentement de misère en misère, sa ville natale avait 10 prospéré[2].

Depuis deux ans environ, il s'y était accompli un de ces faits industriels qui sont les grands événements des petits pays.

Ce détail importe, et nous croyons utile de le développer ; nous dirions presque, de le souligner.

15 De temps immémorial[3], Montreuil-sur-Mer avait pour industrie spéciale l'imitation des jais[4] anglais et des verroteries noires d'Allemagne. Cette industrie avait toujours végété[5], à cause de la cherté[6] des matières premières qui réagissait sur la main-d'œuvre. Au moment où Fantine revint à Montreuil-sur-Mer, une transfor-20 mation inouïe s'était opérée dans cette production des « articles

---

1. **Montreuil-sur-Mer :** ville côtière du nord de la France.
2. **Avait prospéré :** s'était enrichi.
3. **Immémorial :** très ancien.
4. **Jais :** pierre noire et brillante dont on fait des bijoux et des ornements pour les vêtements, à laquelle on substitue souvent une imitation de verre.
5. **Avait végété :** avait stagné, avait survécu sans parvenir à se développer.
6. **Cherté :** coût élevé.

noirs ». Vers la fin de 1815, un homme, un inconnu, était venu s'établir dans la ville et avait eu l'idée de substituer, dans cette fabrication, la gomme-laque[1] à la résine et, pour les bracelets en particulier, les coulants[2] en tôle simplement rapprochée aux coulants en tôle soudée. Ce tout petit changement avait été une révolution.

Ce tout petit changement en effet avait prodigieusement réduit le prix de la matière première, ce qui avait permis, premièrement, d'élever le prix de la main-d'œuvre, bienfait pour le pays ; deuxièmement, d'améliorer la fabrication, avantage pour le consommateur ; troisièmement, de vendre à meilleur marché tout en triplant le bénéfice, profit pour le manufacturier[3].

Ainsi pour une idée trois résultats.

En moins de trois ans, l'auteur de ce procédé était devenu riche, ce qui est bien, et avait tout fait riche autour de lui, ce qui est mieux. Il était étranger au département. De son origine, on ne savait rien ; de ses commencements, peu de chose.

On contait qu'il était venu dans la ville avec fort peu d'argent, quelques centaines de francs tout au plus.

C'est de ce mince capital, mis au service d'une idée ingénieuse, fécondé[4] par l'ordre et par la pensée, qu'il avait tiré sa fortune et la fortune de tout ce pays.

À son arrivée à Montreuil-sur-Mer, il n'avait que les vêtements, la tournure[5] et le langage d'un ouvrier.

Il paraît que, le jour même où il faisait obscurément[6] son entrée dans la petite ville de Montreuil-sur-Mer, à la tombée d'un soir de décembre, le sac au dos et le bâton d'épine[7] à la main, un gros incendie venait d'éclater à la maison commune[8]. Cet homme s'était

---

1. **Gomme-laque :** résine sécrétée par des insectes ; la résine habituellement utilisée est d'origine végétale.
2. **Coulants :** anneaux coulissants.
3. **Manufacturier :** patron d'usine.
4. **Fécondé :** rendu productif, fructueux.
5. **Tournure :** allure, aspect.
6. **Obscurément :** discrètement, sans se faire remarquer. Cet usage du terme est rare.
7. **Bâton d'épine :** bâton taillé dans un arbre épineux.
8. **Maison commune :** mairie.

jeté dans le feu, et avait sauvé, au péril de sa vie, deux enfants qui se trouvaient être ceux du capitaine de gendarmerie ; ce qui fait qu'on n'avait pas songé à lui demander son passeport. Depuis lors, on avait su son nom. Il s'appelait *le père Madeleine.*

(M. Madeleine multiplie les bienfaits à Montreuil-sur-Mer et gagne l'affection de tous. Un jour de l'année 1821, c'est-à-dire six ans après son arrivée dans la ville, on le voit en grand deuil, tout de noir vêtu : les journaux ont annoncé la mort de l'évêque de Digne, un certain « Monseigneur Bienvenu ». Les habitants commencent à s'interroger sur l'origine du père Madeleine...)

1821

V. Vagues éclairs à l'horizon

SOUVENT, quand M. Madeleine passait dans une rue, calme, affectueux, entouré des bénédictions de tous, il arrivait qu'un homme de haute taille, vêtu d'une redingote[1] gris de fer, armé d'une grosse canne et coiffé d'un chapeau rabattu, se retournait brusquement derrière lui, et le suivait des yeux jusqu'à ce qu'il eût disparu, croisant les bras, secouant lentement la tête, et haussant sa lèvre supérieure avec sa lèvre inférieure jusqu'à son nez, sorte de grimace significative qui pourrait se traduire par : « Mais qu'est-ce que c'est que cet homme-là ? – Pour sûr je l'ai vu quelque part. – En tout cas, je ne suis toujours pas sa dupe[2]. »

Ce personnage, grave d'une gravité presque menaçante, était de ceux qui, même rapidement entrevus, préoccupent l'observateur.

Il se nommait Javert, et il était de la police.

Il remplissait à Montreuil-sur-Mer les fonctions pénibles, mais utiles, d'inspecteur. [...] Quand Javert était arrivé à Montreuil-sur-Mer, la fortune du grand manufacturier était déjà faite, et le père Madeleine était devenu monsieur Madeleine. [...]

La face humaine de Javert consistait en un nez camard[3], avec deux profondes narines vers lesquelles montaient sur ses deux

1. **Redingote :** veste d'homme longue.
2. **Je ne suis pas sa dupe :** je ne me fais pas berner.
3. **Nez camard :** nez aplati.

20 joues d'énormes favoris[1]. On se sentait mal à l'aise la première fois qu'on voyait ces deux forêts et ces deux cavernes. Quand Javert riait, ce qui était rare et terrible, ses lèvres minces s'écartaient, et laissaient voir, non seulement ses dents, mais ses gencives, et il se faisait autour de son nez un plissement épaté[2] et sauvage comme 25 sur un mufle de bête fauve. Javert sérieux était un dogue ; lorsqu'il riait, c'était un tigre. Du reste, peu de crâne, beaucoup de mâchoire, les cheveux cachant le front et tombant sur les sourcils, entre les deux yeux un froncement central permanent comme une étoile de colère, le regard obscur, la bouche pincée et redoutable, 30 l'air du commandement féroce.

Cet homme était composé de deux sentiments très simples, et relativement très bons, mais qu'il faisait presque mauvais à force de les exagérer : le respect de l'autorité, la haine de la rébellion[3] ; et à ses yeux le vol, le meurtre, tous les crimes, n'étaient que des formes 35 de la rébellion. Il enveloppait dans une sorte de foi aveugle et profonde tout ce qui a une fonction dans l'État, depuis le premier ministre jusqu'au garde champêtre. Il couvrait de mépris, d'aversion[4] et de dégoût tout ce qui avait franchi une fois le seuil légal du mal. Il était absolu et n'admettait pas d'exceptions. [...]

40 Javert était comme un œil toujours fixé sur M. Madeleine. Œil plein de soupçon et de conjectures[5]. M. Madeleine avait fini par s'en apercevoir, mais il sembla que cela fût insignifiant pour lui. Il ne fit pas même une question à Javert, il ne le cherchait ni ne l'évitait, et il portait, sans paraître y faire attention, ce regard gênant 45 et presque pesant. Il traitait Javert comme tout le monde, avec aisance et bonté. [...]

Javert était évidement quelque peu déconcerté par le complet naturel et la tranquillité de M. Madeleine.

Un jour pourtant son étrange manière d'être parut faire impres- 50 sion sur M. Madeleine. Voici à quelle occasion.

---

1. **Favoris :** touffes de barbe qu'on laisse pousser en haut des joues.
2. **Épaté :** large et aplati.
3. **Rébellion :** révolte.
4. **Aversion :** antipathie, répugnance.
5. **Conjectures :** suppositions.

VI. Le père Fauchelevent

M. MADELEINE passait un matin dans une ruelle non pavée de Montreuil-sur-mer. Il entendit du bruit et vit un groupe à quelque distance. Il y alla. Un vieux homme, nommé le père Fauchelevent, venait de tomber sous sa charrette dont le cheval s'était abattu. [...]

(Javert, en tant qu'inspecteur de police, est accouru et a envoyé chercher un cric, c'est-à-dire un instrument pour soulever la charrette ; M. Madeleine arrive sur ces entrefaites...)

Il avait plu la veille, le sol était détrempé, la charrette s'enfonçait dans la terre à chaque instant et comprimait de plus en plus la poitrine du vieux charretier. Il était évident qu'avant cinq minutes il aurait les côtes brisées.

– Il est impossible d'attendre un quart d'heure, dit Madeleine aux paysans qui regardaient.

– Il faut bien !

– Mais il ne sera plus temps ! Vous ne voyez donc pas que la charrette s'enfonce ?

– Dame !

– Écoutez, reprit Madeleine, il y a encore assez de place sous la voiture pour qu'un homme s'y glisse et la soulève avec son dos. Rien qu'une demi-minute, et l'on tirera le pauvre homme. Y a-t-il ici quelqu'un qui ait des reins et du cœur ? Cinq louis d'or à gagner !

Personne ne bougea dans le groupe.

– Dix louis, dit Madeleine.

Les assistants baissaient les yeux. Un d'eux murmura :

– Il faudrait être diablement fort. Et puis, on risque de se faire écraser !

– Allons ! recommença Madeleine, vingt louis ! Même silence.

– Ce n'est pas la bonne volonté qui leur manque, dit une voix.

M. Madeleine se retourna, et reconnut Javert. Il ne l'avait pas aperçu en arrivant.

Javert continua :

– C'est la force. Il faudrait être un terrible homme pour faire la chose de lever une voiture comme cela sur son dos.

Puis, regardant fixement M. Madeleine, il poursuivit en appuyant sur chacun des mots qu'il prononçait :

– Monsieur Madeleine, je n'ai jamais connu qu'un seul homme capable de faire ce que vous demandez là.

Madeleine tressaillit.

Javert ajouta avec un air d'indifférence, mais sans quitter des yeux Madeleine :

– C'était un forçat.

– Ah ! dit Madeleine.

– Du bagne de Toulon.

Madeleine devint pâle.

Cependant la charrette continuait à s'enfoncer lentement. Le père Fauchelevent râlait[1] et hurlait :

– J'étouffe ! Ça me brise les côtes ! Un cric ! quelque chose ! Ah !

Madeleine regarda autour de lui :

– Il n'y a donc personne qui veuille gagner vingt louis et sauver la vie à ce pauvre vieux ?

Aucun des assistants ne remua. Javert reprit :

– Je n'ai jamais connu qu'un homme qui pût remplacer un cric. C'était ce forçat.

– Ah ! voilà que ça m'écrase ! cria le vieillard.

Madeleine leva la tête, rencontra l'œil de faucon de Javert toujours attaché sur lui, regarda les paysans immobiles, et sourit tristement. Puis, sans dire une parole, il tomba à genoux, et avant même que la foule eût eu le temps de jeter un cri, il était sous la voiture.

Il y eut un affreux moment d'attente et de silence.

On vit Madeleine presque à plat ventre sous ce poids effrayant essayer deux fois en vain de rapprocher ses coudes de ses genoux. On lui cria : – Père Madeleine ! retirez-vous de là ! – Le vieux Fauchelevent lui-même lui dit : – Monsieur Madeleine ! allez-vous-en ! C'est qu'il faut que je meure, voyez-vous ! Laissez-moi ! Vous allez vous faire écraser aussi ! – Madeleine ne répondit pas.

Les assistants haletaient. Les roues avaient continué de s'enfoncer, et il était déjà devenu presque impossible que Madeleine sortît de dessous la voiture.

---

1. **Râlait :** respirait bruyamment comme quelqu'un qui étouffe.

Tout à coup on vit l'énorme masse s'ébranler, la charrette se soulevait lentement, les roues sortaient à demi de l'ornière. On entendit une voix étouffée qui criait : Dépêchez-vous ! aidez ! C'était Madeleine qui venait de faire un dernier effort.

75 Ils se précipitèrent. Le dévouement d'un seul avait donné de la force et du courage à tous. La charrette fut enlevée par vingt bras. Le vieux Fauchelevent était sauvé.

Madeleine se releva. Il était blême, quoique ruisselant de sueur. Ses habits étaient déchirés et couverts de boue. Tous pleuraient. Le 80 vieillard lui baisait les genoux et l'appelait le bon Dieu. Lui, il avait sur le visage je ne sais quelle expression de souffrance heureuse et céleste, et il fixait son œil tranquille sur Javert qui le regardait toujours.

VII. Fauchelevent devient jardinier à Paris

Quelque temps après, M. Madeleine fut nommé maire. La première fois que Javert vit M. Madeleine revêtu de l'écharpe qui lui donnait toute autorité sur la ville[1], il éprouva cette sorte de frémissement qu'éprouverait un dogue qui flairerait un loup sous les 5 habits de son maître. À partir de ce moment, il l'évita le plus qu'il put. Quand les besoins du service l'exigeaient impérieusement et qu'il ne pouvait faire autrement que de se trouver avec M. le maire, il lui parlait avec un respect profond. [...]

Telle était la situation du pays, lorsque Fantine y revint. Personne 10 ne se souvenait plus d'elle. Heureusement la porte de la fabrique de M. Madeleine était comme un visage ami. Elle s'y présenta, et fut admise dans l'atelier des femmes. Le métier était tout nouveau pour Fantine, elle n'y pouvait être bien adroite, elle ne tirait donc de sa journée de travail que peu de chose, mais enfin cela suffisait, 15 le problème était résolu, elle gagnait sa vie.

---

1. **L'écharpe qui lui donnait toute autorité sur la ville :** il s'agit d'une longue bande de tissu, portée en travers de la poitrine et qui est l'insigne de la fonction de maire.

VIII. Madame Victurnien dépense trente-cinq francs pour la morale

QUAND FANTINE vit qu'elle vivait, elle eut un moment de joie. Vivre honnêtement de son travail, quelle grâce du ciel ! Le goût du travail lui revint vraiment. Elle acheta un miroir, se réjouit d'y regarder sa jeunesse, ses beaux cheveux et ses belles dents, oublia beaucoup de choses, ne songea plus qu'à sa Cosette et à l'avenir possible, et fut presque heureuse. Elle loua une petite chambre et la meubla à crédit sur son travail futur ; reste de ses habitudes de désordre.

Ne pouvant pas dire qu'elle était mariée, elle s'était bien gardée, comme nous l'avons déjà fait entrevoir, de parler de sa petite fille. En ces commencements, on l'a vu, elle payait exactement les Thénardier. Comme elle ne savait que signer, elle était obligée de leur écrire par un écrivain public.

Elle écrivait souvent. Cela fut remarqué. On commença à dire tout bas dans l'atelier des femmes que Fantine « écrivait des lettres » et qu'« elle avait des allures ». [...]

On constata qu'elle écrivait, au moins deux fois par mois, toujours à la même adresse, et qu'elle affranchissait la lettre[1]. On parvint à se procurer l'adresse : *Monsieur, Monsieur Thénardier, aubergiste, à Montfermeil.* On fit jaser[2] au cabaret l'écrivain public, vieux bonhomme qui ne pouvait pas emplir son estomac de vin rouge sans vider sa poche aux secrets. Bref, on sut que Fantine avait un enfant. « Ce devait être une espèce de fille[3]. » Il se trouva une commère qui fit le voyage de Montfermeil, parla aux Thénardier, et dit à son retour : « Pour mes trente-cinq francs, j'en ai eu le cœur net. J'ai vu l'enfant ! » [...]

Fantine était depuis plus d'un an à la fabrique[4], lorsqu'un matin la surveillante de l'atelier lui remit, de la part de M. le maire, cin-

1. **Elle affranchissait la lettre :** à l'époque, c'était habituellement le destinataire qui acquittait le port à la réception du courrier ; il était libre de refuser une lettre s'il ne voulait pas payer.
2. **Jaser :** bavarder, tenir des propos indiscrets.
3. **Une espèce de fille :** une prostituée.
4. **La fabrique :** l'usine.

quante francs, en lui disant qu'elle ne faisait plus partie de l'atelier et en l'engageant, de la part de M. le maire, à quitter le pays.

30 C'était précisément dans ce même mois que les Thénardier, après avoir demandé douze francs au lieu de six, venaient d'exiger quinze francs au lieu de douze.

Fantine fut atterrée. Elle ne pouvait s'en aller du pays, elle devait son loyer et ses meubles. Cinquante francs ne suffisaient pas pour 35 acquitter cette dette. Elle balbutia quelques mots suppliants. La surveillante lui signifia qu'elle eût à sortir sur-le-champ de l'atelier. Fantine n'était du reste qu'une ouvrière médiocre. Accablée de honte plus encore que de désespoir, elle quitta l'atelier et rentra dans sa chambre. Sa faute était donc maintenant connue de tous !

40 *(En fait, Fantine a été victime de la jalousie et de la méchanceté de la commère, une certaine Madame Victurnien : M. Madeleine n'est pour rien dans son renvoi, mais Fantine l'ignore.)*

IX. Succès de Madame Victurnien

ELLE SE MIT à coudre de grosses chemises pour les soldats de la garnison[1], et gagnait douze sous par jour. Sa fille lui en coûtait dix. C'est en ce moment qu'elle commença à mal payer les Thénardier. [...]

Fantine apprit comment on se passe tout à fait de feu en hiver, 5 comment on renonce à un oiseau qui vous mange un liard[2] de millet tous les deux jours, comment on fait de son jupon sa couverture et de sa couverture son jupon, comment on ménage sa chandelle en prenant son repas à la lumière de la fenêtre d'en face. [...]

L'excès du travail fatiguait Fantine, et la petite toux sèche qu'elle 10 avait augmenta. Elle disait quelquefois à sa voisine Marguerite : « Tâtez donc comme mes mains sont chaudes. »

Cependant le matin, quand elle peignait avec un vieux peigne cassé ses beaux cheveux qui ruisselaient comme de la soie floche[3], elle avait une minute de coquetterie heureuse.

---

1. **Garnison :** unité militaire.
2. **Un liard :** un quart de sou.
3. **Soie floche :** tissu de soie très mou.

X. Suite du succès

FANTINE gagnait trop peu. Ses dettes avaient grossi. Les Thénardier, mal payés, lui écrivaient à chaque instant des lettres dont le contenu la désolait et dont le port[1] la ruinait. Un jour ils lui écrivirent que sa petite Cosette était toute nue par le froid qu'il faisait, qu'elle avait besoin d'une jupe de laine, et qu'il fallait au moins que la mère envoyât dix francs pour cela. Elle reçut la lettre, et la froissa dans ses mains tout le jour. Le soir elle entra chez un barbier qui habitait le coin de la rue, et défit son peigne. Ses admirables cheveux blonds lui tombèrent jusqu'aux reins.

– Les beaux cheveux ! s'écria le barbier.

– Combien m'en donneriez-vous ? dit-elle.

– Dix francs.

– Coupez-les.

Elle acheta une jupe de tricot et l'envoya aux Thénardier.

Cette jupe fit les Thénardier furieux. C'était de l'argent qu'ils voulaient. Ils donnèrent la jupe à Éponine. La pauvre Alouette continua de frissonner.

Fantine pensa : – Mon enfant n'a plus froid. Je l'ai habillée de mes cheveux. – Elle mettait de petits bonnets ronds qui cachaient sa tête tondue et avec lesquels elle était encore jolie. [...]

Elle adorait son enfant.

Plus elle descendait, plus tout devenait sombre autour d'elle, plus ce doux petit ange rayonnait dans le fond de son âme. Elle disait : Quand je serai riche, j'aurai ma Cosette avec moi ; et elle riait. La toux ne la quittait pas, et elle avait des sueurs dans le dos.

Un jour elle reçut des Thénardier une lettre ainsi conçue :

« Cosette est malade d'une maladie qui est dans le pays. Une fièvre miliaire, qu'ils appellent. Il faut des drogues[2] chères. Cela nous ruine et nous ne pouvons plus payer. Si vous ne nous envoyez pas quarante francs avant huit jours, la petite est morte. » [...]

Comme elle passait sur la place, elle vit beaucoup de monde qui entourait une voiture de forme bizarre, sur l'impériale[3] de laquelle

1. **Le port :** le transport.
2. **Drogues :** médicaments.
3. **Impériale :** partie supérieure d'une voiture.

pérorait[1] tout debout un homme vêtu de rouge. C'était un bateleur[2] dentiste en tournée, qui offrait au public des râteliers[3] complets, des opiats[4], des poudres et des élixirs[5].

Fantine se mêla au groupe et se mit à rire comme les autres de cette harangue[6] où il y avait de l'argot pour la canaille et du jargon pour les gens comme il faut.

L'arracheur de dents vit cette belle fille qui riait, et s'écria tout à coup : – Vous avez de jolies dents, la fille qui riez là. Si vous voulez me vendre vos deux palettes[7], je vous donne de chaque un napoléon[8] d'or.

– Qu'est-ce que c'est que ça, mes palettes ? demanda Fantine.

– Les palettes, reprit le professeur dentiste, c'est les dents de devant, les deux d'en haut.

– Quelle horreur ! s'écria Fantine.

– Deux napoléons ! grommela une vieille édentée qui était là. Qu'en voilà une qui est heureuse !

Fantine s'enfuit, et se boucha les oreilles pour ne pas entendre la voix enrouée de l'homme qui lui criait :

– Réfléchissez, la belle ! deux napoléons, ça peut servir. Si le cœur vous en dit, venez ce soir à l'auberge du *Tillac d'argent*, vous m'y trouverez.

Fantine rentra, elle était furieuse et conta la chose à sa bonne voisine Marguerite :

– Comprenez-vous cela ? ne voilà-t-il pas un abominable homme ? comment laisse-t-on des gens comme cela aller dans le pays ! M'arracher mes deux dents de devant ! mais je serais horrible ! Les cheveux repoussent, mais les dents ! Ah ! le monstre d'homme ! j'aimerais mieux me jeter d'un cinquième la tête la première sur le pavé ! Il m'a dit qu'il serait ce soir au *Tillac d'argent*. [...]

---

1. **Pérorait :** faisait un discours affecté.
2. **Bateleur :** saltimbanque.
3. **Râteliers :** dentiers (familier).
4. **Opiats :** médicaments dans la fabrication desquels entre l'opium.
5. **Élixirs :** sirops pharmaceutiques.
6. **Harangue :** discours public.
7. **Palettes :** dents de devant, incisives.
8. **Napoléon :** pièce d'or à l'effigie de Napoléon Ier.

Le lendemain matin, comme Marguerite entrait dans la chambre de Fantine avant le jour, car elles travaillaient toujours ensemble et de cette façon n'allumaient qu'une chandelle pour deux, elle trouva Fantine assise sur son lit, pâle, glacée. Elle ne s'était pas couchée. Son bonnet était tombé sur ses genoux. La chandelle avait brûlé toute la nuit et était presque entièrement consumée.

Marguerite s'arrêta sur le seuil, pétrifiée de cet énorme désordre, et s'écria :

– Seigneur ! la chandelle qui est toute brûlée ! il s'est passé des événements !

Puis elle regarda Fantine qui tournait vers elle sa tête sans cheveux.

Fantine depuis la veille avait vieilli de dix ans.

– Jésus ! fit Marguerite, qu'est-ce que vous avez, Fantine ?

– Je n'ai rien, répondit Fantine. Au contraire. Mon enfant ne mourra pas de cette affreuse maladie, faute de secours. Je suis contente.

En parlant ainsi, elle montrait à la vieille fille deux napoléons qui brillaient sur la table.

– Ah, Jésus Dieu ! dit Marguerite. Mais c'est une fortune ! Où avez-vous eu ces louis d'or ?

– Je les ai eus, répondit Fantine.

En même temps elle sourit. La chandelle éclairait son visage. C'était un sourire sanglant. Une salive rougeâtre lui souillait le coin des lèvres, et elle avait un trou noir dans la bouche.

Les deux dents étaient arrachées.

Elle envoya les quarante francs à Montfermeil.

Du reste c'était une ruse des Thénardier pour avoir de l'argent. Cosette n'était pas malade.

Clefs d'analyse

Du début à p. 54

Action et personnages

1. Quelles sont les raisons pour lesquelles Mgr Bienvenu prétend avoir donné ses chandeliers d'argent à Jean Valjean ?
2. Pourquoi Fantine laisse-t-elle sa fille chez les Thénardier ? S'agit-il d'un abandon ?
3. En quoi Jean Valjean se comporte-t-il de façon héroïque lorsqu'il sauve le vieux Fauchelevent ?

Langue

4. Analysez la manière dont Jean Valjean commence par se présenter à Mgr Bienvenu (pages 29-30, lignes 23-43) : commentez la composition du texte, la structure des phrases et les verbes employés. Quel est l'effet produit ? Pourquoi reprend-il ses explications ?
5. Quels sont les procédés d'écriture qui confèrent à l'extraction des dents de Fantine un caractère tragique ? Analysez notamment la progression du texte.
6. Commentez le titre du livre IV : « Confier, c'est quelquefois livrer ». Que signifient « confier » et livrer » ? Trouvez un synonyme qui fonctionne pour les deux verbes, puis montrez en quoi ils s'opposent.

Genre ou thèmes

7. Un mot historique : « Sire, dit M. Myriel, vous regardez un bonhomme et moi je regarde un grand homme. Chacun de nous peut profiter » (p. 22, lignes 14-15). Dans quel contexte historique a lieu cet épisode ? Qu'est-ce qu'un « grand homme » ? Et un « bonhomme » ? Selon vous, a-t-il vraiment eu lieu ou est-il une invention de l'auteur ? En quoi s'agit-il d'un mot historique ?
8. La justice. Pour quel crime Jean Valjean est-il condamné ? Quelle est exactement sa peine initiale ? Cette condamnation vous paraît-elle normale ? Pourquoi ?

Écriture

9. Imaginez le dialogue au cours duquel Mr Myriel essaie de convaincre Madame Magloire qu'il a eu raison de donner l'hospitalité à Jean Valjean malgré le vol des chandeliers.

Pour aller plus loin

10. Examinez la manière dont les personnages entrent en scène dans le roman. Le registre est-il uniquement descriptif ? Quels renseignements nous donne-t-on ? Comparez les traitements respectifs de Mr Myriel, de Jean Valjean et de Fantine.

* *À retenir*

Traditionnellement, un héros est un personnage que son courage, ses exploits et son destin exceptionnel rendent digne de figurer dans un livre. Ainsi Napoléon, grand général, est un héros. Dans ce roman, comme l'indique le titre, les héros sont des « misérables » : non seulement ils sont les personnages principaux mais ils sont, eux aussi, capables de faire preuve d'héroïsme, c'est-à-dire de courage.

XIII. Solution de quelques questions de police municipale

(Un jour, Fantine est prise à partie par un bourgeois de Montreuil, un certain M. Bamatabois, qui l'insulte en pleine rue ; alerté par le tapage, Javert survient et accuse Fantine d'être la cause du désordre public. La jeune femme a beau se débattre et crier son innocence, elle se retrouve dans la prison du poste de police. Elle implore l'inspecteur, qui demeure inflexible...)

ELLE PARLAIT ainsi, brisée en deux, secouée par les sanglots, aveuglée par les larmes, la gorge nue, se tordant les mains, toussant d'une toux sèche et courte, balbutiant tout doucement avec la voix de l'agonie. La grande douleur est un rayon divin et terrible qui transfigure les misérables. À ce moment-là, la Fantine était redevenue belle. À de certains instants, elle s'arrêtait et baisait tendrement le bas de la redingote du mouchard[1]. Elle eût attendri un cœur de granit, mais on n'attendrit pas un cœur de bois.

– Allons ! dit Javert, je t'ai écoutée. As-tu bien tout dit ? Marche à présent ! Tu as tes six mois ; le Père éternel en personne n'y pourrait plus rien.

À cette solennelle parole, *Le Père éternel en personne n'y pourrait plus rien*, elle comprit que l'arrêt était prononcé. Elle s'affaissa sur elle-même en murmurant :

– Grâce !

Javert tourna le dos.

Les soldats la saisirent par les bras.

Depuis quelques minutes, un homme était entré sans qu'on eût pris garde à lui. Il avait refermé la porte, s'y était adossé, et avait entendu les prières désespérées de la Fantine.

Au moment où les soldats mirent la main sur la malheureuse, qui ne voulait pas se lever, il fit un pas, sortit de l'ombre, et dit :

– Un instant, s'il vous plaît !

Javert leva les yeux et reconnut M. Madeleine. Il ôta son chapeau, et saluant avec une sorte de gaucherie fâchée :

---

1. **Mouchard :** délateur, dénonciateur.

– Pardon, monsieur le maire...

Ce mot, monsieur le maire, fit sur la Fantine un effet étrange. Elle se dressa debout tout d'une pièce comme un spectre qui sort de terre, repoussa les soldats des deux bras, marcha droit à M. Madeleine avant qu'on eût pu la retenir, et le regardant fixement, l'air égaré, elle cria :

– Ah ! c'est donc toi qui es monsieur le maire !

Puis elle éclata de rire et lui cracha au visage.

M. Madeleine s'essuya le visage, et dit :

– Inspecteur Javert, mettez cette femme en liberté. [...]

– Monsieur le maire, cela ne se peut pas.

– Comment ? dit M. Madeleine.

– Cette malheureuse a insulté un bourgeois.

– Inspecteur Javert, repartit M. Madeleine avec un accent conciliant et calme, écoutez. Vous êtes un honnête homme, et je ne fais nulle difficulté de m'expliquer avec vous. Voici le vrai. Je passais sur la place comme vous emmeniez cette femme, il y avait encore des groupes, je me suis informé, j'ai tout su, c'est le bourgeois qui a eu tort et qui, en bonne police, eût dû être arrêté.

Javert reprit :

– Cette misérable vient d'insulter monsieur le maire.

– Ceci me regarde, dit M. Madeleine. Mon injure est à moi peut-être. J'en puis faire ce que je veux.

– Je demande pardon à monsieur le maire. Son injure n'est pas à lui, elle est à la justice.

– Inspecteur Javert, répliqua M. Madeleine, la première justice, c'est la conscience. J'ai entendu cette femme. Je sais ce que je fais.

– Et moi, monsieur le maire, je ne sais pas ce que je vois.

– Alors contentez-vous d'obéir.

– J'obéis à mon devoir. Mon devoir veut que cette femme fasse six mois de prison.

M. Madeleine répondit avec douceur :

– Écoutez bien ceci. Elle n'en fera pas un jour.

À cette parole décisive, Javert osa regarder le maire fixement, et lui dit, mais avec un son de voix toujours profondément respectueux :

– Je suis au désespoir de résister à monsieur le maire, c'est la première fois de ma vie, mais il daignera me permettre de lui faire

70 observer que je suis dans la limite de mes attributions[1]. Je reste, puisque monsieur le maire le veut, dans le fait du bourgeois. J'étais là. C'est cette fille qui s'est jetée sur monsieur Bamatabois, qui est électeur et propriétaire de cette belle maison à balcon qui fait le coin de l'esplanade, à trois étages et toute en pierre de taille. Enfin, 75 il y a des choses dans ce monde ! Quoi qu'il en soit, monsieur le maire, cela, c'est un fait de police de la rue qui me regarde, et je retiens la femme Fantine.

Alors M. Madeleine croisa les bras et dit avec une voix sévère que personne dans la ville n'avait encore entendue :

80 – Le fait dont vous parlez est un fait de police municipale. Aux termes des articles neuf, onze, quinze et soixante-six du code d'instruction criminelle, j'en suis juge. J'ordonne que cette femme soit mise en liberté.

Javert voulut tenter un dernier effort.

85 – Mais, monsieur le maire...

– Je vous rappelle, à vous, l'article quatre-vingt-un de la loi du 13 décembre 1799 sur la détention arbitraire[2].

– Monsieur le maire, permettez...

– Plus un mot.

90 – Pourtant...

– Sortez, dit M. Madeleine.

Javert reçut le coup, debout, de face, et en pleine poitrine comme un soldat russe. Il salua jusqu'à terre monsieur le maire, et sortit.

(M. Madeleine prend alors Fantine sous sa protection. Très inquiet 95 *de l'état de santé de la jeune femme, il l'installe dans une chambre douillette et la fait soigner par une religieuse dévouée, la sœur Simplice. Il promet également à Fantine qu'il ira chercher Cosette le plus tôt possible ; mais un incident l'en empêche...)*

---

1. **Attributions :** pouvoirs liés à une fonction.
2. **Détention arbitraire :** emprisonnement injustifié.

LIVRE SIXIÈME
Javert

II. Comment Jean peut devenir champ

UN MATIN, M. Madeleine était dans son cabinet[1], occupé à régler d'avance quelques affaires pressantes de la mairie pour le cas où il se déciderait à ce voyage de Montfermeil, lorsqu'on vint lui dire que l'inspecteur de police Javert demandait à lui parler. En entendant 5 prononcer ce nom, M. Madeleine ne put se défendre d'une impression désagréable. Depuis l'aventure du bureau de police, Javert l'avait plus que jamais évité, et M. Madeleine ne l'avait point revu.

– Faites entrer, dit-il. [...]

Javert salua respectueusement M. le maire qui lui tournait le dos. 10 M. le maire ne le regarda pas et continua d'annoter son dossier.

Javert fit deux ou trois pas dans le cabinet, et s'arrêta sans rompre le silence. [...]

– Eh bien ! qu'est-ce ? qu'y a-t-il, Javert ?

Javert demeura un instant silencieux comme s'il se recueillait, 15 puis éleva la voix avec une sorte de solennité triste qui n'excluait pourtant pas la simplicité : [...]

– Monsieur le maire, il y a six semaines, à la suite de cette scène pour cette fille, j'étais furieux, je vous ai dénoncé.

– Dénoncé !

20 – À la préfecture de police de Paris.

M. Madeleine, qui ne riait pas beaucoup plus souvent que Javert, se mit à rire.

– Comme maire ayant empiété[2] sur la police ?

– Comme ancien forçat.

25 Le maire devint livide.

Javert, qui n'avait pas levé les yeux, continua :

1. **Cabinet :** bureau.
2. **Empiété :** usurpé les droit de.

– Je le croyais. Depuis longtemps j'avais des idées. Une ressemblance, des renseignements que vous avez fait prendre à Faverolles, votre force des reins, l'aventure du vieux Fauchelevent, votre adresse au tir, votre jambe qui traîne un peu, est-ce que je sais, moi ? des bêtises ! mais enfin je vous prenais pour un nommé Jean Valjean.

– Un nommé ?... Comment dites-vous ce nom-là ?

– Jean Valjean. C'est un forçat que j'avais vu il y a vingt ans quand j'étais adjudant-garde-chiourme[1] à Toulon. En sortant du bagne, ce Jean Valjean avait, à ce qu'il paraît, volé chez un évêque, puis il avait commis un autre vol à main armée, dans un chemin public, sur un petit savoyard[2]. Depuis huit ans il s'était dérobé, on ne sait comment, et on le cherchait. Moi je m'étais figuré... – Enfin, j'ai fait cette chose ! La colère m'a décidé, je vous ai dénoncé à la préfecture.

M. Madeleine, qui avait ressaisi le dossier depuis quelques instants, reprit avec un accent de parfaite indifférence :

– Et que vous a-t-on répondu ?

– Que j'étais fou.

– Eh bien ?

– Eh bien, on avait raison.

– C'est heureux que vous le reconnaissiez !

– Il faut bien, puisque le véritable Jean Valjean est trouvé.

La feuille que tenait M. Madeleine lui échappa des mains, il leva la tête, regarda fixement Javert, et dit avec un accent inexprimable : – Ah ! [...]

M. Madeleine reprit d'une voix très basse :

– Vous êtes sûr ?

Javert se mit à rire de ce rire douloureux qui échappe à une conviction profonde :

– Oh, sûr !

Il demeura un moment pensif, prenant machinalement des pincées de poudre de bois[3] dans la sébille[4] à sécher l'encre qui était sur la table, et il ajouta :

---

1. **Garde-chiourme :** surveillant dans un bagne.
2. **Un petit savoyard :** Petit-Gervais, à qui Jean Valjean a volé de l'argent.
3. **Poudre de bois :** avant l'apparition des buvards, on répandait de la poudre sur ce qu'on venait d'écrire pour faire sécher l'encre.
4. **Sébille :** coupelle.

– Et même, maintenant que je vois le vrai Jean Valjean, je
60 ne comprends pas comment j'ai pu croire autre chose. Je vous demande pardon, monsieur le maire. [...] M. Madeleine ne répondit à sa prière que par cette question brusque :

– Et que dit cet homme ?

– Ah, dame ! monsieur le maire, l'affaire est mauvaise. Si c'est
65 Jean Valjean, il y a récidive. Enjamber un mur, casser une branche, chiper des pommes, pour un enfant, c'est une polissonnerie ; pour un homme, c'est un délit ; pour un forçat, c'est un crime. Escalade et vol, tout y est. Ce n'est plus la police correctionnelle, c'est la cour d'assises[1]. Ce n'est plus quelques jours de prison, ce sont les
70 galères à perpétuité. [...] Lui, il n'a pas l'air de comprendre, il dit : Je suis Champmathieu, je ne sors pas de là ! Il a l'air étonné, il fait la brute, c'est bien mieux. Oh ! le drôle est habile. Mais c'est égal, les preuves sont là. Il est reconnu par quatre personnes, le vieux coquin sera condamné. C'est porté aux assises, à Arras. Je vais y
75 aller pour témoigner. Je suis cité.

M. Madeleine s'était remis à son bureau, avait ressaisi son dossier, et le feuilletait tranquillement, lisant et écrivant tour à tour comme un homme affairé. Il se tourna vers Javert : [...]

– Quel jour donc ?

80 – Mais je croyais avoir dit à monsieur le maire que cela se jugeait demain et que je partais par la diligence cette nuit.

M. Madeleine fit un mouvement imperceptible.

– Et combien de temps durera l'affaire ?

– Un jour tout au plus. L'arrêt sera prononcé au plus tard demain
85 dans la nuit. Mais je n'attendrai pas l'arrêt, qui ne peut manquer. Sitôt ma déposition[2] faite, je reviendrai ici.

– C'est bon, dit M. Madeleine.

Et il congédia Javert d'un signe de main.

---

1. **Ce n'est plus [...] cour d'assises :** la police correctionnelle est chargée des simples délits alors que la cour d'assises est un tribunal qui juge les crimes.
2. **Déposition :** déclaration faite devant la justice.

LIVRE SEPTIÈME
L'affaire Champmathieu

III. Une tempête sous un crâne

(Pendant toute la nuit, M. Madeleine est en proie à un terrible tourment moral, comparable à « une tempête sous un crâne » : Jean Valjean, dont le lecteur a sans doute deviné l'identité, ne peut se résoudre à renoncer à sa nouvelle vie, ni à laisser condamner un homme à sa place.)

IL RECULAIT maintenant avec une égale épouvante devant les deux résolutions qu'il avait prises tour à tour. Les deux idées qui le conseillaient lui paraissaient aussi funestes l'une que l'autre. – Quelle fatalité ! quelle rencontre que ce Champmathieu pris pour lui ! Être précipité justement par le moyen que la providence paraissait d'abord avoir employé pour l'affermir !

Il y eut un moment où il considéra l'avenir. Se dénoncer, grand Dieu ! se livrer ! Il envisagea avec un immense désespoir tout ce qu'il faudrait quitter, tout ce qu'il faudrait reprendre. Il faudrait donc dire adieu à cette existence si bonne, si pure, si radieuse, à ce respect de tous, à l'honneur, à la liberté ! Il n'irait plus se promener dans les champs, il n'entendrait plus chanter les oiseaux au mois de mai, il ne ferait plus l'aumône aux petits enfants ! Il ne sentirait plus la douceur des regards de reconnaissance et d'amour fixés sur lui ! Il quitterait cette maison qu'il avait bâtie, cette petite chambre ! Tout lui paraissait charmant à cette heure. Il ne lirait plus dans ces livres, il n'écrirait plus sur cette petite table de bois blanc. Sa vieille portière, la seule servante qu'il eût ne lui monterait plus son café le matin. Grand Dieu ! au lieu de cela, la chiourme[1], le carcan[2], la veste rouge, la chaîne au pied, la fatigue, le cachot, le lit de camp, toutes ces horreurs connues !

---

1. **La chiourme :** le bagne.
2. **Carcan :** collier de fer par lequel on attachait les forçats.

[...]

Et, quoi qu'il fît, il retombait toujours sur ce poignant dilemme qui était au fond de sa rêverie : – rester dans le paradis et y devenir démon ! rentrer dans l'enfer et y devenir ange !

Que faire, grand Dieu ! que faire ?

La tourmente dont il était sorti avec tant de peine, se déchaîna de nouveau en lui. Ses idées recommencèrent à se mêler. Elles prirent ce je ne sais quoi de stupéfié et de machinal qui est propre au désespoir. Le nom de Romainville lui revenait sans cesse à l'esprit avec deux vers d'une chanson qu'il avait entendue autrefois. Il songeait que Romainville est un petit bois près Paris où les jeunes gens amoureux vont cueillir les lilas au mois d'avril.

Il chancelait au dehors comme au dedans. Il marchait comme un petit enfant qu'on laisse aller seul.

À de certains moments, luttant contre la lassitude, il faisait effort pour ressaisir son intelligence. Il tâchait de se poser une dernière fois, et définitivement, le problème sur lequel il était en quelque sorte tombé d'épuisement. Faut-il se dénoncer ? Faut-il se taire ? – Il ne réussissait à rien voir de distinct. Les vagues aspects de tous les raisonnements ébauchés par sa rêverie tremblaient et se dissipaient l'un après l'autre en fumée. Seulement il sentait que, à quelque parti qu'il s'arrêtât, nécessairement, et sans qu'il fût possible d'y échapper, quelque chose de lui allait mourir ; qu'il entrait dans un sépulcre[1] à droite comme à gauche ; qu'il accomplissait une agonie, l'agonie de son bonheur ou l'agonie de sa vertu.

Hélas ! toutes ses irrésolutions l'avaient repris. Il n'était plus avancé qu'au commencement.

(Finalement, après des heures de « tempête », il monte in extremis dans une diligence pour assister au procès de Champmathieu...)

1. **Sépulcre :** tombeau.

IX. Un lieu où des convictions sont en train de se former

C'ÉTAIT une assez vaste enceinte à peine éclairée, tantôt pleine de rumeur, tantôt pleine de silence, où tout l'appareil[1] d'un procès criminel se développait avec sa gravité mesquine et lugubre au milieu de la foule. [...]

5 Personne dans cette foule ne fit attention à lui. Tous les regards convergeaient vers un point unique, un banc de bois adossé à une petite porte, le long de la muraille, à gauche du président. Sur ce banc, que plusieurs chandelles éclairaient, il y avait un homme entre deux gendarmes.

10 Cet homme, c'était l'homme.

Il ne le chercha pas, il le vit. Ses yeux allèrent là naturellement, comme s'ils avaient su d'avance où était cette figure.

Il crut se voir lui-même, vieilli, non pas sans doute absolument semblable de visage, mais tout pareil d'attitude et d'aspect, avec ses 15 cheveux hérissés, avec cette prunelle[2] fauve et inquiète, avec cette blouse, tel qu'il était le jour où il entrait à Digne, plein de haine et cachant dans son âme ce hideux trésor de pensées affreuses qu'il avait mis dix-neuf ans à ramasser sur le pavé du bagne.

Il se dit avec un frémissement : – Mon Dieu ! est-ce que je rede-20 viendrai ainsi ? [...]

Il en eut horreur, il ferma les yeux, et s'écria au plus profond de son âme : jamais !

Et par un jeu tragique de la destinée qui faisait trembler toutes ses idées et le rendait presque fou, c'était un autre lui-même qui 25 était là ! Cet homme qu'on jugeait, tous l'appelaient Jean Valjean !

Il avait sous les yeux, vision inouïe, une sorte de représentation du moment le plus horrible de sa vie, jouée par son fantôme. [...]

Une chaise était derrière lui ; il s'y laissa tomber, terrifié de l'idée qu'on pouvait le voir. Quand il fut assis, il profita d'une pile de 30 cartons qui était sur le bureau des juges pour dérober son visage à

---

1. **Appareil :** cérémonial.
2. **Prunelle :** œil.

toute la salle. Il pouvait maintenant voir sans être vu. Peu à peu il se remit. Il rentra pleinement dans le sentiment du réel ; il arriva à cette phase de calme où l'on peut écouter. [...]

(Jean Valjean assiste au déroulement du procès de Champmathieu. Trois autres forçats appelés à la barre, Brevet, Chenildieu et Cochepaille, accusent ce dernier d'être Jean Valjean pour sauver leur propre peau. Mais le véritable Jean Valjean reconnaît les quatre hommes pour d'anciens compagnons de bagne.)

Une rumeur éclata dans le public et gagna presque le jury. Il était évident que l'homme était perdu.

– Huissiers[1], dit le président, faites faire silence. Je vais clore les débats.

En ce moment un mouvement se fit tout à côté du président. On entendit une voix qui criait :

– Brevet, Chenildieu, Cochepaille ! regardez de ce côté-ci.

Tous ceux qui entendirent cette voix se sentirent glacés, tant elle était lamentable et terrible. Les yeux se tournèrent vers le point d'où elle venait. Un homme, placé parmi les spectateurs privilégiés qui étaient assis derrière la cour, venait de se lever, avait poussé la porte à hauteur d'appui qui séparait le tribunal du prétoire[2], et était debout au milieu de la salle. Le président, l'avocat général, M. Bamatabois, vingt personnes, le reconnurent, et s'écrièrent à la fois :

– Monsieur Madeleine !

XI. Champmathieu de plus en plus étonné

C'ÉTAIT lui en effet. La lampe du greffier[3] éclairait son visage. Il tenait son chapeau à la main, il n'y avait aucun désordre dans ses

1. **Huissiers :** employés chargés d'assurer le bon déroulement de l'audience.
2. **Prétoire :** salle d'audience.
3. **Greffier :** officier public qui rapporte par écrit le déroulement du procès.

vêtements, sa redingote était boutonnée avec soin. Il était très pâle et il tremblait légèrement. Ses cheveux, gris encore au moment de son arrivée à Arras, étaient maintenant tout à fait blancs. Ils avaient blanchi depuis une heure qu'il était là. [...]

Avant même que le président et l'avocat général eussent pu dire un mot, avant que les gendarmes et les huissiers eussent pu faire un geste, l'homme que tous appelaient encore en ce moment M. Madeleine s'était avancé vers les témoins Cochepaille, Brevet et Chenildieu.

– Vous ne me reconnaissez pas ? dit-il. Tous trois demeurèrent interdits et indiquèrent par un signe de tête qu'ils ne le connaissaient point. [...]

– Eh bien, je vous reconnais, moi ! Brevet ! vous rappelez-vous ?...

Il s'interrompit, hésita un moment, et dit :

– Te rappelles-tu ces bretelles en tricot à damier que tu avais au bagne ?

Brevet eut comme une secousse de surprise et le regarda de la tête aux pieds d'un air effrayé. Lui continua :

– Chenildieu, qui te surnommais toi-même Je-nie-Dieu, tu as toute l'épaule droite brûlée profondément, parce que tu t'es couché un jour l'épaule sur un réchaud plein de braise, pour effacer les trois lettres T. F. P.[1], qu'on y voit toujours cependant. Réponds, est-ce vrai ?

– C'est vrai, dit Chenildieu.

Il s'adressa à Cochepaille :

– Cochepaille, tu as près de la saignée du bras gauche une date gravée en lettres bleues avec de la poudre brûlée. Cette date, c'est celle du débarquement de l'empereur à Cannes, 1er mars 1815. Relève ta manche.

Cochepaille releva sa manche, tous les regards se penchèrent autour de lui sur son bras nu. Un gendarme approcha une lampe ; la date y était.

Le malheureux homme se tourna vers l'auditoire et vers les juges avec un sourire dont ceux qui l'ont vu sont encore navrés lorsqu'ils y songent. C'était le sourire du triomphe, c'était aussi le sourire du désespoir.

1. **TFP :** Travaux Forcés à Perpétuité.

– Vous voyez bien, dit-il, que je suis Jean Valjean. [...]

40 Il était évident qu'on avait sous les yeux Jean Valjean. Cela rayonnait. L'apparition de cet homme avait suffi pour remplir de clarté cette aventure si obscure le moment d'auparavant. Sans qu'il fût besoin d'aucune explication désormais, toute cette foule, comme par une sorte de révélation électrique, comprit tout de 45 suite et d'un seul coup d'œil cette simple et magnifique histoire d'un homme qui se livrait pour qu'un autre homme ne fût pas condamné à sa place. Les détails, les hésitations, les petites résistances possibles se perdirent dans ce vaste fait lumineux.

Impression qui passa vite, mais qui dans l'instant fut irrésistible.

50 – Je ne veux pas déranger davantage l'audience, reprit Jean Valjean. Je m'en vais, puisqu'on ne m'arrête pas. J'ai plusieurs choses à faire. Monsieur l'avocat général sait qui je suis, il sait où je vais, il me fera arrêter quand il voudra.

(Champmathieu est libéré. Jean Valjean s'empresse de retourner au 55 *chevet de Fantine, qu'il a laissée fort mal en point.)*

LIVRE HUITIÈME

Contre-coup

I. Dans quel miroir M. Madeleine regarde ses cheveux

LE JOUR commençait à poindre. Fantine avait eu une nuit de fièvre et d'insomnie, pleine d'ailleurs d'images heureuses ; au matin, elle s'endormit. La sœur Simplice qui l'avait veillée profita de ce sommeil pour aller préparer une nouvelle potion de quinquina[1].

1. **Quinquina :** remède à base d'écorce d'arbre qui était utilisé contre la fièvre.

5 La digne sœur était depuis quelques instants dans le laboratoire de l'infirmerie, penchée sur ses drogues et sur ses fioles[1] et regardant de très près à cause de cette brume que le crépuscule répand sur les objets. Tout à coup elle tourna la tête et fit un léger cri. M. Madeleine était devant elle. Il venait d'entrer silencieusement.

10 – C'est vous, monsieur le maire ! s'écria-t-elle.

Il répondit, à voix basse :

– Comment va cette pauvre femme ?

– Pas mal en ce moment. Mais nous avons été bien inquiets, allez !

15 Elle lui expliqua ce qui s'était passé, que Fantine était bien mal la veille et que maintenant elle était mieux, parce qu'elle croyait que monsieur le maire était allé chercher son enfant à Montfermeil. La sœur n'osa pas interroger monsieur le maire, mais elle vit bien à son air que ce n'était point de là qu'il venait.

20 – Tout cela est bien, dit-il, vous avez eu raison de ne pas la détromper.

– Oui, reprit la sœur, mais maintenant, monsieur le maire, qu'elle va vous voir et qu'elle ne verra pas son enfant, que lui dirons-nous ?

25 Il resta un moment rêveur.

– Dieu nous inspirera, dit-il.

– On ne pourrait cependant pas mentir, murmura la sœur à demi-voix.

Le plein jour s'était fait dans la chambre. Il éclairait en face le 30 visage de M. Madeleine. Le hasard fit que la sœur leva les yeux.

– Mon Dieu, monsieur ! s'écria-t-elle, que vous est-il donc arrivé ? vos cheveux sont tout blancs !

– Blancs ! dit-il.

La sœur Simplice n'avait point de miroir ; elle fouilla dans une 35 trousse et en tira une petite glace dont se servait le médecin de l'infirmerie pour constater qu'un malade était mort et ne respirait plus. M. Madeleine prit la glace, y considéra ses cheveux, et dit : Tiens !

Il prononça ce mot avec indifférence et comme s'il pensait à 40 autre chose. [...]

1. **Fiole :** petite bouteille de verre.

Il fit quelques observations sur une porte qui fermait mal, et dont le bruit pouvait réveiller la malade, puis il entra dans la chambre de Fantine, s'approcha du lit et entr'ouvrit les rideaux. [...]

Elle ouvrit les yeux, le vit, et dit paisiblement, avec un sourire :

– Et Cosette ? [...]

II. Fantine heureuse

OH ! QUE JE VOUDRAIS donc la voir ! Monsieur le maire, l'avez-vous trouvée jolie ? N'est-ce pas qu'elle est belle, ma fille ? Vous devez avoir eu bien froid dans cette diligence ! Est-ce qu'on ne pourrait pas l'amener rien qu'un petit moment ? On la remporterait tout de suite après. Dites ! vous qui êtes le maître, si vous vouliez !

Il lui prit la main : – Cosette est belle, dit-il, Cosette se porte bien, vous la verrez bientôt, mais apaisez-vous. Vous parlez trop vivement, et puis vous sortez vos bras du lit, et cela vous fait tousser.

En effet, des quintes de toux interrompaient Fantine presque à chaque mot. [...]

Elle se mit à compter sur ses doigts.

– ... Un, deux, trois, quatre..., elle a sept ans. Dans cinq ans. Elle aura un voile blanc, des bas à jour, elle aura l'air d'une petite femme. Ô ma bonne sœur, vous ne savez pas comme je suis bête, voilà que je pense à la première communion de ma fille !

Et elle se mit à rire. [...]

Tout à coup elle cessa de parler, cela lui fit lever machinalement la tête. Fantine était devenue effrayante.

Elle ne parlait plus, elle ne respirait plus ; elle s'était soulevée à demi sur son séant[1], son épaule maigre sortait de sa chemise, son visage, radieux le moment d'auparavant, était blême, et elle paraissait fixer sur quelque chose de formidable, devant elle, à l'autre extrémité de la chambre, son œil agrandi par la terreur.

– Mon Dieu ! s'écria-t-il. Qu'avez-vous, Fantine ?

---

1. **Sur son séant :** en position assise.

Elle ne répondit pas, elle ne quitta point des yeux l'objet quelconque qu'elle semblait voir, elle lui toucha le bras d'une main et de l'autre lui fit signe de regarder derrière lui.

Il se retourna, et vit Javert. [...]

IV. L'autorité reprend ses droits

LA FANTINE n'avait point vu Javert depuis le jour où M. le maire l'avait arrachée à cet homme. Son cerveau malade ne se rendit compte de rien, seulement elle ne douta pas qu'il ne revînt la chercher. Elle ne put supporter cette figure affreuse, elle se sentit expirer[1], 5 elle cacha son visage de ses deux mains et cria avec angoisse :

– Monsieur Madeleine, sauvez-moi !

Jean Valjean, – nous ne le nommerons plus désormais autrement, – s'était levé. Il dit à Fantine de sa voix la plus douce et la plus calme :

10 – Soyez tranquille. Ce n'est pas pour vous qu'il vient.

Puis il s'adressa à Javert et lui dit : [...]

– Accordez-moi trois jours ! trois jours pour aller chercher l'enfant de cette malheureuse femme ! Je payerai ce qu'il faudra. Vous m'accompagnerez si vous voulez.

15 – Tu veux rire ! cria Javert. Ah çà ! je ne te croyais pas bête ! Tu me demandes trois jours pour t'en aller ! Tu dis que c'est pour aller chercher l'enfant de cette fille ! Ah ! ah ! c'est bon ! voilà qui est bon !

Fantine eut un tremblement.

20 – Mon enfant ! s'écria-t-elle, aller chercher mon enfant ! Elle n'est donc pas ici ! Ma sœur, répondez-moi, où est Cosette ? Je veux mon enfant ! Monsieur Madeleine ! monsieur le maire !

Javert frappa du pied. [...]

Il regarda fixement Fantine et ajouta en reprenant à poignée la 25 cravate, la chemise et le collet de Jean Valjean :

---

1. **Expirer :** mourir.

– Je te dis qu'il n'y a point de monsieur Madeleine et qu'il n'y a point de monsieur le maire. Il y a un voleur, il y a un brigand, il y a un forçat appelé Jean Valjean ! c'est lui que je tiens ! voilà ce qu'il y a !

Fantine se dressa en sursaut, appuyée sur ses bras roides[1] et sur ses deux mains, elle regarda Jean Valjean, elle regarda Javert, elle regarda la religieuse, elle ouvrit la bouche comme pour parler, un râle sortit du fond de sa gorge, ses dents claquèrent, elle étendit les bras avec angoisse, ouvrant convulsivement[2] les mains, et cherchant autour d'elle comme quelqu'un qui se noie, puis elle s'affaissa subitement sur l'oreiller. Sa tête heurta le chevet[3] du lit et vint retomber sur sa poitrine, la bouche béante, les yeux ouverts et éteints.

Elle était morte.

Jean Valjean posa sa main sur la main de Javert qui le tenait, et l'ouvrit comme il eût ouvert la main d'un enfant, puis il dit à Javert :

– Vous avez tué cette femme.

– Finirons-nous ! cria Javert furieux. Je ne suis pas ici pour entendre des raisons. Économisons tout ça. La garde est en bas. Marchons tout de suite, ou les poucettes[4] !

Il y avait dans un coin de la chambre un vieux lit en fer en assez mauvais état qui servait de lit de camp aux sœurs quand elles veillaient. Jean Valjean alla à ce lit, disloqua en un clin d'œil le chevet déjà fort délabré, chose facile à des muscles comme les siens, saisit à poigne-main[5] la maîtresse-tringle[6], et considéra Javert. Javert recula vers la porte.

Jean Valjean, sa barre de fer au poing, marcha lentement vers le lit de Fantine. Quand il y fut parvenu, il se retourna, et dit à Javert d'une voix qu'on entendait à peine :

– Je ne vous conseille pas de me déranger en ce moment.

Ce qui est certain, c'est que Javert tremblait. [...]

1. **Roides :** raides.
2. **Convulsivement :** avec des mouvements musculaires violents.
3. **Chevet :** tête du lit.
4. **Les poucettes :** les menottes.
5. **À poigne-main :** à pleine main.
6. **Maîtresse-tringle :** tige centrale de l'armature de la tête de lit.

Jean Valjean posa son coude sur la pomme du chevet du lit et son front sur sa main, et se mit à contempler Fantine immobile et étendue. Il demeura ainsi, absorbé, muet, et ne songeant évidemment plus à aucune chose de cette vie. Il n'y avait plus rien sur son visage et dans son attitude qu'une inexprimable pitié. Après quelques instants de cette rêverie, il se pencha vers Fantine et lui parla à voix basse.

Que lui dit-il ? Que pouvait dire cet homme qui était réprouvé[1] à cette femme qui était morte ? Qu'était-ce que ces paroles ? Personne sur la terre ne les a entendues. La morte les entendit-elle ? Il y a des illusions touchantes qui sont peut-être des réalités sublimes. Ce qui est hors de doute, c'est que la sœur Simplice, unique témoin de la chose qui se passait, a souvent raconté qu'au moment où Jean Valjean parla à l'oreille de Fantine, elle vit distinctement poindre un ineffable[2] sourire sur ces lèvres pâles et dans ces prunelles vagues, pleines de l'étonnement du tombeau.

Jean Valjean prit dans ses deux mains la tête de Fantine et l'arrangea sur l'oreiller comme une mère eût fait pour son enfant, il lui rattacha le cordon de sa chemise et rentra ses cheveux sous son bonnet. Cela fait, il lui ferma les yeux.

La face de Fantine en cet instant semblait étrangement éclairée.

La mort, c'est l'entrée dans la grande lueur.

La main de Fantine pendait hors du lit. Jean Valjean s'agenouilla devant cette main, la souleva doucement, et la baisa.

Puis il se redressa, et, se tournant vers Javert :

– Maintenant, dit-il, je suis à vous.

(La nuit-même, Jean Valjean s'échappe de la prison de la ville, va chercher quelques affaires à son domicile et prend à pied la direction de Paris. Fantine est jetée à la fosse commune : son corps va rejoindre ceux des misérables trop pauvres pour mériter une pierre tombale. Personne ne saura qu'elle est morte en 1823.)

---

1. **Réprouvé :** rejeté, maudit.
2. **Ineffable :** impossible à décrire.

Clefs d'analyse

p. 57 à p. 73

Action et personnages

1. Pourquoi est-il naturel que Jean Valjean ait pris la défense de Fantine lorsqu'il la trouve aux prises avec la police ?
2. Selon vous, pourquoi Javert accepte-t-il d'obéir à M. Madeleine, alors qu'il désapprouve sa décision de libérer Fantine ? Pourquoi vient-il avouer de lui-même qu'il a tenté de le dénoncer comme forçat ?
3. Pourquoi Javert est-il en mesure de reconnaître Jean Valjean ?
4. Relevez les éléments qui indiquent la droiture de Jean Valjean.
5. À quel moment Jean Valjean décide-t-il de révéler sa véritable identité ?

Langue

6. Page 57, lignes 7 à 22. Relevez les verbes conjugués. Pour chacun d'entre eux, indiquez le mode et le temps et précisez leur valeur.
7. « Une tempête sous un crâne » (p. 63) : expliquez cette métaphore. À quoi renvoie-t-elle ?
8. Comment Javert s'adresse-t-il à Jean Valjean quand il vient l'arrêter après le procès ? Relevez les éléments de son discours qui indiquent un retournement de situation et expliquez l'effet produit.
9. Quel est le point de vue adopté dans la description de la mort de Fantine ? Quelle importance cela a-t-il ?

Genre ou thèmes

10. Chap. II, livre VIII, pages 70-71 : pourquoi peut-on dire que le monologue de Fantine appartient au registre du pathétique ?
11. Qu'est-ce qu'une délibération ? Faites la liste des arguments que Jean Valjean avance pour ou contre sa décision de se dénoncer.

12. Livre VIII, chap. I : relevez les éléments qui invitent à identifier Jean Valjean à un mort. En quoi sa situation justifie-t-elle ce rapprochement ?

Écriture

13. Rédigez le dialogue entre Javert et le fonctionnaire de la préfecture de police qui enregistre sa dénonciation.

Pour aller plus loin

14. Quelles sont les principales étapes d'un procès ? Qui est autorisé à prendre la parole ? Est-il normal que Jean Valjean prenne la parole ? À quel moment le fait-il ? Quelles fonctions Jean Valjean assume-t-il lors de son intervention ? En quoi son initiative constitue-t-elle une mise en cause du tribunal ?

✱ *À retenir*

Jean Valjean n'est pas seulement doué de force physique ; il maîtrise aussi l'art de manier la parole et d'argumenter. Face à Javert, il sait adopter le langage autoritaire qui convient. Au tribunal, il harangue l'assistance et réussit à l'émouvoir. On appelle « éloquence » l'art de persuader par la parole.

DEUXIÈME PARTIE
Cosette

LIVRE TROISIÈME
Accomplissement de la promesse faite à la morte

(Après un long développement sur la bataille de Waterloo, le narrateur explique que Jean Valjean a été repris, condamné aux travaux forcés à perpétuité et renvoyé pour récidive au bagne de Toulon. Les journaux racontent ensuite un fait divers étrange : un forçat a grimpé au mât d'un vaisseau ancré en rade de Toulon pour sauver un matelot. Puis, sous les yeux horrifiés de la foule, il s'est jeté dans l'eau et n'est pas reparu à la surface. Le nom du noyé : Jean Valjean. Enfin, nous nous retrouvons à l'auberge des Thénardier à Montfermeil, dans le nord de la région parisienne, à la veille de Noël 1823.)

II. Deux portraits complétés

ON N'A ENCORE aperçu dans ce livre les Thénardier que de profil ; le moment est venu de tourner autour de ce couple et de le regarder sous toutes ses faces.

Thénardier venait de dépasser ses cinquante ans ; madame Thénardier touchait à la quarantaine, qui est la cinquantaine de la femme ; de façon qu'il y avait équilibre d'âge entre la femme et le mari.

Les lecteurs ont peut-être, dès sa première apparition, conservé quelque souvenir de cette Thénardier grande, blonde, rouge, grasse, charnue[1], carrée, énorme et agile ; elle tenait, nous l'avons dit, de la race de ces sauvagesses colosses[2] qui se cambrent dans les foires avec des pavés pendus à leur chevelure. Elle faisait tout dans le logis, les lits, les chambres, la lessive, la cuisine, la pluie, le beau temps, le diable. Elle avait pour tout domestique Cosette ; une souris au service d'un éléphant. Tout tremblait au son de sa voix, les vitres, les meubles et les gens. Son large visage, criblé de taches de rousseur, avait l'aspect d'une écumoire. Elle avait de la barbe. [...] Quand on l'entendait parler, on disait : C'est un gendarme ; quand on la regardait boire, on disait : C'est un charretier ; quand on la voyait manier Cosette, on disait : C'est le bourreau. Au repos, il lui sortait de la bouche une dent. [...]

Cette femme était une créature formidable[3] qui n'aimait que ses enfants et ne craignait que son mari. Elle était mère parce qu'elle était mammifère. Du reste, sa maternité s'arrêtait à ses filles, et, comme on le verra, ne s'étendait pas jusqu'aux garçons. Lui, l'homme, n'avait qu'une pensée : s'enrichir. [...]

Cet homme et cette femme, c'était ruse et rage mariés ensemble, attelage hideux et terrible. [...]

Tels étaient ces deux êtres. Cosette était entre eux, subissant leur double pression, comme une créature qui serait à la fois broyée par une meule et déchiquetée par une tenaille. L'homme et la femme avaient chacun une manière différente ; Cosette était rouée de coups, cela venait de la femme ; elle allait pieds nus l'hiver, cela venait du mari.

Cosette montait, descendait, lavait, brossait, frottait, balayait, courait, trimait, haletait, remuait des choses lourdes, et, toute chétive, faisait les grosses besognes. Nulle pitié ; une maîtresse farouche, un maître venimeux. La gargote Thénardier était comme une toile où Cosette était prise et tremblait. [...] C'était quelque chose comme la mouche servante des araignées.

La pauvre enfant, passive, se taisait.

---

1. **Charnue :** grasse, rebondie.
2. **Colosses :** hommes d'une taille et d'une force hors du commun.
3. **Formidable :** effrayante.

III. Il faut du vin aux hommes et de l'eau aux chevaux

IL ÉTAIT ARRIVÉ quatre nouveaux voyageurs.

Cosette songeait tristement ; car, quoiqu'elle n'eût que huit ans, elle avait déjà tant souffert qu'elle rêvait avec l'air lugubre d'une vieille femme.

5 Elle avait la paupière noire d'un coup de poing que la Thénardier lui avait donné, ce qui faisait dire de temps en temps à la Thénardier : – Est-elle laide avec son pochon sur l'œil !

Cosette pensait donc qu'il était nuit, très nuit, qu'il avait fallu remplir à l'improviste les pots et les carafes dans les chambres des 10 voyageurs survenus, et qu'il n'y avait plus d'eau dans la fontaine[1].

Ce qui la rassurait un peu, c'est qu'on ne buvait pas beaucoup d'eau dans la maison Thénardier. [...]

Il y eut pourtant un moment où l'enfant trembla : la Thénardier souleva le couvercle d'une casserole qui bouillait sur le fourneau, 15 puis saisit un verre et s'approcha vivement de la fontaine. Elle tourna le robinet, l'enfant avait levé la tête et suivait tous ses mouvements. Un maigre filet d'eau coula du robinet et remplit le verre à moitié. – Tiens, dit-elle, il n'y a plus d'eau !

Puis elle eut un moment de silence. L'enfant ne respirait pas.

20 – Bah, reprit la Thénardier en examinant le verre à demi plein, il y en aura assez comme cela.

Cosette se remit à son travail, mais pendant plus d'un quart d'heure elle sentit son cœur sauter comme un gros flocon dans sa poitrine. [...]

25 Tout à coup, un des marchands colporteurs[2] logés dans l'auberge entra, et dit d'une voix dure :

– On n'a pas donné à boire à mon cheval.

– Si fait vraiment, dit la Thénardier.

– Je vous dis que non, la mère, reprit le marchand.

30 Cosette était sortie de dessous la table.

---

1. **Fontaine :** réservoir d'eau, généralement en cuivre, muni d'un robinet.
2. **Colporteurs :** marchands ambulants.

– Oh ! si ! monsieur ! dit-elle, le cheval a bu, il a bu dans le seau, plein le seau, et même que c'est moi qui lui ai porté à boire, et je lui ai parlé.

Cela n'était pas vrai. Cosette mentait.

35 – En voilà une qui est grosse comme le poing et qui ment gros comme la maison, s'écria le marchand. Je te dis qu'il n'a pas bu, petite drôlesse ! Il a une manière de souffler quand il n'a pas bu que je connais bien.

Cosette persista, et ajouta d'une voix enrouée par l'angoisse et 40 qu'on entendait à peine :

– Et même qu'il a bien bu !

– Allons, reprit le marchand avec colère, ce n'est pas tout ça, qu'on donne à boire à mon cheval et que cela finisse !

Cosette rentra sous la table. [...]

45 – Vas-tu venir ? cria la Thénardier.

Cosette sortit de l'espèce de trou où elle s'était cachée. La Thénardier reprit :

– Mademoiselle Chien-faute-de-nom, va porter à boire à ce cheval.

50 – Mais, madame, dit Cosette faiblement, c'est qu'il n'y a pas d'eau.

La Thénardier ouvrit toute grande la porte de la rue.

– Eh bien, va en chercher ! [...]

Puis elle fouilla dans un tiroir où il y avait des sous, du poivre et 55 des échalotes.

– Tiens, mamzelle Crapaud, ajouta-t-elle, en revenant tu prendras un gros pain chez le boulanger. Voilà une pièce-quinze-sous.

Cosette avait une petite poche de côté à son tablier ; elle prit la pièce sans dire un mot, et la mit dans cette poche.

60 Puis elle resta immobile, le seau à la main, la porte ouverte devant elle. Elle semblait attendre qu'on vînt à son secours.

– Va donc ! cria la Thénardier.

Cosette sortit. La porte se referma.

(En sortant de l'auberge, Cosette tombe en admiration devant une 65 *superbe poupée présentée dans la vitrine d'une boutique de jouets. C'est la veille de Noël, mais Cosette n'espère guère de cadeau... Elle se contente donc de toucher « la dame » du regard.)*

V. La petite toute seule

COSETTE traversa ainsi le labyrinthe de rues tortueuses et désertes qui termine du côté de Chelles le village de Montfermeil. Tant qu'elle eut des maisons et même seulement des murs des deux côtés de son chemin, elle alla assez hardiment. De temps en temps, elle voyait le rayonnement d'une chandelle à travers la fente d'un volet, c'était de la lumière et de la vie, il y avait là des gens, cela la rassurait. Cependant, à mesure qu'elle avançait, sa marche se ralentissait comme machinalement. Quand elle eut passé l'angle de la dernière maison, Cosette s'arrêta. Aller au-delà de la dernière boutique, cela avait été difficile ; aller plus loin que la dernière maison, cela devenait impossible. Elle posa le seau à terre, plongea sa main dans ses cheveux et se mit à se gratter lentement la tête, geste propre aux enfants terrifiés et indécis. Ce n'était plus Montfermeil, c'étaient les champs. L'espace noir et désert était devant elle. Elle regarda avec désespoir cette obscurité où il n'y avait plus personne, où il y avait des bêtes, où il y avait peut-être des revenants. Elle regarda bien, et elle entendit les bêtes qui marchaient dans l'herbe, et elle vit distinctement les revenants qui remuaient dans les arbres. Alors elle ressaisit le seau, la peur lui donna de l'audace :

– Bah ! dit-elle, je lui dirai qu'il n'y avait plus d'eau ! Et elle rentra résolument dans Montfermeil.

À peine eut-elle fait cent pas qu'elle s'arrêta encore, et se remit à se gratter la tête. Maintenant, c'était la Thénardier qui lui apparaissait ; la Thénardier hideuse avec sa bouche d'hyène et la colère flamboyante dans les yeux. L'enfant jeta un regard lamentable en avant et en arrière. Que faire ? que devenir ? où aller ? Devant elle le spectre de la Thénardier ; derrière elle tous les fantômes de la nuit et des bois. Ce fut devant la Thénardier qu'elle recula. Elle reprit le chemin de la source et se mit à courir. Elle sortit du village en courant, elle entra dans le bois en courant, ne regardant plus rien, n'écoutant plus rien. Elle n'arrêta sa course que lorsque la respiration lui manqua, mais elle n'interrompit point sa marche. Elle allait devant elle, éperdue[1].

---

1. **Éperdue :** fortement troublée par l'émotion.

Tout en courant, elle avait envie de pleurer.

35 Le frémissement nocturne de la forêt l'enveloppait tout entière. Elle ne pensait plus, elle ne voyait plus. L'immense nuit faisait face à ce petit être. D'un côté toute l'ombre ; de l'autre, un atome.

Il n'y avait que sept ou huit minutes de la lisière du bois à la source. Cosette connaissait le chemin pour l'avoir fait bien souvent 40 le jour. Chose étrange, elle ne se perdit pas. Un reste d'instinct la conduisait vaguement. Elle ne jetait cependant les yeux ni à droite ni à gauche, de crainte de voir des choses dans les branches et dans les broussailles. Elle arriva ainsi à la source. [...]

Elle chercha de la main gauche dans l'obscurité un jeune chêne 45 incliné sur la source qui lui servait ordinairement de point d'appui, rencontra une branche, s'y suspendit, se pencha et plongea le seau dans l'eau. Elle était dans un moment si violent que ses forces étaient triplées. Pendant qu'elle était ainsi penchée, elle ne fit pas attention que la poche de son tablier se vidait dans la source. La pièce 50 de quinze sous tomba dans l'eau. Cosette ne la vit ni ne l'entendit tomber. Elle retira le seau presque plein et le posa sur l'herbe.

Cela fait, elle s'aperçut qu'elle était épuisée de lassitude. Elle eût bien voulu repartir tout de suite ; mais l'effort de remplir le seau avait été tel qu'il lui fut impossible de faire un pas. Elle fut bien 55 forcée de s'asseoir. Elle se laissa tomber sur l'herbe et y demeura accroupie.

Elle ferma les yeux, puis elle les rouvrit, sans savoir pourquoi, mais ne pouvant faire autrement.

À côté d'elle l'eau agitée dans le seau faisait des cercles qui res-60 semblaient à des serpents de feu blanc. [...] Elle sentit le froid à ses mains qu'elle avait mouillées en puisant de l'eau. Elle se leva. La peur lui était revenue, une peur naturelle et insurmontable. Elle n'eut plus qu'une pensée, s'enfuir ; s'enfuir à toutes jambes, à travers bois, à travers champs, jusqu'aux maisons, jusqu'aux fenêtres, 65 jusqu'aux chandelles allumées. Son regard tomba sur le seau qui était devant elle. Tel était l'effroi que lui inspirait la Thénardier qu'elle n'osa pas s'enfuir sans le seau d'eau. Elle saisit l'anse à deux mains. Elle eut de la peine à soulever le seau.

Elle fit ainsi une douzaine de pas, mais le seau était plein, il était 70 lourd, elle fut forcée de le reposer à terre. Elle respira un instant, puis elle enleva l'anse de nouveau, et se remit à marcher, cette

fois un peu plus longtemps. Mais il fallut s'arrêter encore. Après quelques secondes de repos, elle repartit. Elle marchait penchée en avant, la tête baissée, comme une vieille ; le poids du seau tendait
75 et roidissait[1] ses bras maigres ; l'anse de fer achevait d'engourdir et de geler ses petites mains mouillées ; de temps en temps elle était forcée de s'arrêter, et chaque fois qu'elle s'arrêtait l'eau froide qui débordait du seau tombait sur ses jambes nues. Cela se passait au fond d'un bois, la nuit, en hiver, loin de tout regard humain ; c'était
80 un enfant de huit ans. [...] Parvenue près d'un vieux châtaignier qu'elle connaissait, elle fit une dernière halte plus longue que les autres pour se bien reposer, puis elle rassembla toutes ses forces, reprit le seau et se remit à marcher courageusement. Cependant le pauvre petit être désespéré ne put s'empêcher de s'écrier : Ô mon
85 Dieu ! mon Dieu !

En ce moment, elle sentit tout à coup que le seau ne pesait plus rien. Une main, qui lui parut énorme, venait de saisir l'anse et la soulevait vigoureusement. Elle leva la tête. Une grande forme noire, droite et debout, marchait auprès d'elle dans l'obscurité.
90 C'était un homme qui était arrivé derrière elle et qu'elle n'avait pas entendu venir. Cet homme, sans dire un mot, avait empoigné l'anse du seau qu'elle portait.

Il y a des instincts pour toutes les rencontres de la vie. L'enfant n'eut pas peur.

95 *(Jean Valjean, revêtu d'une redingote jaune, est venu chercher Cosette à Montfermeil, comme il l'a promis à Fantine sur son lit de mort. Sur le chemin du retour vers l'auberge, l'inconnu interroge Cosette au sujet de son existence chez les Thénardier ; il comprend qu'elle est maltraitée.)*

VII. Cosette côte à côte dans l'ombre avec l'inconnu

Comme ils approchaient de l'auberge, Cosette lui toucha le bras timidement.

---

1. **Roidissait :** du verbe « roidir », raidir.

– Monsieur ?
– Quoi, mon enfant ?
– Nous voilà tout près de la maison.
– Eh bien ?
– Voulez-vous me laisser reprendre le seau à présent ?
– Pourquoi ?
– C'est que, si madame voit qu'on me l'a porté, elle me battra.
L'homme lui remit le seau. Un instant après, ils étaient à la porte de la gargote.

VIII. Désagrément de recevoir chez soi un pauvre qui est peut-être un riche

COSETTE ne put s'empêcher de jeter un regard de côté à la grande poupée toujours étalée chez le bimbelotier[1], puis elle frappa. La porte s'ouvrit. La Thénardier parut une chandelle à la main.
– Ah ! c'est toi, petite gueuse ! Dieu merci, tu y as mis le temps ! elle se sera amusée, la drôlesse !
– Madame, dit Cosette toute tremblante, voilà un monsieur qui vient loger.
La Thénardier remplaça bien vite sa mine bourrue par sa grimace aimable, changement à vue propre aux aubergistes, et chercha avidement des yeux le nouveau venu.
– C'est monsieur ? dit-elle.
– Oui, madame, répondit l'homme en portant la main à son chapeau.
Les voyageurs riches ne sont pas si polis. Ce geste et l'inspection du costume et du bagage de l'étranger que la Thénardier passa en revue d'un coup d'œil firent évanouir la grimace aimable et reparaître la mine bourrue. Elle reprit sèchement : [...]

1. **Bimbelotier :** marchand de jouets.

– Ah ! çà, brave homme, je suis bien fâchée, mais c'est que je n'ai plus de place.

– Mettez-moi où vous voudrez, dit l'homme, au grenier, à l'écurie. Je payerai comme si j'avais une chambre.

– Quarante sous.

– Quarante sous. Soit.

– À la bonne heure. [...]

Cependant l'homme, après avoir laissé sur un banc son paquet et son bâton, s'était assis à une table où Cosette s'était empressée de poser une bouteille de vin et un verre. [...] Cosette avait repris sa place sous la table de cuisine et son tricot.

L'homme, qui avait à peine trempé ses lèvres dans le verre de vin qu'il s'était versé, considérait l'enfant avec une attention étrange.

Cosette était laide. Heureuse, elle eût peut-être été jolie. [...] Cosette était maigre et blême. Elle avait près de huit ans, on lui en eût donné à peine six. [...] Comme elle grelottait toujours, elle avait pris l'habitude de serrer ses deux genoux l'un contre l'autre. Tout son vêtement n'était qu'un haillon qui eût fait pitié l'été et qui faisait horreur l'hiver. Elle n'avait sur elle que de la toile trouée ; pas un chiffon de laine. On voyait sa peau çà et là, et l'on y distinguait partout des taches bleues ou noires qui indiquaient les endroits où la Thénardier l'avait touchée. Ses jambes nues étaient rouges et grêles[1]. [...]

L'homme à la redingote jaune ne quittait pas Cosette des yeux.

Tout à coup la Thénardier s'écria :

– À propos ! et ce pain ?

Cosette, selon sa coutume toutes les fois que la Thénardier élevait la voix, sortit bien vite de dessous la table.

Elle avait complètement oublié ce pain. Elle eut recours à l'expédient[2] des enfants toujours effrayés. Elle mentit.

– Madame, le boulanger était fermé.

– Il fallait cogner.

– J'ai cogné, madame.

– Eh bien ?

– Il n'a pas ouvert.

---

1. **Grêles :** maigres.

2. **Expédient :** moyen de sortir d'une situation difficile.

– Je saurai demain si c'est vrai, dit la Thénardier, et si tu mens, tu auras une fière danse[1]. En attendant, rends-moi la pièce-quinze-sous.

Cosette plongea sa main dans la poche de son tablier, et devint verte. La pièce de quinze sous n'y était plus.

– Ah çà ! dit la Thénardier, m'as-tu entendue ?

Cosette retourna la poche, il n'y avait rien. Qu'est-ce que cet argent pouvait être devenu ? La malheureuse petite ne trouva pas une parole. Elle était pétrifiée.

– Est-ce que tu l'as perdue, la pièce-quinze-sous ? râla la Thénardier, ou bien est-ce que tu veux me la voler ?

En même temps elle allongea le bras vers le martinet[2] suspendu à la cheminée.

Ce geste redoutable rendit à Cosette la force de crier :

– Grâce ! madame ! madame ! je ne le ferai plus.

La Thénardier détacha le martinet.

Cependant l'homme à la redingote jaune avait fouillé dans le gousset[3] de son gilet, sans qu'on eût remarqué ce mouvement. D'ailleurs les autres voyageurs buvaient ou jouaient aux cartes et ne faisaient attention à rien.

Cosette se pelotonnait avec angoisse dans l'angle de la cheminée, tâchant de ramasser et de dérober ses pauvres membres demi-nus. La Thénardier leva le bras.

– Pardon, madame, dit l'homme, mais tout à l'heure j'ai vu quelque chose qui est tombé de la poche du tablier de cette petite et qui a roulé. C'est peut-être cela.

En même temps il se baissa et parut chercher à terre un instant.

– Justement. Voici, reprit-il en se relevant.

Et il tendit une pièce d'argent à la Thénardier.

– Oui, c'est cela, dit-elle.

Ce n'était pas cela, car c'était une pièce de vingt sous, mais la Thénardier y trouvait du bénéfice. Elle mit la pièce dans sa poche, et se borna à jeter un regard farouche à l'enfant en disant : – Que cela ne t'arrive plus, toujours ! [...]

---

1. **Danse :** fessée.
2. **Martinet :** fouet.
3. **Gousset :** petite poche.

Cependant une porte s'était ouverte et Éponine et Azelma étaient entrées.

C'étaient vraiment deux jolies petites filles, plutôt bourgeoises que paysannes, très charmantes, l'une avec ses tresses châtaines bien lustrées, l'autre avec ses longues nattes noires tombant derrière le dos, toutes deux vives, propres, grasses, fraîches et saines à réjouir le regard. Elles étaient chaudement vêtues, mais avec un tel art maternel, que l'épaisseur des étoffes n'ôtait rien à la coquetterie de l'ajustement. [...]

Elles vinrent s'asseoir au coin du feu. Elles avaient une poupée qu'elles tournaient et retournaient sur leurs genoux avec toutes sortes de gazouillements joyeux. De temps en temps, Cosette levait les yeux de son tricot, et les regardait jouer d'un air lugubre.

Éponine et Azelma ne regardaient pas Cosette. C'était pour elles comme le chien. [...]

Tout à coup la Thénardier, qui continuait d'aller et de venir dans la salle, s'aperçut que Cosette avait des distractions et qu'au lieu de travailler elle s'occupait des petites qui jouaient.

– Ah ! je t'y prends ! cria-t-elle. C'est comme cela que tu travailles ! Je vais te faire travailler à coups de martinet, moi.

L'étranger, sans quitter sa chaise, se tourna vers la Thénardier.

– Madame, dit-il en souriant d'un air presque craintif, bah ! laissez-la jouer ! [...]

– Il faut qu'elle travaille, puisqu'elle mange. Je ne la nourris pas à rien faire. [...]

– Quand aura-t-elle fini cette paire de bas ?

– Elle en a encore au moins pour trois ou quatre grands jours, la paresseuse.

– Et combien peut valoir cette paire de bas, quand elle sera faite ?

La Thénardier lui jeta un coup d'œil méprisant.

– Au moins trente sous.

– La donneriez-vous pour cinq francs ? reprit l'homme. [...]

– Il faudrait payer tout de suite, dit la Thénardier avec sa façon brève et péremptoire[1].

---

1. **Péremptoire :** autoritaire.

– J'achète cette paire de bas, répondit l'homme, et, ajouta-t-il en tirant de sa poche une pièce de cinq francs qu'il posa sur la table, – je la paye.

125 Puis il se tourna vers Cosette.

– Maintenant ton travail est à moi. Joue, mon enfant. [...]

(Tandis que les deux petites Thénardier jouent à emmailloter le chat, Cosette les imite avec un petit sabre de plomb qui lui tient lieu de poupée.)

130 Tout à coup Cosette s'interrompit. Elle venait de se retourner et d'apercevoir la poupée des petites Thénardier qu'elles avaient quittée pour le chat et laissée à terre à quelques pas de la table de cuisine. [...] Elle n'avait pas un moment à perdre. Elle sortit de dessous la table en rampant sur ses genoux et sur ses mains, s'assura 135 encore une fois qu'on ne la guettait pas, puis se glissa vivement jusqu'à la poupée, et la saisit. Un instant après elle était à sa place, assise, immobile, tournée seulement de manière à faire de l'ombre sur la poupée qu'elle tenait dans ses bras. Ce bonheur de jouer avec une poupée était tellement rare pour elle qu'il avait toute la 140 violence d'une volupté[1].

Personne ne l'avait vue, excepté le voyageur, qui mangeait lentement son maigre souper.

Cette joie dura près d'un quart d'heure.

Mais, quelque précaution que prît Cosette, elle ne s'apercevait 145 pas qu'un des pieds de la poupée – *passait* –, et que le feu de la cheminée l'éclairait très vivement. Ce pied rose et lumineux qui sortait de l'ombre frappa subitement le regard d'Azelma qui dit à Éponine : – Tiens ! ma sœur !

Les deux petites filles s'arrêtèrent, stupéfaites. Cosette avait osé 150 prendre la poupée !

Éponine se leva, et, sans lâcher le chat, alla vers sa mère et se mit à la tirer par sa jupe.

– Mais laisse-moi donc ! dit la mère. Qu'est-ce que tu me veux ?

– Mère, dit l'enfant, regarde donc !

155 Et elle désignait du doigt Cosette.

---

1. **Volupté :** forte sensation de plaisir physique.

Cosette, elle, tout entière aux extases[1] de la possession, ne voyait et n'entendait plus rien. [...]

– Cosette !

Cosette tressaillit comme si la terre eût tremblé sous elle. Elle se 160 retourna.

– Cosette, répéta la Thénardier.

Cosette prit la poupée et la posa doucement à terre avec une sorte de vénération[2] mêlée de désespoir. [...]

Cependant le voyageur s'était levé.

165 – Qu'est-ce donc ? dit-il à la Thénardier.

– Vous ne voyez pas ? dit la Thénardier en montrant du doigt le corps du délit[3] qui gisait aux pieds de Cosette.

– Hé bien, quoi ? reprit l'homme.

– Cette gueuse[4], répondit la Thénardier, s'est permis de toucher 170 à la poupée des enfants !

– Tout ce bruit pour cela ! dit l'homme. Eh bien, quand elle jouerait avec cette poupée ?

– Elle y a touché avec ses mains sales ! poursuivit la Thénardier, avec ses affreuses mains !

175 Ici Cosette redoubla ses sanglots.

– Te tairas-tu ? cria la Thénardier.

L'homme alla droit à la porte de la rue, l'ouvrit et sortit.

Dès qu'il fut sorti, la Thénardier profita de son absence pour allonger sous la table à Cosette un grand coup de pied qui fit jeter 180 à l'enfant les hauts cris.

La porte se rouvrit, l'homme reparut, il portait dans ses deux mains la poupée fabuleuse dont nous avons parlé, et que tous les marmots du village contemplaient depuis le matin, et il la posa debout devant Cosette en disant :

185 – Tiens, c'est pour toi. [...]

Cosette leva les yeux, elle avait vu venir l'homme à elle avec cette poupée comme elle eût vu venir le soleil, elle entendit ces paroles inouïes : *c'est pour toi,* elle le regarda, elle regarda la poupée,

---

1. **Extases :** enchantements, ravissements.
2. **Vénération :** adoration.
3. **Corps du délit :** objet du délit.
4. **Gueuse :** misérable.

puis elle recula lentement, et s'alla cacher tout au fond sous la
190 table dans le coin du mur.

Elle ne pleurait plus, elle ne criait plus, elle avait l'air de ne plus oser respirer.

Cosette considérait la poupée merveilleuse avec une sorte de terreur. Son visage était encore inondé de larmes, mais ses yeux
195 commençaient à s'emplir, comme le ciel au crépuscule du matin, des rayonnements étranges de la joie. Ce qu'elle éprouvait en ce moment-là était un peu pareil à ce qu'elle eût ressenti si on lui eût dit brusquement : Petite, vous êtes la reine de France.

Il lui semblait que si elle touchait à cette poupée, le tonnerre en
200 sortirait. [...]

Elle finit par s'approcher, et murmura timidement en se tournant vers la Thénardier :

– Est-ce que je peux, madame ? [...]

– Pardi ! fit la Thénardier, c'est à toi. Puisque monsieur te la
205 donne.

– Vrai, monsieur ? reprit Cosette, est-ce que c'est vrai ? c'est à moi, la dame ?

L'étranger paraissait avoir les yeux pleins de larmes.

IX. Thénardier à la manœuvre

(La nuit de Noël, Jean Valjean s'introduit subrepticement dans la chambre des enfants ; il dépose une grosse pièce de monnaie dans le sabot de Cosette. Le lendemain matin très tôt, il négocie avec Thénardier le rachat de la petite moyennant une importante somme
5 *d'argent ; marché conclu.)*

Elle s'était mise bien vite à sa besogne de tous les matins. Ce louis, qu'elle avait sur elle, dans ce même gousset de son tablier d'où la pièce de quinze sous était tombée la veille, lui donnait des distractions. Elle n'osait pas y toucher, mais elle passait des cinq
10 minutes à le contempler, il faut le dire, en tirant la langue. Tout en balayant l'escalier, elle s'arrêtait, et restait là, immobile, oubliant le

balai et l'univers entier, occupée à regarder cette étoile briller au fond de sa poche.

Ce fut dans une de ces contemplations que la Thénardier la rejoignit.

Sur l'ordre de son mari, elle l'était allée chercher. Chose inouïe, elle ne lui donna pas une tape et ne lui dit pas une injure.

– Cosette, dit-elle presque doucement, viens tout de suite.

Un instant après, Cosette entrait dans la salle basse.

L'étranger prit le paquet qu'il avait apporté et le dénoua. Ce paquet contenait une petite robe de laine, un tablier, une brassière[1] de futaine[2], un jupon, un fichu, des bas de laine, des souliers, un vêtement complet pour une fille de huit ans. Tout cela était noir.

– Mon enfant, dit l'homme, prends ceci et va t'habiller bien vite.

Le jour paraissait lorsque ceux des habitants de Montfermeil qui commençaient à ouvrir leurs portes virent passer dans la rue de Paris un bonhomme pauvrement vêtu donnant la main à une petite fille tout en deuil qui portait une grande poupée rose dans ses bras. Ils se dirigeaient du côté de Livry.

C'étaient notre homme et Cosette.

Personne ne connaissait l'homme ; comme Cosette n'était plus en guenilles[3], beaucoup ne la reconnurent pas.

Cosette s'en allait. Avec qui ? elle l'ignorait. Où ? elle ne savait. Tout ce qu'elle comprenait, c'est qu'elle laissait derrière elle la gargote Thénardier. Personne n'avait songé à lui dire adieu, ni elle à dire adieu à personne. Elle sortait de cette maison haïe et haïssant.

Pauvre doux être dont le cœur n'avait jusqu'à cette heure été que comprimé !

Cosette marchait gravement, ouvrant ses grands yeux et considérant le ciel. Elle avait mis son louis dans la poche de son tablier neuf. De temps en temps elle se penchait et lui jetait un coup d'œil, puis elle regardait le bonhomme. Elle sentait quelque chose comme si elle était près du bon Dieu.

1. **Brassière :** veste très courte.
2. **Futaine :** tissu de fil et de coton.
3. **Guenilles :** vêtements usés et déchirés.

Clefs d'analyse

p. 76 à p. 90

Action et personnages

1. Relevez les comparaisons qui permettent d'identifier la Thénardier à un animal.
2. Que pensez-vous de l'intérêt que Cosette porte aux poupées ? Quels sont les moments du texte où elle manifeste cet intérêt ? Pourquoi considère-t-elle celle que lui offre Jean Valjean « avec une sorte de terreur » ?
3. Quelles sont les tactiques employées par Cosette pour échapper à la persécution de la Thénardier ? Sont-elles efficaces ?
4. Page 85 : pourquoi est-il évident que la pièce que Jean Valjean feint de retrouver n'est pas celle que Cosette a perdue ? Pourquoi la Thénardier ne dit-elle rien ?
5. Quelle attitude les petites Thénardier ont-elles envers Cosette ? Pourquoi réagissent-elles de cette façon ?
6. Pourquoi Jean Valjean a-t-il choisi des vêtements noirs pour Cosette ?

Langue

7. Dans l'échange entre Cosette et le marchand colporteur, relevez les procédés d'insistance.
8. Mademoiselle Chien-faute-de-nom : pourquoi la Thénardier surnomme-t-elle Cosette ainsi ? Que pensez-vous de cette appellation ?
9. Quelles sont les mots qui apparentent la forêt à l'enfer ?
10. L'expression « la pièce-quinze-sous » est-elle correcte ? Qu'indique-t-elle ?
11. Page 90, ligne 42 : que vous rappelle le terme « le bonhomme » ? En quoi est-il significatif que la formule s'applique à Jean Valjean ?

Genre ou thèmes

12. Quel conte de fées ce passage rappelle-t-il ? Justifiez votre réponse. Quel effet produit ce rapprochement ?

Clefs d'analyse p. 76 à p. 90

13. Comment Jean Valjean entre-t-il en contact avec Cosette ? Quelle impression son arrivée produit-elle sur l'enfant ?

14. Cosette, en partant avec Jean Valjean, « sentait quelque chose comme si elle était près du bon Dieu » : en quoi ce sentiment est-il justifié ?

Écriture

15. Imaginez la conversation au cours de laquelle Jean Valjean annonce aux Thénardier qu'il veut emmener Cosette.

Pour aller plus loin

16. Au début de cette partie, on sait que Jean Valjean a l'intention de venir chercher Cosette. En quoi cela change-t-il notre perception de la situation ? Du point de vue de Cosette, en revanche, quelles sont les perspectives d'avenir ? Connaissez-vous d'autres livres mettant en scène des enfants maltraités ?

✻ *À retenir*

Comme Cosette, beaucoup d'enfants de cette époque ne vont pas à l'école et travaillent autant que des adultes sans percevoir le même salaire. La situation de Cosette est particulièrement scandaleuse puisque sa mère paie les Thénardier pour l'élever. Victor Hugo, écrivain engagé, utilise le genre romanesque pour dénoncer ces conditions de vie où il voit l'origine de la misère et de la délinquance.

LIVRE QUATRIÈME

La masure[1] Gorbeau

II. Nid pour hibou et fauvette

(Jean Valjean emmène Cosette à Paris. Il se rend dans les faubourgs du sud-est de la capitale, dans un quartier modeste, où il a trouvé et préparé une petite maison habitable.)

CE FUT devant cette masure Gorbeau que Jean Valjean s'arrêta. Comme les oiseaux fauves[2], il avait choisi le lieu le plus désert pour y faire son nid.

Il fouilla dans son gilet, y prit une sorte de passe-partout[3], ouvrit la porte, entra, puis la referma avec soin, et monta l'escalier, portant toujours Cosette.

Au haut de l'escalier, il tira de sa poche une autre clef avec laquelle il ouvrit une autre porte. La chambre où il entra et qu'il referma sur-le-champ était une espèce de galetas[4] assez spacieux meublé d'un matelas posé à terre, d'une table et de quelques chaises. Un poêle allumé et dont on voyait la braise était dans un coin. Le réverbère du boulevard éclairait vaguement cet intérieur pauvre. Au fond il y avait un cabinet avec un lit de sangle[5]. Jean Valjean porta l'enfant sur ce lit et l'y déposa sans qu'elle s'éveillât.

Il battit le briquet, et alluma une chandelle ; tout cela était préparé d'avance sur la table ; et, comme il l'avait fait la veille, il se mit à considérer Cosette d'un regard plein d'extase où l'expression de la bonté et de l'attendrissement allait presque jusqu'à l'égarement. La petite fille, avec cette confiance tranquille qui n'appartient qu'à l'extrême force et qu'à l'extrême faiblesse, s'était endormie sans

---

1. **Masure :** habitation en très mauvais état.
2. **Fauves :** sauvages.
3. **Passe-partout :** clef qui peut ouvrir plusieurs serrures différentes.
4. **Galetas :** habitation misérable.
5. **Lit de sangle :** lit fait de bandes de toile tendues sur un châssis.

savoir avec qui elle était, et continuait de dormir sans savoir où
25 elle était.

Jean Valjean se courba et baisa la main de cette enfant.

Neuf mois auparavant il baisait la main de la mère qui, elle aussi, venait de s'endormir.

Le même sentiment douloureux, religieux, poignant[1], lui rem-
30 plissait le cœur.

Il s'agenouilla près du lit de Cosette. [...]

III. Deux malheurs mêlés font du bonheur

IL ATTENDIT LÀ, immobile, et il la regarda se réveiller.

Quelque chose de nouveau lui entrait dans l'âme. Jean Valjean n'avait jamais rien aimé. Depuis vingt-cinq ans il était seul au monde. Il n'avait jamais été père, amant, mari, ami. Au bagne il
5 était mauvais, sombre, chaste, ignorant et farouche. Le cœur de ce vieux forçat était plein de virginités[2]. Sa sœur et les enfants de sa sœur ne lui avaient laissé qu'un souvenir vague et lointain qui avait fini par s'évanouir presque entièrement. Il avait fait tous ses efforts pour les retrouver, et, n'ayant pu les retrouver, il les avait
10 oubliés. La nature humaine est ainsi faite. Les autres émotions tendres de sa jeunesse, s'il en avait, étaient tombées dans un abîme.

Quand il vit Cosette, quand il l'eut prise, emportée et délivrée, il sentit se remuer ses entrailles. Tout ce qu'il y avait de passionné et d'affectueux en lui s'éveilla et se précipita vers cet enfant. Il allait
15 près du lit où elle dormait, et il y tremblait de joie ; il éprouvait des épreintes[3] comme une mère et il ne savait ce que c'était ; car c'est une chose bien obscure et bien douce que ce grand et étrange mouvement d'un cœur qui se met à aimer.

Pauvre vieux cœur tout neuf ! [...]

---

1. **Poignant :** très émouvant.
2. **Plein de virginités :** plein d'innocence.
3. **Épreintes :** douleur que la femme ressent après l'accouchement.

20 Les semaines se succédèrent. Ces deux êtres menaient dans ce taudis misérable une existence heureuse.

Dès l'aube Cosette riait, jasait[1], chantait. Les enfants ont leur chant du matin comme les oiseaux.

Il arrivait quelquefois que Jean Valjean lui prenait sa petite main 25 rouge et crevassée d'engelures et la baisait. La pauvre enfant, accoutumée à être battue, ne savait ce que cela voulait dire, et s'en allait toute honteuse. [...]

Jean Valjean s'était mis à lui enseigner à lire. Parfois, tout en faisant épeler l'enfant, il songeait que c'était avec l'idée de faire le mal 30 qu'il avait appris à lire au bagne.

Cette idée avait tourné à montrer à lire à un enfant. [...]

Apprendre à lire à Cosette, et la laisser jouer, c'était à peu près là toute la vie de Jean Valjean. Et puis il lui parlait de sa mère et il la faisait prier.

35 Elle l'appelait : *père*, et ne lui savait pas d'autre nom.

Il passait des heures à la contempler, habillant et déshabillant sa poupée, et à l'écouter gazouiller. La vie lui paraissait désormais pleine d'intérêt, les hommes lui semblaient bons et justes, il ne reprochait dans sa pensée plus rien à personne, il n'apercevait 40 aucune raison de ne pas vieillir très vieux maintenant que cette enfant l'aimait. Il se voyait tout un avenir éclairé par Cosette comme par une charmante lumière. Les meilleurs ne sont pas exempts d'une pensée égoïste. Par moments il songeait avec une sorte de joie qu'elle serait laide.

V. Une pièce de cinq francs qui tombe à terre fait du bruit

(L'hiver s'écoule paisiblement à la masure Gorbeau ; l'ancien forçat et sa protégée mènent une existence très modeste.)

Il y avait près de Saint-Médard un pauvre qui s'accroupissait sur la margelle[2] d'un puis banal condamné, et auquel Jean Valjean faisait

1. **Jasait :** bavardait.
2. **Margelle :** bord.

5 volontiers la charité. Il ne passait guère devant cet homme sans lui donner quelques sous. Parfois il lui parlait. Les envieux de ce mendiant disaient qu'il était *de la police*. C'était un vieux bedeau de soixante-quinze ans qui marmottait continuellement des oraisons[1].

Un soir que Jean Valjean passait par là, il n'avait pas Cosette avec 10 lui, il aperçut le mendiant à sa place ordinaire sous le réverbère qu'on venait d'allumer. Cet homme, selon son habitude, semblait prier et était tout courbé. Jean Valjean alla à lui et lui mit dans la main son aumône accoutumée. Le mendiant leva brusquement les yeux, regarda fixement Jean Valjean, puis baissa rapidement la tête. 15 Ce mouvement fut comme un éclair, Jean Valjean eut un tressaillement. Il lui sembla qu'il venait d'entrevoir, à la lueur du réverbère, non le visage placide[2] et béat[3] du vieux bedeau[4], mais une figure effrayante et connue. Le mendiant avait la même taille, les mêmes guenilles, la même apparence que tous les jours. – Bah !... dit Jean 20 Valjean, je suis fou ! je rêve ! impossible ! – Et il rentra profondément troublé. C'est à peine s'il osait s'avouer à lui-même que cette figure qu'il avait cru voir était la figure de Javert. [...]

Quelques jours après, il pouvait être huit heures du soir, il était dans sa chambre et il faisait épeler Cosette à haute voix, il entendit 25 ouvrir, puis refermer la porte de la masure. Cela lui parut singulier. La vieille, qui seule habitait avec lui la maison, se couchait toujours à la nuit pour ne point user de chandelle. Jean Valjean fit signe à Cosette de se taire. Il entendit qu'on montait l'escalier. À la rigueur ce pouvait être la vieille qui avait pu se trouver malade et 30 aller chez l'apothicaire[5]. Jean Valjean écouta. Le pas était lourd et sonnait comme le pas d'un homme ; mais la vieille portait de gros souliers et rien ne ressemble au pas d'un homme comme le pas d'une vieille femme. Cependant Jean Valjean souffla sa chandelle.

Il avait envoyé Cosette au lit en lui disant tout bas : – Couche-35 toi bien doucement ; et, pendant qu'il la baisait au front, les pas s'étaient arrêtés. Jean Valjean demeura en silence, immobile, le dos

---

1. **Oraisons :** prières.
2. **Placide :** calme.
3. **Béat :** heureux.
4. **Bedeau :** celui qui aide un curé dans une église.
5. **Apothicaire :** pharmacien.

tourné à la porte, assis sur sa chaise dont il n'avait pas bougé, retenant son souffle dans l'obscurité. Au bout d'un temps assez long, n'entendant plus rien, il se retourna sans faire de bruit, et, comme 40 il levait les yeux vers la porte de sa chambre, il vit une lumière par le trou de la serrure. Cette lumière faisait une sorte d'étoile sinistre dans le noir de la porte et du mur. Il y avait évidemment là quelqu'un qui tenait une chandelle à la main, et qui écoutait.

Quelques minutes s'écoulèrent, et la lumière s'en alla. Seulement 45 il n'entendit plus aucun bruit de pas, ce qui semblait indiquer que celui qui était venu écouter à la porte avait ôté ses souliers.

Jean Valjean se jeta tout habillé sur son lit et ne put fermer l'œil de la nuit.

Au point du jour, comme il s'assoupissait de fatigue, il fut réveillé 50 par le grincement d'une porte qui s'ouvrait à quelque mansarde du fond du corridor, puis il entendit le même pas d'homme qui avait monté l'escalier la veille. Le pas s'approchait. Il se jeta à bas du lit et appliqua son œil au trou de sa serrure, lequel était assez grand, espérant voir au passage l'être quelconque qui s'était introduit 55 la nuit dans la masure et qui avait écouté à sa porte. C'était un homme en effet qui passa, cette fois sans s'arrêter, devant la chambre de Jean Valjean. Le corridor était encore trop obscur pour qu'on pût distinguer son visage ; mais quand l'homme arriva à l'escalier, un rayon de lumière du dehors le fit saillir comme une silhouette, 60 et Jean Valjean le vit de dos complètement. L'homme était de haute taille, vêtu d'une redingote longue, avec un gourdin[1] sous son bras. C'était l'encolure[2] formidable de Javert.

Jean Valjean aurait pu essayer de le revoir par sa fenêtre sur le boulevard. Mais il eût fallu ouvrir cette fenêtre, il n'osa pas.

65 Il était évident que cet homme était entré avec une clef, et comme chez lui. Qui lui avait donné cette clef ? qu'est-ce que cela voulait dire ?

À sept heures du matin, quand la vieille vint faire le ménage, Jean Valjean lui jeta un coup d'œil pénétrant, mais il ne l'interrogea pas. La bonne femme était comme à l'ordinaire.

70 Tout en balayant, elle lui dit :

– Monsieur a peut-être entendu quelqu'un qui entrait cette nuit ?

---

1. **Gourdin :** gros bâton.
2. **Encolure :** silhouette.

– À propos, c'est vrai, répondit-il de l'accent le plus naturel. Qui était-ce donc ?

– C'est un nouveau locataire, dit la vieille, qu'il y a dans la
75 maison.

– Et qui s'appelle ?

– Je ne sais plus trop. Monsieur Dumont ou Damont. Un nom comme cela.

– Et qu'est-ce qu'il est, ce monsieur Dumont ?

80 La vieille le considéra avec ses petits yeux de fouine, et répondit :

– Un rentier, comme vous.

Elle n'avait peut-être aucune intention. Jean Valjean crut lui en démêler une.

85 Quand la vieille fut partie, il fit un rouleau d'une centaine de francs qu'il avait dans une armoire et le mit dans sa poche. Quelque précaution qu'il prît dans cette opération pour qu'on ne l'entendît pas remuer de l'argent, une pièce de cent sous lui échappa des mains et roula bruyamment sur le carreau.

90 À la brune, il descendit et regarda avec attention de tous les côtés sur le boulevard. Il n'y vit personne. Le boulevard semblait absolument désert. Il est vrai qu'on peut s'y cacher derrière les arbres.

Il remonta.

– Viens, dit-il à Cosette.

95 Il la prit par la main, et ils sortirent tous deux.

LIVRE CINQUIÈME

À chasse noire, meute muette

I. Les zigzags de la stratégie

C'ÉTAIT une nuit de pleine lune. Jean Valjean n'en fut pas fâché. La lune, encore très près de l'horizon, coupait dans les rues de grands pans d'ombre et de lumière. Jean Valjean pouvait se glisser le long des maisons et des murs dans le côté sombre et observer le côté clair. Il ne réfléchissait peut-être pas assez que le côté obscur lui échappait. Pourtant, dans toutes les ruelles désertes qui avoisinent la rue de Poliveau, il crut être certain que personne ne venait derrière lui.

Cosette marchait sans faire de questions. Les souffrances des six premières années de sa vie avaient introduit quelque chose de passif dans sa nature. D'ailleurs, et c'est là une remarque sur laquelle nous aurons plus d'une occasion de revenir, elle était habituée, sans trop s'en rendre compte, aux singularités du bonhomme et aux bizarreries de la destinée. Et puis elle se sentait en sûreté, étant avec lui. [...]

Comme onze heures sonnaient à Saint-Étienne-du-Mont, il traversait la rue de Pontoise devant le bureau du commissaire de police qui est au n° 14. Quelques instants après, l'instinct dont nous parlions plus haut[1] fit qu'il se retourna. En ce moment, il vit distinctement, grâce à la lanterne du commissaire qui les trahissait, trois hommes qui le suivaient d'assez près passer successivement sous cette lanterne dans le côté ténébreux de la rue. L'un de ces trois hommes entra dans l'allée de la maison du commissaire. Celui qui marchait en tête lui parut décidément suspect. [...]

Ils s'arrêtèrent au milieu du carrefour et firent groupe, comme des gens qui se consultent. Ils avaient l'air indécis. Celui qui paraissait les conduire se tourna et désigna vivement de la main droite la direction où s'était engagé Jean Valjean ; un autre semblait indiquer avec une certaine obstination la direction contraire. À l'instant où le premier se retourna, la lune éclaira en plein son visage. Jean Valjean reconnut parfaitement Javert. [...]

III. Voir le plan de Paris de 1727

(Jean Valjean franchit la Seine au pont d'Austerlitz et se retrouve sur la rive droite du fleuve ; il s'engouffre dans un dédale de rues qu'il connaît mal...)

---

1. **L'instinct dont nous parlions plus haut :** l'impression d'être suivi.

AU BOUT DE TROIS CENTS PAS, il arriva à un point où la rue se 5 bifurquait. Elle se partageait en deux rues, obliquant l'une à gauche, l'autre à droite. Jean Valjean avait devant lui comme les deux branches d'un Y. Laquelle choisir ?

Il ne balança point, il prit la droite.

Pourquoi ?

10 C'est que la branche gauche allait vers le faubourg, c'est-à-dire vers les lieux, habités, et la branche droite vers la campagne, c'est-à-dire vers les lieux déserts.

Cependant ils ne marchaient plus très rapidement. Le pas de Cosette ralentissait le pas de Jean Valjean.

15 Il se remit à la porter. Cosette appuyait sa tête sur l'épaule du bonhomme et ne disait pas un mot.

Il se retournait de temps en temps et regardait. Il avait soin de se tenir toujours du côté obscur de la rue. La rue était droite derrière lui. Les deux ou trois premières fois qu'il se retourna, il ne vit rien, 20 le silence était profond, il continua sa marche un peu rassuré. Tout à coup, à un certain instant, s'étant retourné, il lui sembla voir dans la partie de la rue où il venait de passer, loin dans l'obscurité, quelque chose qui bougeait.

Il se précipita en avant, plutôt qu'il ne marcha, espérant trouver 25 quelque ruelle latérale, s'évader par là, et rompre encore une fois sa piste.

Il arriva à un mur.

Ce mur pourtant n'était point une impossibilité d'aller plus loin ; c'était une muraille bordant une ruelle transversale à laquelle 30 aboutissait la rue où s'était engagé Jean Valjean.

Ici encore il fallait se décider ; prendre à droite ou à gauche.

Il regarda à droite. La ruelle se prolongeait en tronçon entre des constructions qui étaient des hangars ou des granges, puis se terminait en impasse. On voyait distinctement le fond du cul-de-sac ; 35 un grand mur blanc.

Il regarda à gauche. La ruelle de ce côté était ouverte et, au bout de deux cents pas environ, tombait dans une rue dont elle était l'affluent[1]. C'était de ce côté-là qu'était le salut.

---

1. **Affluent :** se dit d'une rivière qui mène à une autre plus importante.

Au moment où Jean Valjean songeait à tourner à gauche, pour tâcher de gagner la rue qu'il entrevoyait au bout de la ruelle, il aperçut, à l'angle de la ruelle et de cette rue vers laquelle il allait se diriger, une espèce de statue noire, immobile.

C'était quelqu'un, un homme, qui venait d'être posté là évidemment, et qui, barrant le passage, attendait.

Jean Valjean recula. [...]

V. Qui serait impossible avec l'éclairage au gaz

(Jean Valjean et Cosette sont pris au piège, coincés entre un mur très élevé et la silhouette de Javert. Le temps presse...)

CEPENDANT l'heure, le lieu, l'obscurité, la préoccupation de Jean Valjean, ses gestes singuliers, ses allées et venues, tout cela commençait à inquiéter Cosette. [...]

– Père, dit-elle tout bas, j'ai peur. Qu'est-ce qui vient donc là ?

– Chut ! répondit le malheureux homme. C'est la Thénardier.

Cosette tressaillit. Il ajouta :

– Ne dis rien. Laisse-moi faire. Si tu cries, si tu pleures, la Thénardier te guette. Elle vient pour te ravoir.

Alors, sans se hâter, mais sans s'y reprendre à deux fois pour rien, avec une précision ferme et brève, d'autant plus remarquable en un pareil moment que la patrouille[1] et Javert pouvaient survenir d'un instant à l'autre, il défit sa cravate, la passa autour du corps de Cosette sous les aisselles en ayant soin qu'elle ne pût blesser l'enfant, rattacha cette cravate à un bout de la corde au moyen de ce nœud que les gens de mer appellent nœud d'hirondelle, prit l'autre bout de cette corde dans ses dents, ôta ses souliers et ses bas qu'il jeta par-dessus la muraille, monta sur le massif de maçonnerie, et commença à s'élever dans l'angle du mur et du pignon avec autant de solidité et de certitude que s'il eût eu des échelons sous les talons et sous les coudes. Une demi-minute ne s'était pas écoulée qu'il était à genoux sur le mur.

---

1. **Patrouille :** groupe de policiers.

Cosette le considérait avec stupeur, sans dire une parole. La recommandation de Jean Valjean et le nom de la Thénardier l'avaient glacée.

Tout à coup elle entendit la voix de Jean Valjean qui lui criait, tout en restant très basse :

– Adosse-toi au mur.

Elle obéit.

– Ne dis pas un mot et n'aie pas peur, reprit Jean Valjean.

Et elle se sentit enlever de terre.

Avant qu'elle eût eu le temps de se reconnaître, elle était au haut de la muraille.

Jean Valjean la saisit, la mit sur son dos, lui prit ses deux petites mains dans sa main gauche, se coucha à plat ventre et rampa sur le haut du mur jusqu'au pan coupé. Comme il l'avait deviné, il y avait là une bâtisse[1] dont le toit partait du haut de la clôture en bois et descendait fort près de terre, selon un plan assez doucement incliné, en effleurant le tilleul. [...]

Jean Valjean se laissa glisser le long du toit, tout en soutenant Cosette, atteignit le tilleul et sauta à terre. Soit terreur, soit courage, Cosette n'avait pas soufflé. Elle avait les mains un peu écorchées.

IX. L'Homme au grelot[2]

(Jean Valjean et Cosette se trouvent dans un grand jardin où se profile la silhouette d'un homme courbé et affublé d'une clochette.)

Il marcha droit à l'homme qu'il apercevait dans le jardin. Il avait pris à sa main le rouleau d'argent qui était dans la poche de son gilet.

Cet homme baissait la tête et ne le voyait pas venir. En quelques enjambées, Jean Valjean fut à lui.

Jean Valjean l'aborda en criant :

– Cent francs !

L'homme fit un soubresaut et leva les yeux.

1. **Bâtisse :** maison.
2. **Grelot :** petite cloche.

10 – Cent francs à gagner, reprit Jean Valjean, si vous me donnez asile pour cette nuit !

La lune éclairait en plein le visage effaré de Jean Valjean.

– Tiens, c'est vous, père Madeleine ! dit l'homme.

Ce nom, ainsi prononcé, à cette heure obscure, dans ce lieu 15 inconnu, par cet homme inconnu, fit reculer Jean Valjean. [...]

Cependant ce bonhomme avait ôté son bonnet, et s'écriait tout tremblant :

– Ah mon Dieu ! comment êtes-vous ici, père Madeleine ? Par où êtes-vous entré, Dieu Jésus ? Vous tombez donc du ciel ! [...]

20 – Qui êtes-vous ? et qu'est-ce que c'est que cette maison-ci ? demanda Jean Valjean.

– Ah, pardieu, voilà qui est fort ! s'écria le vieillard, je suis celui que vous avez fait placer ici, et cette maison est celle où vous m'avez fait placer. Comment ! vous ne me reconnaissez pas ?

25 – Non, dit Jean Valjean. Et comment se fait-il que vous me connaissiez, vous ?

– Vous m'avez sauvé la vie, dit l'homme.

Il se tourna, un rayon de lune lui dessina le profil, et Jean Valjean reconnut le vieux Fauchelevent.

30 – Ah ! dit Jean Valjean, c'est vous ? oui, je vous reconnais.

– C'est bien heureux ! fit le vieux d'un ton de reproche.

– Et que faites-vous ici ? reprit Jean Valjean. [...]

– Tiens ! vous savez bien.

– Mais non, je ne sais pas.

35 – Puisque vous m'y avez fait placer jardinier !

– Répondez-moi comme si je ne savais rien.

– Eh bien, c'est le couvent du Petit-Picpus donc !

Les souvenirs revenaient à Jean Valjean. Le hasard, c'est-à-dire la providence[1], l'avait jeté précisément dans ce couvent du quar- 40 tier Saint-Antoine où le vieux Fauchelevent, estropié[2] par la chute de sa charrette, avait été admis sur sa recommandation, il y avait deux ans de cela. Il répéta comme se parlant à lui-même :

– Le couvent du Petit-Picpus !

---

1. **Providence :** chance.
2. **Estropié :** blessé.

LIVRE HUITIÈME

Les cimetières prennent ce qu'on leur donne

I. Où il est traité de la manière d'entrer au couvent

(Après une description du couvent de Picpus et des mœurs des religieuses, nous retrouvons les trois personnages : revenu de sa surprise, Fauchelevent offre le gîte et le couvert à son bienfaiteur « tombé du ciel » et bien sûr à sa petite protégée.)

5 UNE FOIS Cosette couchée, Jean Valjean et Fauchelevent avaient, comme on l'a vu, soupé d'un verre de vin et d'un morceau de fromage devant un bon fagot[1] flambant ; puis, le seul lit qu'il y eût dans la baraque étant occupé par Cosette, ils s'étaient jetés chacun sur une botte de paille. Avant de fermer les yeux, Jean Valjean avait 10 dit : – Il faut désormais que je reste ici.

Cette parole avait trotté toute la nuit dans la tête de Fauchelevent.

À vrai dire, ni l'un ni l'autre n'avaient dormi.

Jean Valjean, se sentant découvert et Javert sur sa piste, comprenait que lui et Cosette étaient perdus s'ils rentraient dans Paris. 15 Puisque le nouveau coup de vent qui venait de souffler sur lui l'avait échoué dans ce cloître, Jean Valjean n'avait plus qu'une pensée, y rester. Or, pour un malheureux dans sa position, ce couvent était à la fois le lieu le plus dangereux et le plus sûr ; le plus dangereux, car, aucun homme ne pouvant y pénétrer, si on l'y découvrait, 20 c'était un flagrant délit, et Jean Valjean ne faisait qu'un pas du couvent à la prison ; le plus sûr, car si l'on parvenait à s'y faire accepter et à y demeurer, qui viendrait vous chercher là ? Habiter un lieu impossible, c'était le salut[2]. [...]

1. **Fagot :** ici, petit feu de bois.
2. **Le salut :** l'espoir.

Au point du jour, ayant énormément songé, le père Fauchelevent
25 ouvrit les yeux et vit M. Madeleine qui, assis sur sa botte de paille, regardait Cosette dormir. Fauchelevent se dressa sur son séant et dit :

– Maintenant que vous êtes ici, comment allez-vous faire pour y entrer ?

Ce mot résumait la situation, et réveilla Jean Valjean de sa
30 rêverie.

Les deux bonshommes tinrent conseil.

– D'abord, dit Fauchelevent, vous allez commencer par ne pas mettre les pieds hors de cette chambre. La petite ni vous. Un pas dans le jardin, nous sommes flambés.

35 – C'est juste. [...]

– On ne peut pas vous trouver ici comme ça. D'où venez-vous ? Pour moi vous tombez du ciel, parce que je vous connais ; mais des religieuses, ça a besoin qu'on entre par la porte.

Tout à coup on entendit une sonnerie assez compliquée d'une
40 autre cloche.

– Ah ! dit Fauchelevent, on sonne les mères vocales[1]. Elles vont au chapitre. On tient toujours chapitre[2] quand quelqu'un est mort. Elle est morte au point du jour. C'est ordinairement au point du jour qu'on meurt. Mais est-ce que vous ne pourriez pas sortir par
45 où vous êtes entré ? Voyons, ce n'est pas pour vous faire une question, par où êtes-vous entré ?

Jean Valjean devint pâle. La seule idée de redescendre dans cette rue formidable le faisait frissonner. Sortez d'une forêt pleine de tigres, et, une fois dehors, imaginez-vous un conseil d'ami qui vous
50 engage à y rentrer. Jean Valjean se figurait toute la police encore grouillante dans le quartier, des agents en observation, des vedettes[3] partout, d'affreux poings tendus vers son collet, Javert peut-être au coin du carrefour.

– Impossible ! dit-il. Père Fauchelevent, mettez que je suis tombé
55 de là-haut. [...]

– C'est votre fille ? comme qui dirait : vous seriez son grand-père ?

– Oui.

---

1. **On sonne les mères vocales :** on appelle les religieuses qui chantent.
2. **Chapitre :** assemblée de religieuses.
3. **Vedettes :** espions.

– Pour elle, sortir d'ici, ce sera facile. J'ai ma porte de service qui donne sur la cour. Je cogne. Le portier ouvre. J'ai ma hotte sur le dos, la petite est dedans. Je sors. Le père Fauchelevent sort avec sa hotte, c'est tout simple. Vous direz à la petite de se tenir bien tranquille. Elle sera sous la bâche[1]. Je la déposerai le temps qu'il faudra chez une vieille bonne amie de fruitière[2] que j'ai rue du Chemin-Vert, qui est sourde et où il y a un petit lit. Je crierai dans l'oreille à la fruitière que c'est une nièce à moi, et de me la garder jusqu'à demain. Puis la petite rentrera avec vous. Car je vous ferai rentrer. Il le faudra bien. Mais vous, comment ferez-vous pour sortir ?

Jean Valjean hocha la tête.

– Que personne ne me voie. Tout est là, père Fauchelevent. Trouvez moyen de me faire sortir comme Cosette dans une hotte et sous une bâche. [...]

(Fauchelevent, appelé par de nouvelles sonneries, se rend chez la révérende mère du couvent. Celle-ci lui explique que la sœur défunte sera enterrée dans la chapelle du couvent, conformément à ses dernières volontés, et malgré l'interdiction de la loi. Fauchelevent sera chargé de faire croire à un enterrement en bonne et due forme. Par ailleurs, le jardinier annonce la présence de son visiteur, à laquelle la révérende ne voit pas d'inconvénient, si ce n'est qu'il faut le faire entrer officiellement.)

IV. Où Jean Valjean a tout à fait l'air d'avoir lu Austin Castillejo[3]

COSETTE était éveillée. Jean Valjean l'avait assise près du feu. Au moment où Fauchelevent entra, Jean Valjean lui montrait la hotte du jardinier accrochée au mur et lui disait :

– Écoute-moi bien, ma petite Cosette. Il faudra nous en aller de cette maison, mais nous y reviendrons et nous y serons très bien.

1. **Bâche :** grosse toile servant à protéger de la pluie.
2. **Fruitière :** marchande de fruits.
3. **Austin Castillejo :** moine auteur d'ouvrages religieux.

Le bonhomme d'ici t'emportera sur son dos là-dedans. Tu m'attendras chez une dame. J'irai te retrouver. Surtout, si tu ne veux pas que la Thénardier te reprenne, obéis et ne dis rien !

Cosette fit un signe de tête d'un air grave.

10 Au bruit de Fauchelevent poussant la porte, Jean Valjean se retourna.

– Eh bien ?

– Tout est arrangé, et rien ne l'est, dit Fauchelevent. J'ai permission de vous faire entrer ; mais avant de vous faire entrer, il faut 15 vous faire sortir. C'est là qu'est l'embarras[1] de charrettes. Pour la petite, c'est aisé.

– Vous l'emporterez ?

– Et elle se taira ?

– J'en réponds.

20 – Mais vous, père Madeleine ? [...] Comment di...-antre allez-vous sortir ? C'est qu'il faut que tout cela soit fait demain ! C'est demain que je vous amène. La prieure vous attend.

Alors il expliqua à Jean Valjean que c'était une récompense pour un service que lui, Fauchelevent, rendait à la communauté. Qu'il 25 entrait dans ses attributions de participer aux sépultures, qu'il clouait les bières[2] et assistait le fossoyeur[3] au cimetière. Que la religieuse morte le matin avait demandé d'être ensevelie dans le cercueil qui lui servait de lit et enterrée dans le caveau sous l'autel de la chapelle. Que cela était défendu par les règlements de police, 30 mais que c'était une de ces mortes à qui l'on ne refuse rien. Que la prieure[4] et les mères vocales entendaient exécuter le vœu de la défunte. Que tant pis pour le gouvernement. Que lui Fauchelevent clouerait le cercueil dans la cellule, lèverait la pierre dans la chapelle, et descendrait la morte dans le caveau. Et que, pour le 35 remercier, la prieure admettait dans la maison son frère comme jardinier et sa nièce comme pensionnaire. Que son frère, c'était M. Madeleine, et que sa nièce, c'était Cosette. Que la prieure lui avait dit d'amener son frère le lendemain soir, après l'enterrement

---

1. **L'embarras :** l'entassement.
2. **Bières :** cercueils.
3. **Fossoyeur :** employé chargé de creuser les tombes.
4. **La prieure :** la religieuse.

postiche[1] au cimetière. Mais qu'il ne pouvait pas amener du dehors
40 M. Madeleine, si M. Madeleine n'était pas dehors. Que c'était là le premier embarras. Et puis qu'il avait encore un embarras : la bière vide.

– Qu'est-ce que c'est que la bière vide ? demanda Jean Valjean.

Fauchelevent répondit :

– La bière de l'administration.

45 – Quelle bière ? et quelle administration ?

– Une religieuse meurt. Le médecin de la municipalité vient et dit : il y a une religieuse morte. Le gouvernement envoie une bière. Le lendemain il envoie un corbillard et des croque-morts[2] pour reprendre la bière et la porter au cimetière. Les croque-morts
50 viendront, et soulèveront la bière ; il n'y aura rien dedans.

– Mettez-y quelque chose.

– Un mort ? je n'en ai pas.

– Non.

– Quoi donc ?

55 – Un vivant.

– Quel vivant ?

– Moi, dit Jean Valjean.

Fauchelevent, qui s'était assis, se leva comme si un pétard fût parti sous sa chaise.

60 – Vous !

– Pourquoi pas ?

Jean Valjean eut un de ces rares sourires qui lui venaient comme une lueur dans un ciel d'hiver.

VI. Entre quatre planches

Qui était dans la bière ? on le sait. Jean Valjean.

Jean Valjean s'était arrangé pour vivre là dedans, et il respirait à peu près. [...]

Du fond de cette bière, il avait pu suivre et il suivait toutes les
5 phases du drame redoutable qu'il jouait avec la mort.

1. **Postiche :** faux.
2. **Croque-morts :** employés des pompes funèbres.

Peu après que Fauchelevent eut achevé de clouer la planche de dessus, Jean Valjean s'était senti emporter, puis rouler. À moins de secousses, il avait senti qu'on passait du pavé à la terre battue, c'est-à-dire qu'on quittait les rues et qu'on arrivait aux boulevards. 10 À un bruit sourd, il avait deviné qu'on traversait le pont d'Austerlitz. Au premier temps d'arrêt, il avait compris qu'on entrait dans le cimetière ; au second temps d'arrêt, il s'était dit : voici la fosse.

Brusquement il sentit que des mains saisissaient la bière, puis un frottement rauque sur les planches ; il se rendit compte que c'était 15 une corde qu'on nouait autour du cercueil pour le descendre dans l'excavation[1].

Puis il eut une espèce d'étourdissement.

Probablement les croque-morts et le fossoyeur avaient laissé basculer le cercueil et descendu la tête avant les pieds. Il revint 20 pleinement à lui en se sentant horizontal et immobile. Il venait de toucher le fond.

Il sentit un certain froid.

Une voix s'éleva au-dessus de lui, glaciale et solennelle. Il entendit passer, si lentement qu'il pouvait les saisir l'un après l'autre, des 25 mots latins qu'il ne comprenait pas :

– *Qui dormiunt in terræ pulvere, evigilabunt ; alii in vitam æternam, et alii in opprobrium, ut videant semper*[2].

Une voix d'enfant dit :

– *De profundis*[3].

30 La voix grave recommença :

– *Requiem æternam dona ei, Domine*[4].

La voix d'enfant répondit :

– *Et lux perpetua luceat ei*[5].

---

1. **Excavation :** trou.
2. ***Qui dormiunt [...] semper :*** prière en latin. « Ceux qui dorment dans la poussière de la terre se réveilleront, les uns pour la vie éternelle, et les autres pour le déshonneur, pour la honte éternelle » (Daniel, 12).
3. ***De profundis :*** « Depuis les profondeurs ».
4. ***Requiem æternam [...] Domine :*** « Donne-leur le repos éternel, Seigneur ». Comme les autres citations qui suivent, cette formule latine est extraite de la prière du requiem catholique, prononcé lors de l'enterrement d'un mort.
5. ***Et lux perpetua luceat ei :*** « Que la lumière éternelle brille sur eux ».

Il entendit sur la planche qui le recouvrait quelque chose comme le frappement doux de quelques gouttes de pluie. C'était probablement l'eau bénite[1].

Il songea : Cela va être fini. Encore un peu de patience. Le prêtre va s'en aller. Fauchelevent emmènera Mestienne boire. On me laissera. Puis Fauchelevent reviendra seul, et je sortirai. Ce sera l'affaire d'une bonne heure.

La voix grave reprit :

– *Requiescat in pace*[2].

Et la voix d'enfant dit :

– *Amen.*

Jean Valjean, l'oreille tendue, perçut quelque chose comme des pas qui s'éloignaient.

– Les voilà qui s'en vont, pensa-t-il. Je suis seul.

Tout à coup il entendit sur sa tête un bruit qui lui sembla la chute du tonnerre.

C'était une pelletée de terre qui tombait sur le cercueil. Une seconde pelletée de terre tomba.

Un des trous par où il respirait venait de se boucher.

Une troisième pelletée de terre tomba.

Puis une quatrième.

Il est des choses plus fortes que l'homme le plus fort.

Jean Valjean perdit connaissance.

VII. Où l'on trouvera l'origine du mot : ne pas perdre la carte

(Avant que le trou ne soit rebouché, Fauchelevent invite le fossoyeur à aller boire un coup ; après quoi il lui promet d'achever lui-même la besogne...)

QUAND le fossoyeur eut disparu dans le fourré, Fauchelevent écouta jusqu'à ce qu'il eût entendu le pas se perdre, puis il se pencha vers la fosse et dit à demi-voix :

1. **Eau bénite :** eau sacrée dans la religion chrétienne.
2. ***Requiescat in pace :*** « Qu'il repose en paix ».

– Père Madeleine !

Rien ne répondit.

10 Fauchelevent eut un frémissement. Il se laissa rouler dans la fosse plutôt qu'il n'y descendit, se jeta sur la tête du cercueil et cria :

– Êtes-vous là ?

Silence dans la bière.

15 Fauchelevent, ne respirant plus à force de tremblement, prit son ciseau à froid[1] et son marteau, et fit sauter la planche de dessus. La face de Jean Valjean apparut dans le crépuscule, les yeux fermés, pâle.

Les cheveux de Fauchelevent se hérissèrent, il se leva debout, 20 puis tomba adossé à la paroi de la fosse, prêt à s'affaisser sur la bière. Il regarda Jean Valjean.

Jean Valjean gisait, blême[2] et immobile.

Fauchelevent murmura d'une voix basse comme un souffle :

– Il est mort !

25 Et se redressant, croisant les bras si violemment que ses deux poings fermés vinrent frapper ses deux épaules, il cria :

– Voilà comme je le sauve, moi !

Alors le pauvre bonhomme se mit à sangloter. Monologuant, car c'est une erreur de croire que le monologue n'est pas dans la 30 nature. Les fortes agitations parlent souvent à haute voix. [...]

Fauchelevent se pencha sur Jean Valjean, et tout à coup eut une sorte de rebondissement et tout le recul qu'on peut avoir dans une fosse. Jean Valjean avait les yeux ouverts, et le regardait.

Voir une mort est effrayant, voir une résurrection l'est presque 35 autant. Fauchelevent devint comme de pierre, pâle, hagard[3], bouleversé par tous ces excès d'émotions, ne sachant s'il avait affaire à un vivant ou à un mort, regardant Jean Valjean qui le regardait.

– Je m'endormais, dit Jean Valjean.

Et il se mit sur son séant.

40 Fauchelevent tomba à genoux.

– Juste bonne Vierge ! m'avez-vous fait peur !

---

1. **Ciseau à froid :** outil de menuiserie.
2. **Blême :** très pâle.
3. **Hagard :** affolé.

Puis il se releva et cria :

– Merci, père Madeleine !

Jean Valjean n'était qu'évanoui. Le grand air l'avait réveillé.

45 La joie est le reflux de la terreur. Fauchelevent avait presque autant à faire que Jean Valjean pour revenir à lui.

– Vous n'êtes donc pas mort ! Oh ! comme vous avez de l'esprit, vous ! Je vous ai tant appelé que vous êtes revenu. Quand j'ai vu vos yeux fermés, j'ai dit : bon ! le voilà étouffé. Je serais devenu fou 50 furieux, vrai fou à camisole. On m'aurait mis à Bicêtre. Qu'est-ce que vous voulez que je fasse si vous étiez mort ? Et votre petite ! c'est la fruitière qui n'y aurait rien compris ! On lui campe l'enfant sur les bras, et le grand-père est mort ! Quelle histoire ! mes bons saints du paradis, quelle histoire ! Ah ! vous êtes vivant, voilà le 55 bouquet.

– J'ai froid, dit Jean Valjean.

Ce mot rappela complètement Fauchelevent à la réalité, qui était urgente. Ces deux hommes, même revenus à eux, avaient, sans s'en rendre compte, l'âme trouble, et en eux quelque chose 60 d'étrange qui était l'égarement sinistre du lieu.

– Sortons vite d'ici, s'écria Fauchelevent.

Il fouilla dans sa poche, et en tira une gourde dont il s'était pourvu.

– Mais d'abord la goutte ! dit-il.

65 La gourde acheva ce que le grand air avait commencé. Jean Valjean but une gorgée d'eau-de-vie et reprit pleine possession de lui-même.

Il sortit de la bière, et aida Fauchelevent à en reclouer le couvercle.

70 Trois minutes après, ils étaient hors de la fosse. [...]

VIII. Interrogatoire réussi

UNE HEURE après, par la nuit noire, deux hommes et un enfant se présentaient au numéro 62 de la petite rue Picpus. Le plus vieux de ces hommes levait le marteau et frappait. [...]

Fauchelevent était du couvent et savait les mots de passe. Toutes les portes s'ouvrirent.

Ainsi fut résolu le double et effrayant problème : sortir, et entrer. [...]

IX. Clôture

(Jean Valjean se fait passer pour le frère du jardinier tandis que Cosette se croit toujours sa fille. Le temps de la paix est revenu.)

COSETTE, en devenant pensionnaire du couvent, dut prendre l'habit des élèves de la maison. Jean Valjean obtint qu'on lui remît les vêtements qu'elle dépouillait. C'était ce même habillement de deuil qu'il lui avait fait revêtir lorsqu'elle avait quitté la gargote[1] Thénardier. Il n'était pas encore très usé. Jean Valjean enferma ces nippes, plus les bas de laine et les souliers, avec force camphre et tous les aromates dont abondent les couvents, dans une petite valise qu'il trouva moyen de se procurer. Il mit cette valise sur une chaise près de son lit, et il en avait toujours la clef sur lui. – Père, lui demanda un jour Cosette, qu'est-ce que c'est donc que cette boîte-là qui sent si bon ? [...]

Ce couvent était pour Jean Valjean comme une île entourée de gouffres. Ces quatre murs étaient désormais le monde pour lui. Il y voyait le ciel assez pour être serein et Cosette assez pour être heureux.

Une vie très douce recommença pour lui.

Il habitait avec le vieux Fauchelevent la baraque du fond du jardin. [...]

Jean Valjean travaillait tout le jour dans le jardin et y était très utile. Il avait été jadis émondeur et se retrouvait volontiers jardinier. On se rappelle qu'il avait toutes sortes de recettes et de secrets de culture. Il en tira parti. Presque tous les arbres du verger étaient des sauvageons ; il les écussonna[2] et leur fit donner d'excellents fruits.

---

1. **Gargote :** petit restaurant.
2. **Écussonna :** greffa.

Cosette avait permission de venir tous les jours passer une heure près de lui. Comme les sœurs étaient tristes et qu'il était bon, l'enfant le comparait et l'adorait. À l'heure fixée elle accourait vers la baraque. Quand elle entrait dans la masure[1], elle l'emplissait de paradis. Jean Valjean s'épanouissait, et sentait son bonheur s'accroître du bonheur qu'il donnait à Cosette. La joie que nous inspirons a cela de charmant que, loin de s'affaiblir comme tout reflet, elle nous revient plus rayonnante. Aux heures des récréations, Jean Valjean regardait de loin Cosette jouer et courir, et il distinguait son rire du rire des autres.

Car maintenant Cosette riait.

La figure de Cosette en était même jusqu'à un certain point changée. Le sombre en avait disparu. Le rire, c'est le soleil ; il chasse l'hiver du visage humain.

Cosette, toujours pas jolie, devenait bien charmante d'ailleurs. Elle disait des petites choses raisonnables avec sa douce voix enfantine.

La récréation finie, quand Cosette rentrait, Jean Valjean regardait les fenêtres de sa classe, et la nuit il se relevait pour regarder les fenêtres de son dortoir. [...]

Tout ce qui l'entourait, ce jardin paisible, ces fleurs embaumées, ces enfants poussant des cris joyeux, ces femmes graves et simples, ce cloître silencieux, le pénétraient lentement, et peu à peu son âme se composait de silence comme ce cloître, de parfum comme ces fleurs, de paix comme ce jardin, de simplicité comme ces femmes, de joie comme ces enfants. Et puis il songeait que c'étaient deux maisons de Dieu qui l'avaient successivement recueilli aux deux instants critiques de sa vie, la première lorsque toutes les portes se fermaient et que la société humaine le repoussait, la deuxième au moment où la société humaine se remettait à sa poursuite et où le bagne se rouvrait ; et que sans la première il serait retombé dans le crime et sans la seconde dans le supplice[2].

Tout son cœur se fondait en reconnaissance et il aimait de plus en plus.

Plusieurs années s'écoulèrent ainsi ; Cosette grandissait.

---

1. **Masure :** maison misérable.
2. **Supplice :** épreuve très douloureuse.

Clefs d'analyse

p. 93 à p. 114

Action et personnages

1. Pourquoi la chute de la pièce de cent sous est-elle importante (p. 98) ?
2. Pour quelle raison Cosette et Jean Valjean doivent-ils sortir du couvent avant d'y revenir ?
3. Montrez la progression du bonheur tout au long de cette partie.

Langue

4. Page 94, ligne 29 : « douloureux, religieux, poignant » : trouvez un synonyme pour chacun de ces adjectifs.
5. Page 97, lignes 65-66 : qui pense cela ? Quel effet produit le style direct ? Réécrivez ces phrases au style indirect.
6. Page 107, ligne 20, « di... » : qu'allait dire Fauchelevent ? Que dit-il effectivement ? Pourquoi s'interrompt-il ?
7. Dans l'épisode du cimetière (chap. VI, page 108), relevez les verbes dont Jean Valjean est le sujet. Que révèlent-ils de la situation du personnage ?
8. Page 114, lignes 26-35 : quelle est la valeur de l'imparfait dans ce paragraphe ? Pourquoi la phrase « La joie que nous inspirons... » est-elle au présent ?

Genre ou thèmes

9. Que Jean Valjean arrive justement dans le couvent où travaille Fauchelevent vous paraît-il vraisemblable ? Comment peut-on justifier cette coïncidence sur un autre plan ?
10. Livre V, chap. III, pages 99-101 : pourquoi Jean Valjean donne-t-il l'impression d'être pris au piège ?
11. Quels sont les éléments qui permettent de voir dans le couvent un paradis ?

Écriture

12. Réécrivez la proposition de Fauchelevent pour sortir du couvent (p. 106, lignes 58-67) en introduisant des conjonctions de coordination et de subordination (ou des locutions conjonctives) et en procédant aux ajustements nécessaires.

Pour aller plus loin

13. Jean Valjean se souvient que « c'était avec l'idée de faire le mal qu'il avait appris à lire au bagne » (p. 95, lignes 29-30). En quoi savoir lire peut-il servir à faire le mal ? Est-ce toujours le cas ? Selon vous, pourquoi donnait-on cette possibilité aux forçats ? Pour quelle raison le héros apprend-il à lire à Cosette ?

✻ *À retenir*

Le couvent où Cosette et Jean Valjean se réfugient est un lieu sûr parce que les communications avec le reste du monde sont complètement coupées et que personne ne peut y entrer. À sa manière, cet asile échappe aux lois humaines, que les sœurs ne reconnaissent pas : en effet, elles transgressent le règlement qui impose d'enterrer les religieuses au cimetière. C'est pourquoi il convient au hors-la-loi qu'est Jean Valjean.

TROISIÈME PARTIE
Marius

LIVRE PREMIER
Paris étudié dans son atome

I. « Parvulus »[1]

PARIS a un enfant et la forêt a un oiseau ; l'oiseau s'appelle le moineau ; l'enfant s'appelle le gamin. [...]

Ce petit être est joyeux. Il ne mange pas tous les jours et il va au spectacle, si bon lui semble, tous les soirs. Il n'a pas de chemise sur le 5 corps, pas de souliers aux pieds, pas de toit sur la tête ; il est comme les mouches du ciel qui n'ont rien de tout cela. Il a de sept à treize ans, vit par bande, bat le pavé[2], loge en plein air, porte un vieux pantalon de son père qui lui descend plus bas que les talons, un vieux chapeau de quelque autre père qui lui descend plus bas que les 10 oreilles, une seule bretelle en lisière[3] jaune, court, guette, quête, perd le temps, culotte des pipes[4], jure comme un damné, hante le cabaret, connaît des voleurs, tutoie des filles, parle argot, chante des chansons obscènes[5], et n'a rien de mauvais dans le cœur. C'est qu'il a dans l'âme une perle, l'innocence, et les perles ne se dissolvent pas dans la boue. 15 Tant que l'homme est enfant, Dieu veut qu'il soit innocent.

Si l'on demandait à l'énorme ville : Qu'est-ce que c'est que cela ? elle répondrait : C'est mon petit.

---

1. **« Parvulus » :** le tout petit.
2. **Bat le pavé :** marche sans but.
3. **Lisière :** tissu.
4. **Culotte des pipes :** fume sans arrêt.
5. **Obscènes :** grossières.

II. Quelques-uns de ses signes particuliers

LE GAMIN de Paris, c'est le nain de la géante.

N'exagérons point, ce chérubin[1] du ruisseau a quelquefois une chemise mais alors il n'en a qu'une ; il a quelquefois des souliers, mais alors ils n'ont point de semelles ; il a quelquefois un logis, et
5 il l'aime, car il y trouve sa mère ; mais il préfère la rue, parce qu'il y trouve la liberté. [...]

XIII. Le petit Gavroche

HUIT OU NEUF ANS environ après les événements racontés dans la deuxième partie de cette histoire, on remarquait sur le boulevard du Temple et dans les régions du Château-d'Eau un petit garçon de onze à douze ans qui eût assez correctement réalisé cet idéal du
5 gamin ébauché plus haut, si, avec le rire de son âge sur les lèvres, il n'eût pas eu le cœur absolument sombre et vide. Cet enfant était bien affublé[2] d'un pantalon d'homme, mais il ne le tenait pas de son père, et d'une camisole[3] de femme, mais il ne la tenait pas de sa mère. Des gens quelconques l'avaient habillé de chiffons par
10 charité. Pourtant il avait un père et une mère. Mais son père ne songeait pas à lui et sa mère ne l'aimait point. C'était un de ces enfants dignes de pitié entre tous qui ont père et mère et qui sont orphelins. [...]

C'était un garçon bruyant, blême, leste[4], éveillé, goguenard[5], à
15 l'air vivace et maladif. Il allait, venait, chantait, jouait à la fayousse[6], grattait les ruisseaux, volait un peu mais comme les chats et les passereaux[7], gaîment, riait quand on l'appelait galopin, se fâchait

1. **Chérubin :** enfant grâcieux, angélique.
2. **Affublé :** habillé avec.
3. **Camisole :** vêtement de femme.
4. **Leste :** rapide.
5. **Goguenard :** rieur.
6. **Jouer à la fayousse :** la fayousse est un jeu populaire.
7. **Passereaux :** petits oiseaux.

quand on l'appelait voyou. Il n'avait pas de gîte, pas de pain, pas de feu, pas d'amour ; mais il était joyeux parce qu'il était libre. [...]

20 Pourtant, si abandonné que fût cet enfant, il arrivait parfois, tous les deux ou trois mois, qu'il disait : « Tiens, je vas voir maman ! » Alors il quittait le boulevard, le Cirque, la Porte Saint-Martin, descendait aux quais, passait les ponts, gagnait les faubourgs, atteignait la Salpêtrière, et arrivait où ? Précisément à ce double 25 numéro 50-52 que le lecteur connaît, à la masure Gorbeau. [...]

Du reste sa mère aimait ses sœurs.

Nous avons oublié de dire que sur le boulevard du Temple on nommait cet enfant le petit Gavroche. Pourquoi s'appelait-il Gavroche ? Probablement parce que son père s'appelait Jondrette.

30 Casser le fil semble être l'instinct de certaines familles misérables[1].

La chambre que les Jondrette habitaient dans la masure Gorbeau était la dernière au bout du corridor. La cellule d'à côté était occupée par un jeune homme très pauvre qu'on nommait monsieur Marius.

35 Disons ce que c'était que monsieur Marius.

LIVRE DEUXIÈME

Le grand bourgeois

I. Quatre-vingt-dix ans et trente-deux dents

RUE BOUCHERAT, rue de Normandie et rue de Saintonge, il existe encore quelques anciens habitants qui ont gardé le souvenir d'un bonhomme appelé M. Gillenormand, et qui en parlent avec complaisance. Ce bonhomme était vieux quand ils étaient jeunes. [...]

1. **Casser le fil [...] misérables :** négliger de transmettre le nom d'un père à son enfant.

M. Gillenormand, lequel était on ne peut plus vivant en 1831, était un de ces hommes devenus curieux à voir uniquement à cause qu'ils ont longtemps vécu, et qui sont étranges parce qu'ils ont jadis ressemblé à tout le monde et que maintenant ils ne ressemblent plus à personne. C'était un vieillard particulier, et bien véritablement l'homme d'un autre âge, le vrai bourgeois complet et un peu hautain du dix-huitième siècle, portant sa bonne vieille bourgeoisie de l'air dont les marquis portaient leur marquisat. Il avait dépassé quatre-vingt-dix ans, marchait droit, parlait haut, voyait clair, buvait sec, mangeait, dormait et ronflait. Il avait ses trente-deux dents. Il ne mettait de lunettes que pour lire. Il était d'humeur amoureuse, mais disait que depuis une dizaine d'années il avait décidément et tout à faire renoncé aux femmes.

(Le narrateur raconte en quelques pages la vie de M. Gillenormand.)

VI. Où l'on entrevoit la Magnon et ses deux petits

Il avait eu, nous l'avons dit, deux femmes ; de la première une fille qui était restée fille, et de la seconde une autre fille, morte vers l'âge de trente ans, laquelle avait épousé par amour ou hasard ou autrement un soldat de fortune qui avait servi dans les armées de la République et de l'Empire, avait eu la croix à Austerlitz et avait été fait colonel à Waterloo. *C'est la honte de ma famille,* disait le vieux bourgeois. [...]

VIII. Les deux ne font pas la paire

Il avait en outre dans la maison, entre cette vieille fille et ce vieillard, un enfant, un petit garçon toujours tremblant et muet devant M. Gillenormand. M. Gillenormand ne parlait jamais à cet enfant que d'une voix sévère et quelquefois la canne levée : – *Ici ! monsieur ! – Maroufle, polisson, approchez !* – Répondez, drôle ! – Que je vous voie, vaurien ! etc., etc. Il l'idolâtrait[1]. C'est son petit-fils.

1. **Idolâtrait :** admirait.

LIVRE TROISIÈME

Le grand-père et le petit-fils

IV. Fin du brigand

En 1827, Marius venait d'atteindre ses dix-sept ans. Comme il rentrait un soir, il vit son grand-père qui tenait une lettre à la main.

– Marius, dit M. Gillenormand, tu partiras demain pour Vernon.

– Pourquoi ? dit Marius.

5 – Pour voir ton père.

Marius eut un tremblement. Il avait songé à tout, excepté à ceci, qu'il pourrait un jour se faire qu'il eût à voir son père. Rien ne pouvait être pour lui plus inattendu, plus surprenant, et, disons-le, plus désagréable. C'était l'éloignement contraint au rapprochement. Ce
10 n'était pas un chagrin, non, c'était une corvée.

Marius, outre ses motifs d'antipathie politique, était convaincu que son père, le sabreur[1], comme l'appelait M. Gillenormand dans ses jours de douceur, ne l'aimait pas ; cela était évident, puisqu'il l'avait abandonné ainsi et laissé à d'autres. Ne se sentant point
15 aimé, il n'aimait point. Rien de plus simple, se disait-il.

Il fut si stupéfait qu'il ne questionna pas M. Gillenormand. Le grand-père reprit :

– Il paraît qu'il est malade. Il te demande.

Et après un silence il ajouta :

20 – Pars demain matin. Je crois qu'il y a cour des Fontaines une voiture qui part à six heures et qui arrive le soir. Prends-la. Il dit que c'est pressé.

Puis il froissa la lettre et la mit dans sa poche. Marius aurait pu partir le soir même et être près de son père le lendemain matin.
25 Une diligence de la rue du Bouloi faisait à cette époque le voyage de Rouen la nuit et passait par Vernon. Ni M. Gillenormand ni Marius ne songèrent à s'informer.

---

1. **Sabreur :** escrimeur.

Le lendemain, à la brune[1], Marius arrivait à Vernon. Les chandelles commençaient à s'allumer. Il demanda au premier passant venu : *la maison de monsieur Pontmercy.* Car dans sa pensée il était de l'avis de la Restauration[2], et, lui non plus, ne reconnaissait son père ni baron ni colonel.

On lui indiqua le logis. Il sonna ; une femme vint lui ouvrir, une petite lampe à la main.

– Monsieur Pontmercy ? dit Marius.

La femme resta immobile.

– Est-ce ici ? demanda Marius.

La femme fit de la tête un signe affirmatif.

– Pourrais-je lui parler ?

La femme fit un signe négatif.

– Mais je suis son fils, reprit Marius. Il m'attend.

– Il ne vous attend plus, dit la femme.

Alors il s'aperçut qu'elle pleurait.

Elle lui désigna du doigt la porte d'une salle basse. Il entra.

Dans cette salle qu'éclairait une chandelle de suif[3] posée sur la cheminée, il y avait trois hommes, un qui était debout, un qui était à genoux, et un qui était à terre et en chemise couché tout de son long sur le carreau[4]. Celui qui était à terre était le colonel.

Les deux autres étaient un médecin et un prêtre, qui priait.

Le colonel était depuis trois jours atteint d'une fièvre cérébrale. Au début de la maladie, ayant un mauvais pressentiment, il avait écrit à M. Gillenormand pour demander son fils. La maladie avait empiré. Le soir même de l'arrivée de Marius à Vernon, le colonel avait eu un accès de délire ; il s'était levé de son lit malgré la servante, en criant : – Mon fils n'arrive pas ! je vais au-devant de lui ! – Puis il était sorti de sa chambre et était tombé sur le carreau de l'antichambre[5]. Il venait d'expirer.

On avait appelé le médecin et le curé. Le médecin était arrivé trop tard, le curé était arrivé trop tard. Le fils aussi était arrivé trop tard.

1. **À la brune :** à la tombée de la nuit.
2. **Restauration :** régime politique conservateur ayant restauré la monarchie.
3. **Suif :** sorte de cire.
4. **Carreau :** carrelage.
5. **Antichambre :** petite pièce située avant une chambre.

60 À la clarté crépusculaire de la chandelle, on distinguait sur la joue du colonel gisant et pâle une grosse larme qui avait coulé de son œil mort. L'œil était éteint, mais la larme n'était pas séchée. Cette larme, c'était le retard de son fils.

Marius considéra cet homme qu'il voyait pour la première fois, 65 et pour la dernière, ce visage vénérable et mâle, ces yeux ouverts qui ne regardaient pas, ces cheveux blancs, ces membres robustes sur lesquels on distinguait çà et là des lignes brunes qui étaient des coups de sabre et des espèces d'étoiles rouges qui étaient des trous de balles. Il considéra cette gigantesque balafre[1] qui impri- 70 mait l'héroïsme sur cette face où Dieu avait empreint la bonté. Il songea que cet homme était son père et que cet homme était mort, et il resta froid.

La tristesse qu'il éprouvait fut la tristesse qu'il aurait ressentie devant tout autre homme qu'il aurait vu étendu mort.

75 Le deuil, un deuil poignant, était dans cette chambre. La servante se lamentait dans un coin, le curé priait, et on l'entendait sangloter, le médecin s'essuyait les yeux ; le cadavre lui-même pleurait.

Ce médecin, ce prêtre et cette femme regardaient Marius à travers leur affliction[2] sans dire une parole ; c'était lui qui était 80 l'étranger. Marius, trop peu ému, se sentit honteux et embarrassé de son attitude ; il avait son chapeau à la main, il le laissa tomber à terre, afin de faire croire que la douleur lui ôtait la force de le tenir.

En même temps il éprouvait comme un remords et il se méprisait d'agir ainsi. Mais était-ce sa faute ? Il n'aimait pas son père, quoi !

85 Le colonel ne laissait rien. La vente du mobilier paya à peine l'enterrement. La servante trouva un chiffon de papier qu'elle remit à Marius. Il y avait ceci, écrit de la main du colonel :

« – Pour mon fils. – L'empereur m'a fait baron sur le champ de bataille de Waterloo. Puisque la Restauration me conteste ce titre 90 que j'ai payé de mon sang, mon fils le prendra et le portera. Il va sans dire qu'il en sera digne. »

Derrière, le colonel avait ajouté :

« À cette même bataille de Waterloo, un sergent m'a sauvé la vie. Cet homme s'appelle Thénardier. Dans ces derniers temps, je crois

1. **Balafre :** cicatrice.

2. **Affliction :** grande douleur.

95 qu'il tenait une petite auberge dans un village des environs de Paris, à Chelles ou à Montfermeil. Si mon fils le rencontre, il fera à Thénardier tout le bien qu'il pourra. »

Non par religion[1] pour son père, mais à cause de ce respect vague de la mort qui est toujours si impérieux au cœur de 100 l'homme, Marius prit ce papier et le serra[2].

Rien ne resta du colonel. M. Gillenormand fit vendre au fripier[3] son épée et son uniforme. Les voisins dévalisèrent le jardin et pillèrent les fleurs rares. Les autres plantes devinrent ronces et broussailles, et moururent.

105 Marius n'était demeuré que quarante-huit heures à Vernon. Après l'enterrement, il était revenu à Paris et s'était remis à son droit, sans plus songer à son père que s'il n'eût jamais vécu. En deux jours le colonel avait été enterré, et en trois jours oublié.

Marius avait un crêpe[4] à son chapeau. Voilà tout.

V. Utilité d'aller à la messe pour devenir révolutionnaire

MARIUS avait gardé les habitudes religieuses de son enfance. Un dimanche qu'il était allé entendre la messe à Saint-Sulpice, à cette même chapelle de la Vierge où sa tante le menait quand il était petit, étant ce jour-là distrait et rêveur plus qu'à l'ordinaire, il s'était 5 placé derrière un pilier et agenouillé, sans y faire attention, sur une chaise en velours d'Utrecht au dossier de laquelle était écrit ce nom : *Monsieur Mabeuf, marguillier*[5]. La messe commençait à peine qu'un vieillard se présenta et dit à Marius :

– Monsieur, c'est ma place.

10 Marius s'écarta avec empressement, et le vieillard reprit sa chaise.

---

1. **Religion :** ici, admiration.
2. **Serra :** rangea.
3. **Fripier :** marchand de vêtements d'occasion.
4. **Crêpe :** ruban noir porté en signe de deuil.
5. ***Marguillier :*** gardien d'une église.

La messe finie, Marius était resté pensif à quelques pas ; le vieillard s'approcha de nouveau et lui dit :

– Je vous demande pardon, monsieur, de vous avoir dérangé tout à l'heure et de vous déranger encore en ce moment ; mais vous avez dû me trouver fâcheux, il faut que je vous explique.

– Monsieur, dit Marius, c'est inutile.

– Si ! reprit le vieillard, je ne veux pas que vous ayez mauvaise idée de moi. Voyez-vous, je tiens à cette place. Il me semble que la messe y est meilleure. Pourquoi ? je vais vous le dire. C'est à cette place-là que j'ai vu venir pendant des années, tous les deux ou trois mois régulièrement, un pauvre brave père qui n'avait pas d'autre occasion et pas d'autre manière de voir son enfant, parce que, pour des arrangements de famille, on l'en empêchait. Il venait à l'heure où il savait qu'on menait son fils à la messe. Le petit ne se doutait pas que son père était là. Il ne savait même peut-être pas qu'il avait un père, l'innocent ! Le père, lui, se tenait derrière ce pilier pour qu'on ne le vît pas. Il regardait son enfant, et il pleurait. Il adorait ce petit, ce pauvre homme ! J'ai vu cela. Cet endroit est devenu comme sanctifié[1] pour moi, et j'ai pris l'habitude de venir y entendre la messe. Je le préfère au banc d'œuvre où j'aurais droit d'être comme marguillier. J'ai même un peu connu ce malheureux monsieur. Il avait un beau-père, une tante riche, des parents, je ne sais plus trop, qui menaçaient de déshériter l'enfant si, lui le père, il le voyait. Il s'était sacrifié pour que son fils fût riche un jour et heureux. On l'en séparait pour opinion politique. Certainement j'approuve les opinions politiques, mais il y a des gens qui ne savent pas s'arrêter. Mon Dieu ! parce qu'un homme a été à Waterloo, ce n'est pas un monstre ; on ne sépare point pour cela un père de son enfant. C'était un colonel de Bonaparte. Il est mort, je crois. Il demeurait à Vernon où j'ai mon frère curé, et il s'appelait quelque chose comme Pontmarie ou Montpercy... – Il avait, ma foi, un beau coup de sabre.

– Pontmercy ! dit Marius en pâlissant.

– Précisément. Pontmercy. Est-ce que vous l'avez connu ?

– Monsieur, dit Marius, c'était mon père.

Le vieux marguillier joignit les mains, et s'écria :

---

1. **Sanctifié :** sacré.

– Ah ! vous êtes l'enfant ! Oui, c'est cela, ce doit être un homme à présent. Eh bien ! pauvre enfant, vous pouvez dire que vous avez
50 eu un père qui vous a bien aimé !

Marius offrit son bras au vieillard et le ramena jusqu'à son logis. Le lendemain, il dit à M. Gillenormand :

– Nous avons arrangé une partie de chasse avec quelques amis. Voulez-vous me permettre de m'absenter trois jours ?

55 – Quatre ! répondit le grand-père. Va, amuse-toi.

Et, clignant de l'œil, il dit bas à sa fille :

– Quelque amourette[1] !

VIII. Marbre contre granit

(Pendant ces trois jours, Marius n'est nullement allé rendre visite à une belle ! Il s'est informé par tous les moyens sur les opinions politiques de son père, en lisant notamment le Mémorial de Sainte-Hélène*, qui consigne les souvenirs de Napoléon. À son tour, il se pas-*
5 *sionne pour l'Empereur et pour la Révolution, et se met brusquement à vénérer son père.)*

Marius revint de Vernon le troisième jour de grand matin, descendit chez son grand-père, et, fatigué de deux nuits passées en diligence, sentant le besoin de réparer son insomnie par une heure
10 d'école de natation, monta rapidement à sa chambre, ne prit que le temps de quitter sa redingote de voyage et le cordon noir qu'il avait au cou, et s'en alla au bain.

M. Gillenormand, levé de bonne heure comme tous les vieillards qui se portent bien, l'avait entendu rentrer, et s'était hâté d'escalader,
15 le plus vite qu'il avait pu avec ses vieilles jambes, l'escalier des combles[2] où habitait Marius, afin de l'embrasser, et de le questionner dans l'embrassade, et de savoir un peu d'où il venait. [...]

Le lit n'était pas défait, et sur le lit s'étalaient sans défiance la redingote et le cordon noir.

---

1. **Amourette :** histoire d'amour.
2. **Combles :** grenier.

20 – J'aime mieux ça, dit M. Gillenormand.

Et un moment après il fit son entrée dans le salon où était déjà assise mademoiselle Gillenormand aînée, brodant ses roues de cabriolet.

L'entrée fut triomphante.

25 M. Gillenormand tenait d'une main la redingote et de l'autre le ruban de cou, et criait :

– Victoire ! nous allons pénétrer le mystère ! nous allons savoir le fin du fin ! nous allons palper les libertinages de notre sournois[1] ! nous voici à même le roman. J'ai le portrait !

30 En effet, une boîte de chagrin noir[2], assez semblable à un médaillon, était suspendue au cordon.

Le vieillard prit cette boîte et la considéra quelque temps sans l'ouvrir, avec cet air de volupté, de ravissement et de colère d'un pauvre diable affamé regardant passer sous son nez un admirable 35 dîner qui ne serait pas pour lui.

– Car c'est évidemment là un portrait. Je m'y connais. Cela se porte tendrement sur le cœur. Sont-ils bêtes ! Quelque abominable goton[3], qui fait frémir probablement ! Les jeunes gens ont si mauvais goût aujourd'hui !

40 – Voyons, mon père, dit la vieille fille.

La boîte s'ouvrait en pressant un ressort. Ils n'y trouvèrent rien qu'un papier soigneusement plié. [...]

– Ah ! lisons donc ! dit la tante.

Et elle mit ses lunettes. Ils déplièrent le papier et lurent ceci :

45 « – *Pour mon fils.* – L'empereur m'a fait baron sur le champ de bataille de Waterloo. Puisque la Restauration me conteste ce titre que j'ai payé de mon sang, mon fils le prendra et le portera. Il va sans dire qu'il en sera digne. » [...]

Au même moment, un petit paquet carré long enveloppé de 50 papier bleu tomba d'une poche de la redingote. Mademoiselle Gillenormand le ramassa et développa le papier bleu. C'était le

---

1. **Palper les libertinages de notre sournois :** découvrir les aventures amoureuses de celui qui les a cachées.
2. **Chagrin noir :** cuir noir.
3. **Goton :** prostituée.

cent de cartes[1] de Marius. Elle en passa une à M. Gillenormand qui lut : *Le baron Marius Pontmercy.* [...]

Quelques instants après, Marius parut. Il rentrait. Avant même 55 d'avoir franchi le seuil du salon, il aperçut son grand-père qui tenait à la main une de ses cartes et qui, en le voyant, s'écria avec son air de supériorité bourgeoise et ricanante qui était quelque chose d'écrasant :

– Tiens ! tiens ! tiens ! tiens ! tiens ! tu es baron à présent. Je te 60 fais mon compliment. Qu'est-ce que cela veut dire ?

Marius rougit légèrement, et répondit :

– Cela veut dire que je suis le fils de mon père.

M. Gillenormand cessa de rire et dit durement :

– Ton père, c'est moi.

65 – Mon père, reprit Marius les yeux baissés et l'air sévère, c'était un homme humble et héroïque qui a glorieusement servi la république et la France, qui a été grand dans la plus grande histoire que les hommes aient jamais faite, qui a vécu un quart de siècle au bivouac, le jour sous la mitraille et sous les balles, la 70 nuit dans la neige, dans la boue, sous la pluie, qui a pris deux drapeaux, qui a reçu vingt blessures, qui est mort dans l'oubli et dans l'abandon, et qui n'a jamais eu qu'un tort, c'est de trop aimer deux ingrats[1], son pays et moi !

C'était plus que M. Gillenormand n'en pouvait entendre. À ce mot, 75 *la république*, il s'était levé, ou pour mieux dire, dressé debout. Chacune des paroles que Marius venait de prononcer avait fait sur le visage du vieux royaliste l'effet des bouffées d'un soufflet de forge sur un tison ardent. De sombre il était devenu rouge, de rouge pourpre, et de pourpre flamboyant.

80 – Marius ! s'écria-t-il. Abominable enfant ! je ne sais pas ce qu'était ton père ! je ne veux pas le savoir ! je n'en sais rien et je ne le sais pas ! [...]

– À bas les Bourbons[2], et ce gros cochon de Louis XVIII !

Louis XVIII était mort depuis quatre ans, mais cela lui était bien égal.

85 Le vieillard, d'écarlate qu'il était, devint subitement plus blanc que ses cheveux. [...]

1. **Cent de cartes :** paquet de cartes de visite.
2. **Bourbons :** héritiers royaux.

– Un baron comme monsieur et un bourgeois comme moi ne peuvent rester sous le même toit.

Et tout à coup se redressant, blême, tremblant, terrible, le front
90 agrandi par l'effrayant rayonnement de colère, il étendit le bras vers Marius et lui cria :

– Va-t'en.

Marius quitta la maison. [...]

LIVRE CINQUIÈME

Excellence du malheur

I. Marius indigent[1]

(Porté par ses nouvelles convictions politiques, Marius se mêle à un groupe de jeunes gens républicains et révolutionnaires, « Les Amis de l'ABC », dont le meneur s'appelle Enjolras. Marius devient particulièrement ami avec l'un des membres de ce groupe, Courfeyrac, qui
5 *l'invite à partager son modeste logis. Bon an mal an, il poursuit ses études de droit...)*

La vie devint sévère pour Marius. Manger ses habits et sa montre[2], ce n'était rien. Il mangea de cette chose inexprimable qu'on appelle *de la vache enragée*[3]. Chose horrible, qui contient les jours sans
10 pain, les nuits sans sommeil, les soirs sans chandelle, l'âtre[4] sans feu, les semaines sans travail, l'avenir sans espérance, l'habit percé au coude, le vieux chapeau qui fait rire les jeunes filles, la porte

1. **Indigent :** pauvre.
2. **Manger ses habits et sa montre :** être obligé de vendre ses habits et sa montre pour s'acheter à manger.
3. ***Vache enragée :*** métaphoriquement, nourriture de très mauvaise qualité.
4. **Âtre :** cheminée.

qu'on trouve fermée le soir parce qu'on ne paye pas son loyer, l'insolence du portier et du gargotier[1], les ricanements des voisins, les humiliations, la dignité refoulée, les besognes quelconques acceptées, les dégoûts, l'amertume, l'accablement. [...]

Il y eut un moment dans la vie de Marius où il balayait son palier, où il achetait un sou de fromage de Brie chez la fruitière, où il attendait que la brune tombât pour s'introduire chez le boulanger, et y acheter un pain qu'il emportait furtivement[2] dans son grenier, comme s'il eût volé. Quelquefois on voyait se glisser dans la boucherie du coin, au milieu des cuisinières goguenardes qui le coudoyaient, un jeune homme gauche portant des livres sous son bras, qui avait l'air timide et furieux, qui en entrant ôtait son chapeau de son front où perlait la sueur, faisait un profond salut à la bouchère étonnée, un autre salut au garçon boucher, demandait une côtelette de mouton, la payait six ou sept sous, l'enveloppait de papier, la mettait sous son bras entre deux livres, et s'en allait. C'était Marius. Avec cette côtelette, qu'il faisait cuire lui-même, il vivait trois jours.

Le premier jour il mangeait la viande, le second jour il mangeait la graisse, le troisième jour il rongeait l'os.

À plusieurs reprises la tante Gillenormand fit des tentatives, et lui adressa les soixante pistoles[3]. Marius les renvoya constamment, en disant qu'il n'avait besoin de rien. [...]

À travers tout cela, il se fit recevoir avocat[4]. [...]

II. Marius pauvre

À CÔTÉ DU NOM de son père, un autre nom était gravé dans le cœur de Marius, le nom de Thénardier. Marius, dans sa nature enthousiaste et grave, environnait d'une sorte d'auréole l'homme

1. **Gargotier :** celui qui tient une gargote.
2. **Furtivement :** en secret.
3. **Les soixantes pistoles :** argent envoyé en secret à Marius par la tante Guillenormand.
4. **Il se fit recevoir avocat :** il réussit à devenir avocat.

auquel, dans sa pensée, il devait la vie de son père, cet intrépide[1]
5 sergent qui avait sauvé le colonel au milieu des boulets et des balles de Waterloo. Il ne séparait jamais le souvenir de cet homme du souvenir de son père, et il les associait dans sa vénération. C'était une sorte de culte à deux degrés, le grand autel pour le colonel, le petit pour Thénardier. Ce qui redoublait l'attendrisse-
10 ment de sa reconnaissance, c'est l'idée de l'infortune où il savait Thénardier tombé et englouti. Marius avait appris à Montfermeil la ruine et la faillite du malheureux aubergiste. Depuis il avait fait des efforts inouïs pour saisir sa trace et tâcher d'arriver à lui dans ce ténébreux abîme de la misère où Thénardier avait disparu. [...]
15 Personne n'avait pu lui donner de nouvelles de Thénardier ; on le croyait passé en pays étranger. [...] Revoir Thénardier, rendre un service quelconque à Thénardier, lui dire : Vous ne me connaissez pas, eh bien, moi, je vous connais ! je suis là ! disposez de moi ! – c'était le plus doux et le plus magnifique rêve de Marius. [...]

V. Pauvreté, bonne voisine de misère

LE PLAISIR de Marius était de faire de longues promenades seul sur les boulevards extérieurs, ou au Champ de Mars ou dans les allées les moins fréquentées du Luxembourg[2]. Il passait quelquefois une demi-journée à regarder le jardin d'un maraîcher, les carrés de
5 salade, les poules dans le fumier et le cheval tournant la roue de la noria[3]. Les passants le considéraient avec surprise, et quelques-uns lui trouvaient une mise suspecte et une mine sinistre. Ce n'était qu'un jeune homme pauvre, rêvant sans objet.

C'est dans une de ses promenades qu'il avait découvert la
10 masure Gorbeau, et, l'isolement et le bon marché le tentant, il s'y était logé. On ne l'y connaissait que sous le nom de monsieur Marius. [...]

---

1. **Intrépide :** très courageux.
2. **Luxembourg :** grand jardin de Paris.
3. **Noria :** roue à aube servant à arroser.

LIVRE SIXIÈME
La conjonction de deux étoiles

I. Le sobriquet : mode de formation des noms de famille

MARIUS à cette époque était un beau jeune homme de moyenne taille, avec d'épais cheveux très noirs, un front haut et intelligent, les narines ouvertes et passionnées, l'air sincère et calme, et sur tout son visage je ne sais quoi qui était hautain, pensif et innocent.
5 [...]

Au temps de sa pire misère, il remarquait que les jeunes filles se retournaient quand il passait, et il se sauvait ou se cachait, la mort dans l'âme. Il pensait qu'elles le regardaient pour ses vieux habits et qu'elles en riaient ; le fait est qu'elles le regardaient pour sa
10 grâce et qu'elles en rêvaient.

Ce muet malentendu entre lui et les jolies passantes l'avait rendu farouche. Il n'en choisit aucune, par l'excellente raison qu'il s'enfuyait devant toutes. Il vécut ainsi indéfiniment, – bêtement, disait Courfeyrac. [...]

15 Depuis plus d'un an, Marius remarquait dans une allée déserte du Luxembourg, l'allée qui longe le parapet de la Pépinière, un homme et une toute jeune fille presque toujours assis côte à côte sur le même banc, à l'extrémité la plus solitaire de l'allée, du côté de la rue de l'Ouest. Chaque fois que ce hasard qui se mêle aux
20 promenades des gens dont l'œil est retourné en dedans amenait Marius dans cette allée, et c'était presque tous les jours, il y retrouvait ce couple. L'homme pouvait avoir une soixantaine d'années, il paraissait triste et sérieux ; toute sa personne offrait cet aspect robuste et fatigué des gens de guerre retirés du service. S'il avait
25 eu une décoration, Marius eût dit : c'est un ancien officier. Il avait l'air bon, mais inabordable, et il n'arrêtait jamais son regard sur le regard de personne. Il portait un pantalon bleu, une redingote bleue et un chapeau à bords larges, qui paraissaient toujours

neufs, une cravate noire et une chemise de quaker[1], c'est-à-dire, éclatante de blancheur, mais de grosse toile. Une grisette passant un jour près de lui, dit : Voilà un veuf fort propre. Il avait les cheveux très blancs.

La première fois que la jeune fille qui l'accompagnait vint s'asseoir avec lui sur le banc qu'ils semblaient avoir adopté, c'était une façon de fille[2] de treize ou quatorze ans, maigre, au point d'en être presque laide, gauche, insignifiante, et qui promettait peut-être d'avoir d'assez beaux yeux. Seulement ils étaient toujours levés avec une sorte d'assurance déplaisante. Elle avait cette mise à la fois vieille et enfantine des pensionnaires de couvent ; une robe mal coupée de gros mérinos[3] noir. Ils avaient l'air du père et de la fille.

Marius examina pendant deux ou trois jours cet homme vieux qui n'était pas encore un vieillard et cette petite fille qui n'était pas encore une personne, puis il n'y fit plus aucune attention. Eux de leur côté semblaient ne pas même le voir. Ils causaient entre eux d'un air paisible et indifférent. La fille jasait sans cesse, et gaîment. Le vieux homme parlait peu, et, par instants, il attachait sur elle des yeux remplis d'une ineffable[4] paternité. [...]

Ce personnage et cette jeune fille, quoiqu'ils parussent et peut-être parce qu'ils paraissaient éviter les regards, avaient naturellement quelque peu éveillé l'attention des cinq ou six étudiants qui se promenaient de temps en temps le long de la Pépinière, les studieux après leur cours, les autres après leur partie de billard. Courfeyrac, qui était des derniers, les avait observés quelque temps, mais trouvant la fille laide, il s'en était bien vite et soigneusement écarté. Il s'était enfui comme un Parthe[5] en leur décochant un sobriquet. Frappé uniquement de la robe de la petite et des cheveux du vieux, il avait appelé la fille *mademoiselle Lanoire* et le père *monsieur Leblanc,* si bien que, personne ne les connaissant d'ailleurs, en l'absence du nom, le surnom avait fait loi. Les

---

1. **Quaker :** membre d'une secte protestante prêchant une existence modeste.
2. **Façon de fille :** espèce de fille.
3. **Mérinos :** laine épaisse.
4. **Ineffable :** inexprimable.
5. **Parthe :** guerrière de l'Antiquité célèbre pour sa fierté.

étudiants disaient : – Ah ! monsieur Leblanc est à son banc ! et Marius, comme les autres, avait trouvé commode d'appeler ce monsieur inconnu M. Leblanc.

Nous ferons comme eux, et nous dirons M. Leblanc pour la facilité de ce récit.

Marius les vit ainsi presque tous les jours à la même heure pendant la première année. Il trouvait l'homme à son gré, mais la fille assez maussade[1].

II. « Lux facta est »[2]

LA SECONDE ANNÉE, précisément au point de cette histoire où le lecteur est parvenu, il arriva que cette habitude du Luxembourg s'interrompit, sans que Marius sût trop pourquoi lui-même, et qu'il fut près de six mois sans mettre les pieds dans son allée. Un jour enfin il y retourna. C'était par une sereine matinée d'été, Marius était joyeux comme on l'est quand il fait beau. Il lui semblait qu'il avait dans le cœur tous les chants d'oiseaux qu'il entendait et tous les morceaux du ciel bleu qu'il voyait à travers les feuilles des arbres.

Il alla droit à « son allée », et, quand il fut au bout, il aperçut, toujours sur le même banc, ce couple connu. Seulement, quand il approcha, c'était bien le même homme ; mais il lui parut que ce n'était plus la même fille. La personne qu'il voyait maintenant était une grande et belle créature ayant toutes les formes les plus charmantes de la femme à ce moment précis où elles se combinent encore avec toutes les grâces les plus naïves de l'enfant ; moment fugitif et pur que peuvent seuls traduire ces deux mots : quinze ans. C'étaient d'admirables cheveux châtains nuancés de veines dorées, un front qui semblait fait de marbre, des joues qui semblaient faites d'une feuille de rose, un incarnat[3] pâle, une blancheur émue, une bouche exquise d'où le sourire sortait comme

1. **Maussade :** triste, déprimé.
2. **« Lux facta est » :** expression biblique signifiant « que la lumière fut ».
3. **Incarnat :** rouge clair.

une clarté et la parole comme une musique, une tête que Raphaël[1] eût donnée à Marie posée sur un cou que Jean Goujon[2] eût donné à Vénus. Et, afin que rien ne manquât à cette ravissante figure, le 25 nez n'était pas beau, il était joli ; ni droit ni courbé, ni italien ni grec ; c'était le nez parisien ; c'est-à-dire quelque chose de spirituel, de fin, d'irrégulier et de pur, qui désespère les peintres et qui charme les poètes. [...]

Et puis ce n'était plus la pensionnaire avec son chapeau de peluche, 30 sa robe de mérinos, ses souliers d'écolier et ses mains rouges ; le goût lui était venu avec la beauté ; c'était une personne bien mise avec une sorte d'élégance simple et riche et sans manière. Elle avait une robe de damas[3] noir, un camail[4] de même étoffe et un chapeau de crêpe blanc. Ses gants blancs montraient la finesse 35 de sa main qui jouait avec le manche d'une ombrelle en ivoire chinois, et son brodequin[5] de soie dessinait la petitesse de son pied. Quand on passait près d'elle, toute sa toilette exhalait un parfum jeune et pénétrant.

Quant à l'homme, il était toujours le même.

40 La seconde fois que Marius arriva près d'elle, la jeune fille leva les paupières. Ses yeux étaient d'un bleu céleste et profond, mais dans cet azur voilé il n'y avait encore que le regard d'un enfant. Elle regarda Marius avec indifférence, comme elle eût regardé le marmot[6] qui courait sous les sycomores[7], ou le vase de marbre qui 45 faisait de l'ombre sur le banc ; et Marius de son côté continua sa promenade en pensant à autre chose. [...]

---

1. **Raphaël :** peintre italien célèbre.
2. **Jean Goujon :** peintre français de la Renaissance.
3. **Damas :** tissu coloré.
4. **Camail :** petite cape.
5. **Brodequin :** chaussure à tige montant au-dessus de la cheville.
6. **Marmot :** enfant, en langage familier.
7. **Sycomores :** sorte de figuiers.

III. Effet de printemps

UN JOUR, l'air était tiède, le Luxembourg était inondé d'ombre et de soleil, le ciel était pur comme si les anges l'eussent lavé le matin, les passereaux poussaient de petits cris dans les profondeurs des marronniers, Marius avait ouvert toute son âme à la
5 nature, il ne pensait à rien, il vivait et il respirait, il passa près de ce banc, la jeune fille leva les yeux sur lui, leurs deux regards se rencontrèrent.

Qu'y avait-il cette fois dans le regard de la jeune fille ? Marius n'eût pu le dire. Il n'y avait rien et il y avait tout. Ce fut un étrange
10 éclair.

Elle baissa les yeux, et il continua son chemin.

Ce qu'il venait de voir, ce n'était pas l'œil ingénu[1] et simple d'un enfant, c'était un gouffre mystérieux qui s'était entr'ouvert, puis brusquement refermé.

15 Il y a un jour où toute jeune fille regarde ainsi. Malheur à qui se trouve là !

VII. Aventures de la lettre U livrée aux conjectures[2]

TOUT UN GRAND MOIS s'écoula, pendant lequel Marius alla tous les jours au Luxembourg. L'heure venue, rien ne pouvait le retenir. – Il est de service, disait Courfeyrac. Marius vivait dans les ravissements. Il est certain que la jeune fille le regardait.

5 Il avait fini par s'enhardir, et il s'approchait du banc. Cependant il ne passait plus devant, obéissant à la fois à l'instinct de timidité et à l'instinct de prudence des amoureux. Il jugeait utile de ne point attirer « l'attention du père ». [...]

---

1. **Ingénu :** naïf.
2. **Conjectures :** hypothèses.

Il faut croire pourtant que M. Leblanc finissait par s'apercevoir de quelque chose, car souvent, lorsque Marius arrivait, il se levait et se mettait à marcher. Il avait quitté leur place accoutumée et avait adopté, à l'autre extrémité de l'allée, le banc voisin du Gladiateur[1], comme pour voir si Marius les y suivrait. Marius ne comprit point, et fit cette faute. Le « père » commença à devenir inexact, et n'amena plus « sa fille » tous les jours. Quelquefois il venait seul. Alors Marius ne restait pas. Autre faute.

Marius ne prenait point garde à ces symptômes. De la phase de timidité il avait passé, progrès naturel et fatal, à la phase d'aveuglement. Son amour croissait. Il en rêvait toutes les nuits. Et puis il lui était arrivé un bonheur inespéré, huile sur le feu, redoublement de ténèbres sur ses yeux. Un soir, à la brune, il avait trouvé sur le banc que « M. Leblanc et sa fille » venaient de quitter, un mouchoir. Un mouchoir tout simple et sans broderie, mais blanc, fin, et qui lui parut exhaler des senteurs ineffables. Il s'en empara avec transport. Ce mouchoir était marqué des lettres U.F. ; Marius ne savait rien de cette belle enfant, ni sa famille, ni son nom, ni sa demeure ; ces deux lettres étaient la première chose d'elle qu'il saisissait, adorables initiales sur lesquelles il commença tout de suite à construire son échafaudage. U était évidemment le prénom. Ursule ! pensa-t-il, quel délicieux nom ! Il baisa le mouchoir, l'aspira, le mit sur son cœur, sur sa chair, pendant le jour, et la nuit sous ses lèvres pour s'endormir.

– J'y sens toute son âme ! s'écriait-il.

Ce mouchoir était au vieux monsieur qui l'avait tout bonnement laissé tomber de sa poche.

Les jours qui suivirent la trouvaille, il ne se montra plus au Luxembourg que baisant le mouchoir et l'appuyant sur son cœur. La belle enfant n'y comprenait rien et le lui marquait par des signes imperceptibles.

– Ô pudeur[2] ! disait Marius. [...]

---

1. **Gladiateur :** statue représentant un guerrier de l'époque romaine.

2. **Pudeur :** timidité.

IX. Éclipse

L'APPÉTIT vient en aimant. Savoir qu'elle se nommait Ursule, c'était déjà beaucoup ; c'était peu. Marius en trois ou quatre semaines eut dévoré ce bonheur. Il en voulut un autre. Il voulut savoir où elle demeurait.

Il avait fait une première faute : tomber dans l'embûche du
5 banc du Gladiateur. Il en avait fait une seconde : ne pas rester au Luxembourg quand M. Leblanc y venait seul. Il en fit une troisième. Immense. Il suivit « Ursule ».

Elle demeurait rue de l'Ouest, à l'endroit de la rue le moins fréquenté, dans une maison neuve à trois étages d'apparence modeste. [...]

10 Le lendemain M. Leblanc et sa fille ne firent au Luxembourg qu'une courte apparition ; ils s'en allèrent qu'il faisait grand jour. Marius les suivit rue de l'Ouest comme il en avait pris l'habitude. En arrivant à la porte cochère, M. Leblanc fit passer sa fille devant puis s'arrêta avant de franchir le seuil, se retourna et regarda
15 Marius fixement.

Le jour d'après, ils ne vinrent pas au Luxembourg. Marius attendit en vain toute la journée. [...]

Il se passa huit jours de la sorte. M. Leblanc et sa fille ne paraissaient plus au Luxembourg. [...]

20 Le huitième jour, quand il arriva sous les fenêtres, il n'y avait pas de lumière. [...]

Le lendemain, – car il ne vivait que de lendemains en lendemains, il n'y avait pour ainsi dire, plus d'aujourd'hui pour lui, – le lendemain il ne trouva personne au Luxembourg, il s'y attendait ;
25 à la brune, il alla à la maison. Aucune lueur aux fenêtres ; les persiennes étaient fermées ; le troisième était tout noir.

Marius frappa à la porte cochère, entra et dit au portier :

– Le monsieur du troisième ?

– Déménagé, répondit le portier.

30 Marius chancela et dit faiblement :

– Depuis quand donc ?

– D'hier.

– Où demeure-t-il maintenant ?

– Je n'en sais rien.

35 – Il n'a donc point laissé sa nouvelle adresse ?

– Non. [...]

Clefs d'analyse

p. 117 à p. 138

Action et personnages

1. En rétablissant l'ordre chronologique, rappelez les différents épisodes de l'histoire familiale de Marius en expliquant notamment la situation de son père.
2. Quelle preuve Marius a-t-il de l'héroïsme de son père ?
3. Que pense Marius de Thénardier ? À votre avis, quelle erreur commet-il ?
4. Justifiez le titre du chapitre IX, livre VI, p. 138 : « Éclipse ».
5. Quel est le point de vue adopté dans la description de Cosette et Jean Valjean au chapitre I du livre VI ?
6. Au cours de cette partie, quels changements remarquez-vous dans l'apparence de Cosette ? Lequel est le plus important ? Pourquoi ?
7. Pourquoi l'erreur commise par Marius en suivant Cosette jusqu'à son domicile est-elle « immense » (p. 138, ligne 7) ?

Langue

8. Page 117, ligne 9 : « de quelque autre père » ; que sous-entend cette expression ?
9. Page 119 : comment le nom donné de Gavroche est-il justifié ? Comment comprenez-vous cette explication ?
10. Page 121 : relevez les verbes conjugués à l'impératif. Repérez une autre forme verbale à valeur injonctive.
11. À quel champ lexical l'expression « il est de service » (page 136, chap. VII, ligne 3), employée par Courfeyrac à propos de Marius, est-elle empruntée ? En quoi est-elle motivée ?
12. Quelle est la particularité des réponses du portier à Marius (page 138) ?

Genre ou thèmes

13. En brossant le portrait du « gamin », le romancier s'intéresse à une classe particulière de personnages. Proposez

brièvement sa fiche d'identité en reformulant et en résumant les informations fournies par le texte. En quoi Gavroche se différencie-t-il des autres « gamins » ?

14. Quelle image de l'Ancien Régime (c'est-à-dire de l'époque d'avant la Révolution) M. Gillenormand donne-t-il ? En quoi les valeurs qu'il représente s'opposent-elles à celles de la République et de l'Empire ?

15. L'épisode du mouchoir vous paraît-il comique ? Pourquoi ? En quoi reste-t-il émouvant ?

Écriture

16. Écrivez quelques lignes pour justifier la sentence qui clôt le chapitre III du livre VI (p. 136) : « Il y a un jour où toute jeune fille regarde ainsi. Malheur à qui se trouve là ! ».

Pour aller plus loin

17. Situez sur un plan de Paris le quartier où est située la masure Gorbeau et celui où vit habituellement Gavroche, et relevez les étapes du trajet qu'il effectue pour rendre visite à sa mère.

✻ *À retenir*

Le romancier ne peint pas seulement des individus ; il analyse aussi des types et étudie des classes sociales, comme le gamin, le bourgeois, le jeune homme, la jeune fille. De ce point de vue, le travail de l'écrivain s'apparente à celui du sociologue et du psychologue. Au XIXe siècle, on publiait sous l'appellation de « physiologies » de petites études sur tel ou tel genre d'individu dont le portrait du gamin proposé par Hugo est très proche.

LIVRE HUITIÈME

Le mauvais pauvre

I. Marius, cherchant une fille en chapeau, rencontre un homme en casquette

L'ÉTÉ passa, puis l'automne ; l'hiver vint. Ni M. Leblanc ni la jeune fille n'avaient remis les pieds au Luxembourg. Marius n'avait plus qu'une pensée, revoir ce doux et adorable visage. Il cherchait toujours, il cherchait partout ; il ne trouvait rien. [...]

II. Trouvaille

MARIUS n'avait pas cessé d'habiter la masure Gorbeau. Il n'y faisait attention à personne.

À cette époque, à la vérité, il n'y avait plus dans cette masure d'autres habitants que lui et ces Jondrette dont il avait une fois acquitté le loyer, sans avoir du reste jamais parlé ni au père, ni aux filles. Les autres locataires étaient déménagés ou morts, ou avaient été expulsés faute de payement.

Un jour de cet hiver-là, le soleil s'était un peu montré dans l'après-midi. [...]

Marius montait à pas lents le boulevard vers la barrière afin de gagner la rue Saint-Jacques[1]. Il marchait pensif, la tête baissée.

Tout à coup il se sentit coudoyé[2] dans la brume ; il se retourna, et vit deux jeunes filles en haillons, l'une longue et mince, l'autre un peu moins grande, qui passaient rapidement, essoufflées, effa-

---

1. **Rue Saint-Jacques :** rue menant au Luxembourg.
2. **Coudoyé :** suivi de près.

rouchées, et comme ayant l'air de s'enfuir ; elles venaient à sa rencontre, ne l'avaient pas vu, et l'avaient heurté en passant. Marius distinguait dans le crépuscule leurs figures livides[1], leurs têtes décoiffées, leurs cheveux épars, leurs affreux bonnets, leurs jupes en guenilles et leurs pieds nus. Tout en courant, elles se parlaient. La plus grande disait d'une voix basse :

– Les cognes sont venus. Ils ont manqué me pincer au demi-cercle.

L'autre répondait : – Je les ai vus. J'ai cavalé, cavalé, cavalé !

Marius comprit, à travers cet argot[2] sinistre, que les gendarmes ou les sergents de ville avaient failli saisir ces deux enfants, et que ces enfants s'étaient échappées.

Elles s'enfoncèrent sous les arbres du boulevard derrière lui, et y firent pendant quelques instants dans l'obscurité une espèce de blancheur vague qui s'effaça.

Marius s'était arrêté un moment.

Il allait continuer son chemin, lorsqu'il aperçut un petit paquet grisâtre à terre à ses pieds. Il se baissa et le ramassa. C'était une façon d'enveloppe[3] qui paraissait contenir des papiers.

– Bon, dit-il, ces malheureuses auront laissé tomber cela ! [...]

– Comme ma vie est devenue sombre ! se disait-il. Les jeunes filles m'apparaissent toujours. Seulement autrefois c'étaient les anges ; maintenant ce sont les goules[4].

III. « Quadrifrons »[5]

LE SOIR, comme il se déshabillait pour se coucher, sa main rencontra dans la poche de son habit le paquet qu'il avait ramassé sur le boulevard. Il l'avait oublié. Il songea qu'il serait utile de l'ouvrir, et que ce paquet contenait peut-être l'adresse de ces jeunes filles,

1. **Livides :** très pâles.
2. **Argot :** langue populaire.
3. **Façon d'enveloppe :** espèce d'enveloppe.
4. **Goules :** femmes vampires.
5. **« Quadrifrons » :** se dit d'une figure à quatre visages.

5 si, en réalité, il leur appartenait, et dans tous les cas les renseignements nécessaires pour le restituer à la personne qui l'avait perdu.

Il défit l'enveloppe.

Elle n'était pas cachetée et contenait quatre lettres, non cachetées également.

10 Les adresses y étaient mises.

Toutes quatre exhalaient une odeur d'affreux tabac. [...]

(Marius lit les quatre lettres signées de personnes différentes, auxquelles il ne comprend rien.)

15 Marius les remit dans l'enveloppe, jeta le tout dans un coin, et se coucha.

Vers sept heures du matin, il venait de se lever et de déjeuner, et il essayait de se mettre au travail lorsqu'on frappa doucement à sa porte.

Comme il ne possédait rien, il n'ôtait jamais sa clef, si ce n'est 20 quelquefois, fort rarement, lorsqu'il travaillait à quelque travail pressé.

On frappa un second coup, très doux comme le premier.

– Entrez, dit Marius.

La porte s'ouvrit.

25 – Qu'est-ce que vous voulez, mame Bougon ? reprit Marius sans quitter des yeux les livres et les manuscrits qu'il avait sur sa table.

Une voix, qui n'était pas celle de mame Bougon, répondit :

– Pardon, monsieur...

C'était une voix sourde, cassée, étranglée, éraillée, une voix de 30 vieux homme enroué d'eau-de-vie et de rogome[1].

Marius se tourna vivement, et vit une jeune fille.

IV. Une rose dans la misère

[...] LA LUCARNE du galetas où le jour paraissait était précisément en face de la porte et éclairait cette figure d'une lumière blafarde.

1. **Rogome :** alcool fort.

C'était une créature hâve[1], chétive, décharnée ; [...] un de ces êtres qui sont tout ensemble faibles et horribles et qui font frémir ceux qu'ils ne font pas pleurer.

Marius s'était levé et considérait avec une sorte de stupeur cet être presque pareil aux formes de l'ombre qui traversent les rêves. [...]

Ce visage n'était pas absolument inconnu à Marius. Il croyait se rappeler l'avoir vu quelque part.

– Que voulez-vous, mademoiselle ? demanda-t-il. La jeune fille répondit avec sa voix de galérien ivre :

– C'est une lettre pour vous, monsieur Marius.

Elle appelait Marius par son nom ; il ne pouvait douter que ce ne fût à lui qu'elle eût affaire ; mais qu'était-ce que cette fille ? comment savait-elle son nom ? [...]

Marius en ouvrant cette lettre remarqua que le pain à cacheter[2] large et énorme était encore mouillé. Le message ne pouvait venir de bien loin. Il lut :

« Mon aimable voisin, jeune homme !

J'ai appris vos bontés pour moi, que vous avez payé mon terme il y a six mois. Je vous bénis, jeune homme. Ma fille aînée vous dira que nous sommes sans un morceau de pain depuis deux jours, quatre personnes, et mon épouse malade. Si je ne suis point dessus dans ma pensée, je crois devoir espérer que votre cœur généreux s'humanisera à cet exposé et vous subjuguera le désir de m'être propice en daignant me prodiguer un léger bienfait.

Je suis avec la considération distinguée qu'on doit aux bienfaiteurs de l'humanité,

Jondrette.

P.S. – Ma fille attendra vos ordres, cher monsieur Marius. »

Cette lettre, au milieu de l'aventure obscure qui occupait Marius depuis la veille au soir, c'était une chandelle dans une cave. Tout fut brusquement éclairé.

Cette lettre venait d'où venaient les quatre autres. C'était la même écriture, le même style, la même orthographe, le même papier, la même odeur de tabac. [...]

1. **Hâve :** maigre.
2. **Pain à cacheter :** sceau prouvant qu'une lettre n'a pas été ouverte.

Depuis assez longtemps déjà que Marius habitait la masure, il n'avait eu, nous l'avons dit, que de bien rares occasions de voir, d'entrevoir même son très infime voisinage. Il avait l'esprit ailleurs, et où est l'esprit est le regard. Il avait dû plus d'une fois croiser les Jondrette dans le corridor ou dans l'escalier ; mais ce n'était pour lui que des silhouettes ; il y avait pris si peu garde que la veille au soir il avait heurté sur le boulevard sans les reconnaître les filles Jondrette, car c'était évidemment elles, et que c'était à grand'peine que celle-ci, qui venait d'entrer dans sa chambre, avait éveillé en lui, à travers le dégoût et la pitié, un vague souvenir de l'avoir rencontrée ailleurs.

Maintenant il voyait clairement tout. Il comprenait que son voisin Jondrette avait pour industrie[1] dans sa détresse d'exploiter la charité des personnes bienfaisantes, qu'il se procurait des adresses, et qu'il écrivait sous des noms supposés à des gens qu'il jugeait riches et pitoyables des lettres que ses filles portaient, à leurs risques et périls, car ce père en était là qu'il risquait ses filles ; il jouait une partie avec la destinée et il les mettait au jeu. Marius comprenait que probablement, à en juger par leur fuite de la veille, par leur essoufflement, par leur terreur, et par ces mots d'argot qu'il avait entendus, ces infortunées faisaient encore on ne sait quels métiers sombres, et que de tout cela, il était résulté, au milieu de la société humaine telle qu'elle est faite, deux misérables êtres qui n'étaient ni des enfants, ni des filles, ni des femmes, espèces de monstres impurs et innocents produits par la misère. [...]

(Éponine, pour montrer à Marius qu'elle est instruite, prend une plume et écrit une phrase sur un bout de papier : « Les cognes sont là. »)

À force de creuser et d'approfondir ses poches, Marius avait fini par réunir cinq francs seize sous. C'était en ce moment tout ce qu'il possédait au monde.

– Voilà toujours mon dîner d'aujourd'hui, pensa-t-il, demain nous verrons. – Il prit les seize sous et donna les cinq francs à la fille.

Elle saisit la pièce.

– Bon, dit-elle, il y a du soleil !

---

1. **Industrie :** occupation.

Et comme si ce soleil eût eu la propriété de faire fondre dans son cerveau des avalanches d'argot, elle poursuivit :

75 – Cinque francs ! du luisant ! un monarque ! dans cette piolle ! c'est chenâtre ! Vous êtes un bon mion. Je vous fonce mon palpitant. Bravo les fanandels ! deux jours de pivois ! et de la viandemuche ! et du fricotmar ! on pitancera chenument ! et de la bonne mouise[1] !

80 Elle ramena sa chemise sur ses épaules, fit un profond salut à Marius, puis un signe familier de la main, et se dirigea vers la porte en disant :

– Bonjour, monsieur. C'est égal. Je vas trouver mon vieux[2].

En passant, elle aperçut sur la commode une croûte de pain des-85 séchée qui y moisissait dans la poussière ; elle se jeta dessus et y mordit en grommelant :

– C'est bon ! c'est dur ! ça me casse les dents !

Puis elle sortit.

V. Le judas de la providence

CETTE JEUNE FILLE fut pour Marius une sorte d'envoyée des ténèbres.

Marius se reprocha presque les préoccupations de rêverie et de passion qui l'avaient empêché jusqu'à ce jour de jeter un coup d'œil sur ses voisins. Avoir payé leur loyer, c'était un mouvement 5 machinal[3], tout le monde eût eu ce mouvement ; mais lui Marius eût dû faire mieux. Quoi ! un mur seulement le séparait de ces êtres abandonnés, qui vivaient à tâtons dans la nuit, en dehors du reste des vivants, il les coudoyait, il était en quelque sorte, lui, le dernier chaînon du genre humain qu'ils touchassent, il les enten-10 dait vivre ou plutôt râler à côté de lui, et il n'y prenait point garde ! [...]

1. **« Cinque francs [...] de la bonne mouise » :** « Cinq francs ! une pièce qui brille ! une pièce d'or ! dans cette chambre ! extraordinaire ! vous êtes un chic type ! je vous offre mon cœur ! bravo les amis ! du vin pour deux jours ! et de la viande ! et des bonnes choses à manger ! on va se régaler ! et de la bonne soupe ! ».
2. **Mon vieux :** mon père.
3. **Machinal :** automatique.

Le mur était une mince lame de plâtre soutenue par des lattes et des solives[1], et qui, comme on vient de le lire, laissait parfaitement distinguer le bruit des paroles et des voix. Il fallait être le songeur Marius pour ne pas s'en être encore aperçu. Aucun papier n'était collé sur ce mur ni du côté des Jondrette, ni du côté de Marius ; on en voyait à nu la grossière construction. Tout à coup il se leva, il venait de remarquer vers le haut, près du plafond, un trou triangulaire résultant de trois lattes qui laissaient un vide entre elles. Le plâtras[2] qui avait dû boucher ce vide était absent, et en montant sur la commode on pouvait voir par cette ouverture dans le galetas des Jondrette.

– Voyons un peu ce que c'est que ces gens-là, pensa Marius, et où ils en sont.

Il escalada la commode, approcha sa prunelle de la crevasse et regarda. [...]

VI. L'homme fauve au gîte

Ce que Marius voyait était un bouge.

Marius était pauvre et sa chambre était indigente ; mais, de même que sa pauvreté était noble, son grenier était propre. Le taudis[3] où son regard plongeait en ce moment était abject[4], sale, fétide[5], infect, ténébreux, sordide. Pour tous meubles, une chaise de paille, une table infirme, quelques vieux tessons[6], et dans deux coins deux grabats[7] indescriptibles ; pour toute clarté, une fenêtre-mansarde à quatre carreaux, drapée de toiles d'araignée. Il venait par cette lucarne juste assez de jour pour qu'une face d'homme parût une face de fantôme. Les murs avaient un aspect lépreux,

1. **Solives :** poutres.
2. **Plâtras :** décombres.
3. **Taudis :** maison misérable.
4. **Abject :** dégoûtant.
5. **Fétide :** qui produit une mauvaise odeur.
6. **Tessons :** débris de verre.
7. **Grabats :** tas.

et étaient couverts de coutures et de cicatrices comme un visage défiguré par quelque horrible maladie. [...]

Près de la table, sur laquelle Marius apercevait une plume, de l'encre et du papier, était assis un homme d'environ soixante ans, 15 petit, maigre, livide, hagard, l'air fin, cruel et inquiet ; un gredin[1] hideux. [...]

Une grosse femme qui pouvait avoir quarante ans ou cent ans était accroupie près de la cheminée sur ses talons nus.

Elle n'était vêtue, elle aussi, que d'une chemise et d'un jupon de 20 tricot rapiécé avec des morceaux de vieux drap. Un tablier de grosse toile cachait la moitié du jupon. Quoique cette femme fût pliée et ramassée sur elle-même, on voyait qu'elle était de très haute taille. C'était une espèce de géante à côté de son mari. Elle avait d'affreux cheveux d'un blond roux grisonnants qu'elle remuait de temps en 25 temps avec ses énormes mains luisantes à ongles plats.

Sur un des grabats, Marius entrevoyait une espèce de longue petite fille blême assise, presque nue et les pieds pendants, n'ayant l'air ni d'écouter, ni de voir, ni de vivre.

La sœur cadette sans doute de celle qui était venue chez lui. [...]

30 L'homme grommela, sans cesser d'écrire :

– Canaille ! canaille ! tout est canaille[2] ! [...]

– Petit ami, calme-toi, dit-elle. Ne te fais pas de mal, chéri. Tu es trop bon d'écrire à tous ces gens-là, mon homme. [...]

(La visiteuse de Marius surgit et prévient ses parents de l'arrivée 35 imminente d'un homme riche qui aime faire le bien, un « philanthrope ». Rapidement, les Jondrette fabriquent une mise en scène pour avoir l'air encore plus misérables qu'ils ne sont...)

VIII. Le rayon dans le bouge

En ce moment on frappa un léger coup à la porte ; l'homme s'y précipita et l'ouvrit en s'écriant avec des salutations profondes et des sourires d'adoration :

1. **Gredin :** individu louche.
2. **Tout est canaille :** tout est fichu.

– Entrez, monsieur ! daignez entrer, mon respectable bienfaiteur, ainsi que votre charmante demoiselle.

Un homme d'un âge mûr et une jeune fille parurent sur le seuil du galetas.

Marius n'avait pas quitté sa place. Ce qu'il éprouva en ce moment échappe à la langue humaine.

C'était Elle. [...]

Elle était toujours la même, un peu pâle seulement ; sa délicate figure s'encadrait dans un chapeau de velours violet, sa taille se dérobait sous une pelisse[1] de satin noir. On entrevoyait sous sa longue robe son petit pied serré dans un brodequin[2] de soie.

Elle était toujour s accompagnée de M. Leblanc.

Elle avait fait quelques pas dans la chambre et avait déposé un assez gros paquet sur la table.

La Jondrette aînée s'était retirée derrière la porte et regardait d'un œil sombre ce chapeau de velours, cette mante[3] de soie, et ce charmant visage heureux.

IX. Jondrette pleure presque

M. LEBLANC s'approcha avec son regard bon et triste, et dit au père Jondrette :

– Monsieur, vous trouverez dans ce paquet des hardes[4] neuves, des bas et des couvertures de laine.

– Notre angélique bienfaiteur nous comble, dit Jondrette en s'inclinant jusqu'à terre. – Puis, se penchant à l'oreille de sa fille aînée, pendant que les deux visiteurs examinaient cet intérieur lamentable, il ajouta bas et rapidement :

– Hein ? qu'est-ce que je disais ? des nippes[5] ! pas d'argent. Ils sont tous les mêmes ! [...]

---

1. **Pelisse :** manteau.
2. **Brodequin :** chaussure.
3. **Mante :** manteau.
4. **Hardes :** vêtements (pas forcément pauvres au XIXe siècle).
5. **Nippes :** vêtements pauvres.

Depuis quelques instants, Jondrette considérait « le philanthrope[1] » d'une manière bizarre. Tout en parlant, il semblait le scruter avec attention comme s'il cherchait à recueillir des souvenirs. Tout à coup, profitant d'un moment où les nouveaux venus questionnaient avec intérêt la petite sur sa main blessée, il passa près de sa femme qui était dans son lit avec un air accablé et stupide, et lui dit vivement et très bas :

– Regarde donc cet homme-là !

Puis se retournant vers M. Leblanc, et continuant sa lamentation :

– Voyez, monsieur ! [...] Ma femme malade, pas un sou ! Ma fille dangereusement blessée, pas un sou ! Mon épouse a des étouffements. C'est son âge, et puis le système nerveux s'en est mêlé. Il lui faudrait des secours, et à ma fille aussi ! Mais le médecin ! mais le pharmacien ! comment payer ? pas un liard ! [...] Eh bien, monsieur, mon digne monsieur, savez-vous ce qui va se passer demain ? Demain, c'est le 4 février, le jour fatal, le dernier délai que m'a donné mon propriétaire ; si ce soir je ne l'ai pas payé, demain ma fille aînée, moi, mon épouse avec sa fièvre, mon enfant avec sa blessure, nous serons tous quatre chassés d'ici, et jetés dehors, dans la rue, sur le boulevard, sans abri, sous la pluie, sous la neige. Voilà, monsieur. Je dois quatre termes[2], une année ! c'est-à-dire soixante francs.

Jondrette mentait. Quatre termes n'eussent fait que quarante francs, et il n'en pouvait devoir quatre, puisqu'il n'y avait pas six mois que Marius en avait payé deux.

M. Leblanc tira cinq francs de sa poche et les posa sur la table.

Jondrette eut le temps de grommeler à l'oreille de sa grande fille :

– Gredin ! que veut-il que je fasse avec ses cinq francs ? Cela ne me paye pas ma chaise et mon carreau ! Faites donc des frais !

Cependant, M. Leblanc avait quitté une grande redingote brune qu'il portait par-dessus sa redingote bleue et l'avait jetée sur le dos de la chaise. [...]

– Je serai ici à six heures, et je vous apporterai les soixante francs.

1. **Philanthrope :** bienfaiteur de l'humanité.
2. **Quatre termes :** quatre loyers.

– Mon bienfaiteur ! cria Jondrette éperdu.

Et il ajouta tout bas :

– Regarde-le bien, ma femme !

M. Leblanc avait repris le bras de la belle jeune fille et se tournait vers la porte :

– À ce soir, mes amis, dit-il.

– Six heures ? fit Jondrette.

– Six heures précises.

En ce moment le pardessus resté sur la chaise frappa les yeux de la Jondrette aînée.

– Monsieur, dit-elle, vous oubliez votre redingote.

Jondrette dirigea vers sa fille un regard foudroyant accompagné d'un haussement d'épaules formidable.

M. Leblanc se retourna et répondit avec un sourire :

– Je ne l'oublie pas, je la laisse.

– Ô mon protecteur, dit Jondrette, mon auguste[1] bienfaiteur, je fonds en larmes ! Souffrez que je vous reconduise jusqu'à votre fiacre.

– Si vous sortez, repartit M. Leblanc, mettez ce pardessus. Il fait vraiment très froid.

(Marius se précipite dans la rue en espérant suivre le fiacre qui emporte son Ursule. Mais il arrive trop tard, et n'a même plus assez d'argent pour s'engouffrer dans un cabriolet de régie, le taxi de l'époque. Aussi regrette-t-il amèrement les cinq francs donnés à la fille Jondrette...)

XI. Offres de service de la misère à la douleur

MARIUS monta l'escalier de la masure à pas lents ; à l'instant où il allait rentrer dans sa cellule, il aperçut derrière lui dans le corridor la Jondrette aînée qui le suivait. [...]

1. **Auguste :** noble.

(La jeune fille a remarqué la subite tristesse de son voisin. Marius lui promet « tout ce qu'elle voudra » en échange de l'adresse d'Ursule et de son père. Il se retrouve seul avec son désespoir...)

Tout à coup il fut violemment arraché à sa rêverie.

Il entendit la voix haute et dure de Jondrette prononcer ces paroles pleines du plus étrange intérêt pour lui :

– Je te dis que j'en suis sûr et que je l'ai reconnu.

De qui parlait Jondrette ? Il avait reconnu qui ? M. Leblanc ? le père de « son Ursule » ? quoi ! est-ce que Jondrette le connaissait ? Marius allait-il avoir de cette façon brusque et inattendue tous les renseignements sans lesquels sa vie était obscure pour lui-même ? allait-il savoir enfin qui il aimait ? qui était cette jeune fille ? qui était son père ? l'ombre si épaisse qui les couvrait était-elle au moment de s'éclaircir ? Le voile allait-il se déchirer ? Ah ciel !

Il bondit, plutôt qu'il ne monta, sur la commode, et reprit sa place près de la petite lucarne de la cloison. [...]

XII. Emploi de la pièce de cinq francs de M. Leblanc

– Quoi, vraiment ? tu es sûr ?

– Sûr ! Il y a huit ans ! mais je le reconnais ! Ah ! je le reconnais ! je l'ai reconnu tout de suite ! Quoi, cela ne t'a pas sauté aux yeux ?

– Non.

– Mais je t'ai dit pourtant : fais attention ! mais c'est la taille, c'est le visage, à peine plus vieux, il y a des gens qui ne vieillissent pas, je ne sais pas comment ils font, c'est le son de voix. Il est mieux mis, voilà tout ! Ah ! vieux mystérieux du diable, je te tiens, va !

Il s'arrêta et dit à ses filles :

– Allez-vous-en, vous autres ! – C'est drôle que cela ne t'ait pas sauté aux yeux.

Elles se levèrent pour obéir. [...]

Au moment où elles allaient passer la porte, le père retint l'aînée par le bras et dit avec un accent particulier :

15 – Vous serez ici à cinq heures précises. Toutes les deux. J'aurai besoin de vous. [...]

Tout à coup il se tourna vers la Jondrette, croisa les bras, et s'écria :

– Et veux-tu que je te dise une chose ? La demoiselle...

20 – Eh bien quoi ! repartit la femme, la demoiselle ?

Marius n'en pouvait douter, c'était bien d'elle qu'on parlait. Il écoutait avec une anxiété ardente. Toute sa vie était dans ses oreilles.

Mais le Jondrette s'était penché, et avait parlé bas à sa femme.

25 Puis il se releva et termina tout haut :

– C'est elle !

– Ça ? dit la femme.

– Ça ! dit le mari. [...]

– Pas possible ! s'écria-t-elle. Quand je pense que mes filles vont

30 nu-pieds et n'ont pas une robe à mettre ! Comment ! une pelisse de satin, un chapeau de velours, des brodequins, et tout ! pour plus de deux cents francs d'effets[1] ! qu'on croirait que c'est une dame ! Non, tu te trompes ! Mais d'abord l'autre était affreuse, celle-ci n'est pas mal ! elle n'est vraiment pas mal ! ce ne peut pas être elle !

35 – Je te dis que c'est elle. Tu verras.

À cette affirmation si absolue, la Jondrette leva sa large face rouge et blonde et regarda le plafond avec une expression difforme. En ce moment elle parut à Marius plus redoutable encore que son mari. C'était une truie avec le regard d'une tigresse. [...]

40 L'homme allait et venait sans faire attention à sa femelle.

Après quelques instants de ce silence, il s'approcha de la Jondrette et s'arrêta devant elle, les bras croisés, comme le moment d'auparavant.

– Et veux-tu que je te dise encore une chose ?

45 – Quoi ? demanda-t-elle.

Il répondit d'une voix brève et basse :

– C'est que ma fortune est faite.

La Jondrette le considéra de ce regard qui veut dire : Est-ce que celui qui me parle deviendrait fou ?

50 Lui continua : [...]

---

1. **Effets :** vêtements.

– Écoute bien. Il est pris, le crésus[1] ! C'est tout comme. C'est déjà fait. Tout est arrangé. J'ai vu des gens. Il viendra ce soir à six heures. Apporter ses soixante francs, canaille ! As-tu vu comme je vous ai débagoulé[2] ça, mes soixante francs, mon propriétaire, mon 4 février ! ce n'est seulement pas un terme ! était-ce bête ! Il viendra donc à six heures ! c'est l'heure où le voisin est allé dîner. La mère Burgon lave la vaisselle en ville. Il n'y a personne dans la maison. Le voisin ne rentre jamais avant onze heures. Les petites feront le guet. Tu nous aideras. Il s'exécutera.

– Et s'il ne s'exécute pas ? demanda la femme.

Jondrette fit un geste sinistre et dit :

– Nous l'exécuterons.

Et il éclata de rire.

(Marius comprend que le père d'Ursule est l'objet d'une machination qui met sa vie en péril. Discrètement, il court au poste de police le plus proche pour avertir les autorités du complot qui se trame chez ses voisins. Coïncidence : Javert est justement l'inspecteur responsable du poste ; il confie à Marius un pistolet avec ordre de tirer un coup lorsque le danger sera pressant.)

XVI. Où l'on retrouvera la chanson sur un air anglais à la mode en 1832

MARIUS s'assit sur son lit. Il pouvait être cinq heures et demie. Une demi-heure seulement le séparait de ce qui allait arriver. Il entendait battre ses artères comme on entend le battement d'une montre dans l'obscurité. Il songeait à cette double marche qui se faisait en ce moment dans les ténèbres, le crime s'avançant d'un côté, la justice venant de l'autre. Il n'avait pas peur, mais il ne pouvait penser sans un certain tressaillement aux choses qui allaient se passer.

Il y avait de la lumière dans le taudis Jondrette. Marius voyait le trou de la cloison briller d'une clarté rouge qui lui paraissait sanglante. [...]

1. **Le crésus :** le très riche.
2. **Débagoulé :** raconté des histoires.

Marius jugea que le moment était venu de reprendre sa place à son observatoire. En un clin d'œil, et avec la souplesse de son âge, il fut près du trou de la cloison.

Il regarda. [...]

15 La cheminée et la table avec les deux chaises étaient précisément en face de Marius. Le réchaud étant caché, la chambre n'était plus éclairée que par la chandelle ; le moindre tesson sur la table ou sur la cheminée faisait une grande ombre. Un pot à l'eau égueulé[1] masquait la moitié d'un mur. Il y avait dans cette chambre je ne 20 sais quel calme hideux et menaçant. On y sentait l'attente de quelque chose d'épouvantable.

Jondrette avait laissé sa pipe s'éteindre, grave signe de préoccupation, et était venu se rasseoir. La chandelle faisait saillir les angles farouches et fins de son visage. Il avait des froncements de 25 sourcils et de brusques épanouissements de la main droite comme s'il répondait aux derniers conseils d'un sombre monologue intérieur. Dans une de ces obscures répliques qu'il se faisait à lui-même, il amena vivement à lui le tiroir de la table, y prit un long couteau de cuisine qui y était caché et en essaya le tranchant sur 30 son ongle. Cela fait, il remit le couteau dans le tiroir, qu'il repoussa.

Marius de son côté saisit le pistolet qui était dans son gousset droit, l'en retira et l'arma.

Le pistolet en s'armant fit un petit bruit clair et sec.

Jondrette tressaillit et se souleva à demi sur sa chaise :

35 – Qui est là ? cria-t-il.

Marius suspendit son haleine, Jondrette écouta un instant, puis se mit à rire en disant :

– Suis-je bête ! C'est la cloison qui craque.

Marius garda le pistolet à sa main. [...]

XIX. Se préoccuper des fonds obscurs

(À six heures précises, M. Leblanc se présente seul à la porte des Jondrette. On lui fait un accueil chaleureux ; Jondrette, qui se fait

1. **Égueulé :** dont l'embouchure est cassée.

passer pour un comédien du nom de Fabantou, reprend la narration de sa pitoyable existence...)

PENDANT que Jondrette parlait, avec une sorte de désordre apparent qui n'ôtait rien à l'expression réfléchie et sagace[1] de sa physionomie, Marius leva les yeux et aperçut au fond de la chambre quelqu'un qu'il n'avait pas encore vu. Un homme venait d'entrer, si doucement qu'on n'avait pas entendu tourner les gonds de la porte. [...]

Cette espèce d'instinct magnétique qui avertit le regard fit que M. Leblanc se tourna presque en même temps que Marius. Il ne put se défendre d'un mouvement de surprise qui n'échappa point à Jondrette. [...]

– Qu'est-ce que c'est que cet homme ? dit M. Leblanc.

– Ça ! fit Jondrette, c'est un voisin. Ne faites pas attention. [...]

Un léger bruit se fit à la porte. Un second homme venait d'entrer et de s'asseoir sur le lit, derrière la Jondrette. Il avait, comme le premier, les bras nus et un masque d'encre ou de suie.

Quoique cet homme se fût, à la lettre, glissé dans la chambre, il ne put faire que M. Leblanc ne l'aperçût.

– Ne prenez pas garde, dit Jondrette. Ce sont des gens de la maison. Je disais donc qu'il me restait un tableau, un tableau précieux... – Tenez, monsieur, voyez.

Il se leva, alla à la muraille au bas de laquelle était posé le panneau dont nous avons parlé, et le retourna, tout en le laissant appuyé au mur. C'était quelque chose en effet qui ressemblait à un tableau et que la chandelle éclairait à peu près. [...]

Soit hasard, soit qu'il eût quelque commencement d'inquiétude, tout en examinant le tableau, le regard de M. Leblanc revint vers le fond de la chambre. Il y avait maintenant quatre hommes, trois assis sur le lit, un debout près du chambranle[2] de la porte, tous quatre bras nus, immobiles, le visage barbouillé de noir. Un des trois qui étaient sur le lit s'appuyait au mur, les yeux fermés, et l'on eût dit qu'il dormait. Celui-là était vieux ; ses cheveux blancs sur son visage noir étaient horribles. Les deux autres semblaient

1. **Sagace :** intelligent.
2. **Chambranle :** encadrement de la porte.

jeunes. L'un était barbu, l'autre chevelu. Aucun n'avait de souliers ; ceux qui n'avaient pas de chaussons étaient pieds nus.

Jondrette remarqua que l'œil de M. Leblanc s'attachait à ces
40 hommes.

– C'est des amis. Ça voisine, dit-il. C'est barbouillé parce que ça travaille dans le charbon. Ce sont des fumistes[1]. Ne vous en occupez pas, mon bienfaiteur, mais achetez-moi mon tableau. Ayez pitié de ma misère. Je ne vous le vendrai pas cher. Combien l'estimez-vous ?
45 [...]

Tout en parlant, Jondrette ne regardait pas M. Leblanc qui l'observait. L'œil de M. Leblanc était fixé sur Jondrette et l'œil de Jondrette sur la porte. L'attention haletante de Marius allait de l'un à l'autre. M. Leblanc paraissait se demander : Est-ce un idiot ?
50 Jondrette répéta deux ou trois fois avec toutes sortes d'inflexions variées dans le genre traînant et suppliant : Je n'ai plus qu'à me jeter à la rivière ! j'ai descendu l'autre jour trois marches pour cela du côté du pont d'Austerlitz !

Tout à coup sa prunelle éteinte s'illumina d'un flamboiement
55 hideux, ce petit homme se dressa et devint effrayant, il fit un pas vers M. Leblanc et lui cria d'une voix tonnante :

– Il ne s'agit pas de tout cela ! me reconnaissez-vous ? [...]

XX. Le guet-apens

M. LEBLANC le regarda en face et répondit :

– Non.

Alors Jondrette vint jusqu'à la table. Il se pencha par-dessus la chandelle, croisant les bras approchant sa mâchoire anguleuse
5 et féroce du visage calme de M. Leblanc, et avançant le plus qu'il pouvait sans que M. Leblanc reculât, et, dans cette posture de bête fauve qui va mordre, il cria :

– Je ne m'appelle pas Fabantou, je ne m'appelle pas Jondrette, je me nomme Thénardier ! je suis l'aubergiste de Montfermeil ! entendez-
10 vous bien ? Thénardier ! Maintenant me reconnaissez-vous ?

---

1. **Fumistes :** ouvriers qui s'occupent du chauffage.

Une imperceptible rougeur passa sur le front de M. Leblanc, et il répondit sans que sa voix tremblât, ni s'élevât, avec sa placidité[1] ordinaire :

– Pas davantage.

15 Marius n'entendit pas cette réponse. Qui l'eût vu en ce moment dans cette obscurité l'eût vu hagard, stupide et foudroyé. Au moment où Jondrette avait dit : *Je me nomme Thénardier,* Marius avait tremblé de tous ses membres et s'était appuyé au mur comme s'il eût senti le froid d'une lame d'épée à travers son cœur.
20 Puis son bras droit, prêt à lâcher le coup de signal, s'était abaissé lentement, et au moment où Jondrette avait répété : *Entendez-vous bien, Thénardier ?* les doigts défaillants de Marius avaient manqué laisser tomber le pistolet. [...]

(Marius est tiraillé entre sa fidélité à son père, qui le pousse à prendre
25 *le parti de Thénardier, et son amour pour Ursule, qui lui impose de sauver M. Leblanc. Mais Thénardier devient menaçant, il gesticule autour de sa proie, et pendant quelques instants lui tourne le dos...)*

M. Leblanc saisit ce moment, repoussa du pied la chaise, du poing la table, et d'un bond, avec une agilité prodigieuse, avant
30 que Thénardier eût eu le temps de se retourner, il était à la fenêtre. L'ouvrir, escalader l'appui, l'enjamber, ce fut une seconde. Il était à moitié dehors quand six poings robustes le saisirent et le ramenèrent énergiquement dans le bouge. C'étaient les trois « fumistes » qui s'étaient élancés sur lui. En même temps, la Thénardier l'avait
35 empoigné aux cheveux. [...]

Marius ne put résister à ce spectacle. – Mon père, pensa-t-il, pardonne-moi ! – Et son doigt chercha la détente du pistolet. Le coup allait partir lorsque la voix de Thénardier cria :

– Ne lui faites pas de mal ! [...]

40 M. Leblanc disparaissait sous le groupe horrible des bandits comme un sanglier sous un monceau hurlant de dogues et de limiers[2].

Ils parvinrent à le renverser sur le lit le plus proche de la croisée et l'y tinrent en respect. La Thénardier ne lui avait pas lâché les cheveux.

1. **Placidité :** calme.
2. **Monceau hurlant de dogues et de limiers :** groupe hurlant de chiens de chasse.

45 – Toi, dit Thénardier, ne t'en mêle pas. Tu vas déchirer ton châle.

La Thénardier obéit, comme la louve obéit au loup, avec un grondement.

– Vous autres, reprit Thénardier, fouillez-le.

M. Leblanc semblait avoir renoncé à la résistance. On le fouilla. Il 50 n'avait rien sur lui qu'une bourse de cuir qui contenait six francs, et son mouchoir. [...]

Le grabat où M. Leblanc avait été renversé était une façon de lit d'hôpital porté sur quatre montants grossiers en bois à peine équarri[1]. M. Leblanc se laissa faire. Les brigands le lièrent solide-55 ment, debout et les pieds posant à terre, au montant du lit le plus éloigné de la fenêtre et le plus proche de la cheminée.

Quand le dernier nœud fut serré, Thénardier prit une chaise et vint s'asseoir presque en face de M. Leblanc. Thénardier ne se ressemblait plus, en quelques instants sa physionomie avait passé de 60 la violence effrénée[2] à la douceur tranquille et rusée. [...]

Thénardier poussa la table tout près de M. Leblanc, et prit l'encrier, une plume et une feuille de papier dans le tiroir qu'il laissa entr'ouvert et où luisait la longue lame du couteau.

Il posa la feuille de papier devant M. Leblanc.

65 – Écrivez, dit-il.

Le prisonnier parla enfin.

– Comment voulez-vous que j'écrive ? je suis attaché.

– C'est vrai, pardon ! fit Thénardier, vous avez bien raison.

Et se tournant vers Bigrenaille :

70 – Déliez le bras droit de monsieur.

Panchaud, dit Printanier, dit Bigrenaille, exécuta l'ordre de Thénardier. Quand la main droite du prisonnier fut libre, Thénardier trempa la plume dans l'encre et la lui présenta.

– Remarquez bien, monsieur, que vous êtes en notre pouvoir, 75 à notre discrétion, absolument à notre discrétion, qu'aucune puissance humaine ne peut vous tirer d'ici, et que nous serions vraiment désolés d'être contraints d'en venir à des extrémités désagréables. Je ne sais ni votre nom, ni votre adresse ; mais je vous préviens que vous resterez attaché jusqu'à ce que la per-

1. **Équarri :** taillé.
2. **Effrénée :** sans mesure.

80 sonne chargée de porter la lettre que vous allez écrire soit revenue. Maintenant veuillez écrire.

– Quoi ? demanda le prisonnier.

– Je dicte.

M. Leblanc prit la plume.

85 Thénardier commença à dicter : – « Ma fille... »

Le prisonnier tressaillit et leva les yeux sur Thénardier.

– Mettez « ma chère fille », dit Thénardier. M. Leblanc obéit. Thénardier continua :

– « Viens sur-le-champ... »

90 Il s'interrompit :

– Vous la tutoyez, n'est-ce pas ?

– Qui ? demanda M. Leblanc.

– Parbleu ! dit Thénardier, la petite, l'Alouette.

M. Leblanc répondit sans la moindre émotion apparente :

95 – Je ne sais ce que vous voulez dire.

– Allez toujours, fit Thénardier ; et il se remit à dicter :

– « Viens sur-le-champ. J'ai absolument besoin de toi. La personne qui te remettra ce billet est chargée de t'amener près de moi. Je t'attends. Viens avec confiance. »

100 M. Leblanc avait tout écrit. Thénardier reprit :

– Ah ! effacez *viens avec confiance* ; cela pourrait faire supposer que la chose n'est pas toute simple et que la défiance est possible.

M. Leblanc ratura les trois mots.

– À présent, poursuivit Thénardier, signez. Comment vous 105 appelez-vous ?

Le prisonnier posa la plume et demanda :

– Pour qui est cette lettre ?

– Vous le savez bien, répondit Thénardier. Pour la petite. Je viens de vous le dire.

110 Il était évident que Thénardier évitait de nommer la jeune fille dont il était question. Il disait « l'Alouette », il disait « la petite », mais il ne prononçait pas le nom. Précaution d'habile homme gardant son secret devant ses complices. Dire le nom, c'eût été leur livrer « toute l'affaire », et leur en apprendre plus qu'ils n'avaient 115 besoin d'en savoir.

Il reprit :

– Signez. Quel est votre nom ?

– Urbain Fabre, dit le prisonnier.

Thénardier, avec le mouvement d'un chat, précipita sa main dans sa poche et en tira le mouchoir saisi sur M. Leblanc. Il en chercha la marque et l'approcha de la chandelle.

– U.F. C'est cela. Urbain Fabre. Eh bien, signez U.F.

Le prisonnier signa.

– Comme il faut les deux mains pour plier la lettre, donnez, je vais la plier.

Cela fait, Thénardier reprit :

– Mettez l'adresse. *Mademoiselle Fabre*, chez vous. Je sais que vous demeurez pas très loin d'ici, aux environs de Saint-Jacques-du-Haut-Pas, puisque c'est là que vous allez à la messe tous les jours, mais je ne sais pas dans quelle rue. Je vois que vous comprenez votre situation. Comme vous n'avez pas menti pour votre nom, vous ne mentirez pas pour votre adresse. Mettez-la vous-même.

Le prisonnier resta un moment pensif, puis il reprit la plume et écrivit :

– Mademoiselle Fabre, chez monsieur Urbain Fabre, rue Saint-Dominique-d'Enfer, n° 17.

Thénardier saisit la lettre avec une sorte de convulsion fébrile.

– Ma femme ! cria-t-il.

La Thénardier accourut.

– Voici la lettre. Tu sais ce que tu as à faire. Un fiacre est en bas. Pars tout de suite, et reviens idem[1]. [...]

(La Thénardier revient furieuse : personne ne répond au nom de Fabre au dix-sept de la rue Saint-Dominique...)

– Une fausse adresse ? qu'est-ce que tu as donc espéré ? ,

– Gagner du temps ! cria le prisonnier d'une voix éclatante.

Et au même instant il secoua ses liens ; ils étaient coupés. Le prisonnier n'était plus attaché au lit que par une jambe.

Avant que les sept hommes eussent eu le temps de se reconnaître et de s'élancer, lui s'était penché sous la cheminée, avait étendu la main vers le réchaud, puis s'était redressé, et maintenant Thénardier, la Thénardier et les bandits, refoulés par le

1. **Idem :** de la même manière (terme latin).

saisissement[1] au fond du bouge[2], le regardaient avec stupeur élevant au-dessus de sa tête le ciseau rouge d'où tombait une lueur sinistre, presque libre et dans une attitude formidable. [...]

155 – Vous êtes des malheureux, mais ma vie ne vaut pas la peine d'être tant défendue. Quant à vous imaginer que vous me feriez parler, que vous me feriez écrire ce que je ne veux pas écrire, que vous me feriez dire ce que je ne veux pas dire...

Il releva la manche de son bras gauche et ajouta :

160 – Tenez.

En même temps il tendit son bras et posa sur la chair nue le ciseau ardent qu'il tenait dans sa main droite par le manche de bois.

On entendit le frémissement de la chair brûlée, l'odeur propre 165 aux chambres de torture se répandit dans le taudis. Marius chancela éperdu d'horreur, les brigands eux-mêmes eurent un frisson, le visage de l'étrange vieillard se contracta à peine, et, tandis que le fer rouge s'enfonçait dans la plaie fumante, impassible[3] et presque auguste, il attachait sur Thénardier son beau regard sans haine où 170 la souffrance s'évanouissait dans une majesté sereine. [...]

Et arrachant le ciseau de la plaie, il le lança par la fenêtre qui était restée ouverte, l'horrible outil embrasé disparut dans la nuit en tournoyant et alla tomber au loin et s'éteindre dans la neige.

Le prisonnier reprit :

175 – Faites de moi ce que vous voudrez.

Il était désarmé.

– Empoignez-le ! dit Thénardier.

Deux des brigands lui posèrent la main sur l'épaule, et l'homme masqué à voix de ventriloque[4] se tint en face de lui, prêt à lui faire 180 sauter le crâne d'un coup de clef au moindre mouvement.

En même temps Marius entendit au-dessous de lui, au bas de la cloison, mais tellement près qu'il ne pouvait voir ceux qui parlaient, ce colloque[5] échangé à voix basse :

1. **Saisissement :** réaction.
2. **Bouge :** logement sordide.
3. **Impassible :** qui ne laisse pas voir ses émotions.
4. **Ventriloque :** magicien qui parle avec le ventre sans bouger les lèvres.
5. **Colloque :** discours.

– Il n'y a plus qu'une chose à faire.
185 – L'escarper[1] !
– C'est cela.
C'étaient le mari et la femme qui tenaient conseil. Thénardier marcha à pas lents vers la table, ouvrit le tiroir et y prit le couteau. [...]
190 Marius égaré promenait ses yeux autour de lui, dernière ressource machinale du désespoir.
Tout à coup il tressaillit.
À ses pieds, sur sa table, un vif rayon de pleine lune éclairait et semblait lui montrer une feuille de papier. Sur cette feuille il lut
195 cette ligne écrite en grosses lettres le matin même par l'aînée des filles Thénardier :
– LES COGNES[2] SONT LÀ.
Une idée, une clarté traversa l'esprit de Marius ; c'était le moyen qu'il cherchait, la solution de cet affreux problème qui le torturait,
200 épargner l'assassin et sauver la victime. Il s'agenouilla sur la commode, étendit le bras, saisit la feuille de papier, détacha doucement un morceau de plâtre de la cloison, l'enveloppa dans le papier, et jeta le tout par la crevasse au milieu du bouge.
Il était temps. Thénardier avait vaincu ses dernières craintes ou
205 ses derniers scrupules et se dirigeait vers le prisonnier.
– Quelque chose qui tombe ! cria la Thénardier.
– Qu'est-ce ? dit le mari.
La femme s'était élancée et avait ramassé le plâtras enveloppé du papier.
210 Elle le remit à son mari.
– Par où cela est-il venu ? demanda Thénardier.
– Pardié ! fit la femme, par où veux-tu que cela soit entré ? C'est venu par la fenêtre.
– Je l'ai vu passer, dit Bigrenaille.
215 Thénardier déplia rapidement le papier et l'approcha de la chandelle.
– C'est de l'écriture d'Éponine. Diable !

1. **Escarper :** assassiner.
2. **Cognes :** policiers.

Il fit signe à sa femme, qui s'approcha vivement et il lui montra la ligne écrite sur la feuille de papier, puis il ajouta d'une voix
220 sourde :

– Vite ! l'échelle ! laissons le lard dans la souricière et fichons le camp !

– Sans couper le cou à l'homme ? demanda la Thénardier.

– Nous n'avons pas le temps. [...]

225 Le prisonnier ne faisait pas attention à ce qui se passait autour de lui. Il semblait rêver ou prier.

Sitôt l'échelle fixée, Thénardier cria :

– Viens ! la bourgeoise !

Et il se précipita vers la croisée.

230 Mais comme il allait enjamber, Bigrenaille le saisit rudement au collet.

– Non pas, dis donc, vieux farceur ! après nous !

– Après nous ! hurlèrent les bandits.

– Vous êtes des enfants, dit Thénardier, nous perdons le temps.
235 Les railles[1] sont sur nos talons.

– Eh bien, dit un des bandits, tirons au sort à qui passera le premier.

Thénardier s'exclama :

– Êtes-vous fous ! êtes-vous toqués ! en voilà-t-il un tas de
240 jobards[2] ! perdre le temps, n'est-ce pas ? tirer au sort, n'est-ce pas ? au doigt mouillé ! à la courte paille ! écrire nos noms ! les mettre dans un bonnet !...

– Voulez-vous mon chapeau ? cria une voix du seuil de la porte.

Tous se retournèrent. C'était Javert.

245 Il tenait son chapeau à la main, et le tendait en souriant.

(Javert, qui a déjà arrêté les deux filles Thénardier, s'empare de leurs parents ainsi que des quatre complices qu'il recherchait depuis quelque temps d'ailleurs. M. Leblanc s'est mystérieusement volatilisé pendant l'arrestation, ce qui fait penser à Javert qu'il était le chef de
250 *la bande.)*

---

1. **Railles :** policiers.
2. **Jobards :** idiots.

Clefs d'analyse

p. 141 à p. 164

Action et personnages

1. Attend-on que Jondrette révèle son véritable nom pour découvrir l'identité des voisins de Marius ? De quels indices dispose le lecteur pour la deviner ? Quel effet produit sa révélation tardive ?
2. Que viennent faire Cosette et Jean Valjean à la masure Gorbeau ?
3. Expliquez les raisons pour lesquelles Thénardier s'en prend à Jean Valjean. Qu'espère-t-il ? Pourquoi veut-il faire venir Cosette ?
4. Par quel acte Éponine prouve-t-elle qu'elle est différente de sa famille ?
5. Pourquoi Marius ne fait-il pas usage de son arme pour défendre Jean Valjean ?
6. Pourquoi Jean Valjean se brûle-t-il volontairement le bras ?

Langue

7. Au chapitre II du livre VIII, quels sont les mots ou les expressions qui justifient que les filles Jondrette soient comparées à des goules (pages 141-142) ?
8. Page 144 : que pensez-vous de la lettre de Jondrette ? En justifiant votre jugement, dites s'il écrit correctement. Commentez le style de la dernière phrase.
9. Page 146, lignes 2-10 : examinez le système d'énonciation.
10. Livre VIII, chapitre XI : identifiez les compléments d'objet direct.
11. Page 149, chap. VIII, ligne 10, « C'était Elle » : à qui renvoie le pronom ? Son emploi est-il normal ? Comment l'expliquez-vous ? Pourquoi y a-t-il une majuscule ?

Genre ou thèmes

12. Dans les chapitres VI à XX, relevez les éléments qui évoquent une situation théâtrale.
13. Identifiez les chapitres où domine la description et ceux où domine la narration.

14. Pourquoi peut-on dire de Marius que « sa pauvreté était noble » (page 147, ligne 3) ? Comment pourrait-on qualifier la pauvreté des Thénardier ? Quel indice devrait renseigner Marius sur les habitants du bouge qu'il regarde ?
15. Cette partie ne vous paraît-elle pas reposer sur une série de coïncidences peu vraisemblables ? Lesquelles ? Selon vous, pourquoi Hugo a-t-il accepté de sacrifier la vraisemblance ?

Écriture

16. Racontez l'entretien de Marius et d'Éponine du point de vue de cette dernière.

Pour aller plus loin

17. Dans cette partie, la situation et le comportement des personnages vous paraissent-ils originaux ? Proposez-en une caractérisation schématique. Connaissez-vous un livre ou un film qui joue sur un scénario comparable ?
18. Qu'est-ce que l'argot ? Savez-vous qui s'en servait au XIXe siècle et pourquoi ? Ici, qui en fait usage ? Que pensez-vous de la longue tirade d'Éponine (p. 146, lignes 75-79) ? Connaissez-vous un phénomène actuel comparable ?

À retenir

Dans cette partie, Hugo s'inspire largement de l'écriture du mélodrame, c'est-à-dire d'un genre dramatique très codé : on y trouve toujours une jeune fille persécutée, un jeune homme amoureux, un protecteur puissant et un méchant, pourvu de quelques acolytes. L'histoire abonde toujours en péripéties et en coups de théâtre. Le mélo a beaucoup inspiré le roman populaire romantique (par exemple *Les Mystères de Paris* d'Eugène Sue).

QUATRIÈME PARTIE
L'idylle rue Plumet et l'épopée rue Saint-Denis

LIVRE TROISIÈME
La maison de la rue Plumet

(Comme elle le lui avait promis, Éponine, après avoir été relâchée, procure à Marius la nouvelle adresse de Cosette. La joie manifestée par le jeune homme prouve qu'il s'agit d'une histoire d'amour ; Éponine ne parvient pas à réprimer sa jalousie, étant elle-même secrètement éprise de son voisin. Mais voyons quel est ce nouveau domicile...)

I. La maison à secret

VERS LE MILIEU du siècle dernier, un président à mortier[1] au parlement de Paris ayant une maîtresse et s'en cachant, car à cette époque les grands seigneurs montraient leurs maîtresses et les bourgeois les cachaient, fit construire « une petite maison » faubourg Saint-Germain, dans la rue déserte de Blomet, qu'on nomme aujourd'hui rue Plumet, non loin de l'endroit qu'on appelait alors le *Combat des Animaux*. [...]

Au mois d'octobre 1829, un homme d'un certain âge s'était présenté et avait loué la maison telle qu'elle était, y compris, bien entendu, l'arrière-corps de logis et le couloir qui allait aboutir à la

---

1. **Un président à mortier :** fonctionnaire de la magistrature.

rue de Babylone. Il avait fait rétablir les ouvertures à secret[1] des deux portes de ce passage. La maison, nous venons de le dire, était encore à peu près meublée des vieux ameublements du président, le nouveau locataire avait ordonné quelques réparations, ajouté çà et là ce qui manquait, remis des pavés à la cour, des briques aux carrelages, des marches à l'escalier, des feuilles aux parquets et des vitres aux croisées, et enfin était venu s'installer avec une jeune fille et une servante âgée, sans bruit, plutôt comme quelqu'un qui se glisse que comme quelqu'un qui entre chez soi. Les voisins n'en jasèrent point, par la raison qu'il n'y avait pas de voisins.

Ce locataire peu à effet[2] était Jean Valjean, la jeune fille était Cosette. La servante était une fille appelée Toussaint que Jean Valjean avait sauvée de l'hôpital et de la misère et qui était vieille, provinciale et bègue, trois qualités qui avaient déterminé Jean Valjean à la prendre avec lui. Il avait loué la maison sous le nom de M. Fauchelevent, rentier. Dans tout ce qui a été raconté plus haut, le lecteur a sans doute moins tardé encore que Thénardier à reconnaître Jean Valjean.

Pourquoi Jean Valjean avait-il quitté le couvent du Petit-Picpus ? Que s'était-il passé ?

Il ne s'était rien passé.

On s'en souvient. Jean Valjean était heureux dans le couvent, si heureux que sa conscience finit par s'inquiéter. Il voyait Cosette tous les jours, il sentait la paternité naître et se développer en lui de plus en plus, il couvait de l'âme cette enfant, il se disait qu'elle était à lui, que rien ne pouvait la lui enlever, que cela serait ainsi indéfiniment, que certainement elle se ferait religieuse, y étant chaque jour doucement provoquée, qu'ainsi le couvent était désormais l'univers pour elle comme pour lui, qu'il y vieillirait et qu'elle y grandirait, qu'elle y vieillirait et qu'il y mourrait, qu'enfin, ravissante espérance, aucune séparation n'était possible. En réfléchissant à ceci, il en vint à tomber dans des perplexités[3]. Il s'interrogea. Il se demandait si tout ce bonheur-là était bien à lui, s'il ne se composait pas du bonheur d'un autre, du bonheur de cette enfant

1. **Ouvertures à secret :** passages secrets.
2. **Peu à effet :** discret.
3. **Perplexités :** doutes.

45 qu'il confisquait et qu'il dérobait, lui vieillard ; si ce n'était point là un vol ? Il se disait que cette enfant avait le droit de connaître la vie avant d'y renoncer, que lui retrancher, d'avance et en quelque sorte sans la consulter, toutes les joies sous prétexte de lui sauver toutes les épreuves, profiter de son ignorance et de son isolement 50 pour lui faire germer une vocation artificielle, c'était dénaturer une créature humaine et mentir à Dieu. Et qui sait si, se rendant compte un jour de tout cela et religieuse à regret, Cosette n'en viendrait pas à le haïr ? Dernière pensée, presque égoïste et moins héroïque que les autres, mais qui lui était insupportable. Il résolut 55 de quitter le couvent. [...]

En quittant le couvent, il prit lui-même sous son bras et ne voulut confier à aucun commissionnaire la petite valise dont il avait toujours la clef sur lui. Cette valise intriguait Cosette, à cause de l'odeur d'embaumement[1] qui en sortait.

60 Disons tout de suite que désormais cette malle ne le quitta plus. Il l'avait toujours dans sa chambre. C'était la première et quelquefois l'unique chose qu'il emportait dans ses déménagements. Cosette en riait, et appelait cette valise *l'inséparable*, disant : J'en suis jalouse.

65 Jean Valjean du reste ne reparut pas à l'air libre sans une profonde anxiété.

Il découvrit la maison de la rue Plumet et s'y blottit. Il était désormais en possession du nom d'Ultime Fauchelevent[2].

En même temps il loua deux autres appartements dans Paris, afin 70 de moins attirer l'attention que s'il fût toujours resté dans le même quartier, de pouvoir faire au besoin des absences à la moindre inquiétude qui le prendrait, et enfin de ne plus se trouver au dépourvu comme la nuit où il avait si miraculeusement échappé à Javert. Ces deux appartements étaient deux logis fort chétifs et d'apparence 75 pauvre, dans deux quartiers très éloignés l'un de l'autre, l'un rue de l'Ouest, l'autre rue de l'Homme-Armé.

---

1. **Odeur d'embaumement :** odeur ancienne.
2. **Ultime Fauchelevent :** il s'agit du jardinier du couvent qui vient de mourir.

IV. Changement de grille

COSETTE était sortie du couvent encore presque enfant ; elle avait un peu plus de quatorze ans, et elle était « dans l'âge ingrat » ; nous l'avons dit, à part les yeux, elle semblait plutôt laide que jolie ; elle n'avait cependant aucun trait disgracieux, mais elle était gauche, 5 maigre, timide et hardie à la fois, une grande petite fille enfin. [...]

V. La rose s'aperçoit qu'elle est une machine de guerre

UN JOUR Cosette se regarda par hasard dans son miroir et se dit : Tiens ! Il lui semblait presque qu'elle était jolie. Ceci la jeta dans un trouble singulier. Jusqu'à ce moment elle n'avait point songé à sa figure. Elle se voyait dans son miroir, mais elle ne s'y regardait 5 pas. Et puis, on lui avait souvent dit qu'elle était laide ; Jean Valjean seul disait doucement : Mais non ! mais non ! Quoi qu'il en fût, Cosette s'était toujours crue laide, et avait grandi dans cette idée avec la résignation facile de l'enfance. Voici que tout d'un coup son miroir lui disait comme Jean Valjean. Mais non ! Elle ne dormit pas 10 de la nuit. – Si j'étais jolie ? pensait-elle, comme cela serait drôle que je fusse jolie ! [...]

Une autre fois, elle passait dans la rue, et il lui sembla que quelqu'un qu'elle ne vit pas disait derrière elle : Jolie femme ! mais mal mise. – Bah ! pensa-t-elle, ce n'est pas moi. Je suis bien mise et laide. 15 – Elle avait alors son chapeau de peluche et sa robe de mérinos.

Un jour enfin, elle était dans le jardin, et elle entendit la pauvre vieille Toussaint qui disait : Monsieur, remarquez-vous comme mademoiselle devient jolie ? Cosette n'entendit pas ce que son père répondit, les paroles de Toussaint furent pour elle une sorte 20 de commotion[1]. Elle s'échappa du jardin, monta à sa chambre, courut à la glace, il y avait trois mois qu'elle ne s'était regardée, et poussa un cri. Elle venait de s'éblouir elle-même.

1. **Commotion :** choc.

Elle était belle et jolie ; elle ne pouvait s'empêcher d'être de l'avis de Toussaint et de son miroir. Sa taille s'était faite, sa peau avait
25 blanchi, ses cheveux s'étaient lustrés[1], une splendeur inconnue s'était allumée dans ses prunelles bleues. La conviction de sa beauté lui vint tout entière, en une minute, comme un grand jour qui se fait ; les autres la remarquaient d'ailleurs, Toussaint le disait, c'était d'elle évidemment que le passant avait parlé, il n'y avait plus à
30 douter ; elle redescendit au jardin, se croyant reine, entendant les oiseaux chanter, c'était en hiver, voyant le ciel doré, le soleil dans les arbres, des fleurs dans les buissons, éperdue, folle, dans un ravissement inexprimable.

De son côté, Jean Valjean éprouvait un profond et indéfinissable
35 serrement de cœur.

C'est qu'en effet, depuis quelque temps, il contemplait avec terreur cette beauté qui apparaissait chaque jour plus rayonnante sur le doux visage de Cosette. Aube riante pour tous, lugubre[2] pour lui. [...]

Ce fut à cette époque que Marius, après six mois écoulés, la revit
40 au Luxembourg. [...]

VI. La bataille commence

À CETTE CERTAINE HEURE où Cosette eut sans le savoir ce regard qui troubla Marius, Marius ne se douta pas que lui aussi eut un regard qui troubla Cosette.

Il lui fit le même mal et le même bien. [...]

VII. À tristesse, tristesse et demie

ON SAIT le reste. Marius continua d'être insensé[3]. Un jour il suivit Cosette rue de l'Ouest. Un autre jour il parla au portier. Le portier de son côté parla, et dit à Jean Valjean :

---

1. **Lustrés :** brillants.
2. **Lugubre :** sinistre.
3. **Insensé :** déraisonnable.

– Monsieur, qu'est-ce que c'est donc qu'un jeune homme curieux qui vous a demandé ? – Le lendemain Jean Valjean jeta à Marius ce coup d'œil dont Marius s'aperçut enfin. Huit jours après, Jean Valjean avait déménagé. Il se jura qu'il ne remettrait plus les pieds ni au Luxembourg, ni rue de l'Ouest. Il retourna rue Plumet.

Cosette ne se plaignit pas, elle ne dit rien, elle ne fit pas de questions, elle ne chercha à savoir aucun pourquoi ; elle en était déjà à la période où l'on craint d'être pénétré[1] et de se trahir. Jean Valjean n'avait aucune expérience de ces misères, les seules qui soient charmantes et les seules qu'il ne connût pas ; cela fit qu'il ne comprit point la grave signification du silence de Cosette. Seulement il remarqua qu'elle était devenue triste, et il devint sombre. C'étaient de part et d'autre des inexpériences aux prises[2].

Une fois il fit un essai. Il demanda à Cosette :

– Veux-tu venir au Luxembourg ?

Un rayon illumina le visage pâle de Cosette.

– Oui, dit-elle.

Ils y allèrent. Trois mois s'étaient écoulés. Marius n'y allait plus. Marius n'y était pas.

Le lendemain Jean Valjean redemanda à Cosette :

– Veux-tu venir au Luxembourg ?

Elle répondit tristement et doucement :

– Non.

Jean Valjean fut frappé de cette tristesse et navré de cette douceur. [...]

Ces deux êtres qui s'étaient si exclusivement aimés, et d'un si touchant amour, et qui avaient vécu longtemps l'un pour l'autre, souffraient maintenant l'un à côté de l'autre, l'un à cause de l'autre, sans se le dire, sans s'en vouloir, et en souriant.

VIII. La cadène

MÊME APRÈS que leur vie avait été attristée, ils avaient conservé leur habitude de promenades matinales.

1. **Pénétré :** compris.
2. **Des inexpériences aux prises :** la rencontre de deux naïfs.

Donc un matin d'octobre, tentés par la sérénité parfaite de l'automne de 1831, ils étaient sortis, et ils se trouvaient au petit jour près de la barrière du Maine. [...]

Sept voitures marchaient à la file sur la route. Les six premières avaient une structure singulière. Elle ressemblaient à des haquets[1] de tonneliers ; c'étaient des espèces de longues échelles posées sur deux roues et formant brancard à leur extrémité antérieure. Chaque haquet, disons mieux, chaque échelle était attelée de quatre chevaux bout à bout. Sur ces échelles étaient traînées d'étranges grappes d'hommes. Dans le peu de jour qu'il faisait, on ne voyait pas ces hommes, on les devinait. Vingt-quatre sur chaque voiture, douze de chaque côté, adossés les uns aux autres, faisant face aux passants, les jambes dans le vide, ces hommes cheminaient ainsi ; et ils avaient derrière le dos quelque chose qui sonnait et qui était une chaîne et au cou quelque chose qui brillait et qui était un carcan. Chacun avait son carcan, mais la chaîne était pour tous ; de façon que ces vingt-quatre hommes, s'il leur arrivait de descendre du haquet et de marcher, étaient saisis par une sorte d'unité inexorable[2] et devaient serpenter sur le sol avec la chaîne pour vertèbre à peu près comme le mille-pieds[3]. À l'avant et à l'arrière de chaque voiture, deux hommes, armés de fusils, se tenaient debout, ayant chacun une des extrémités de la chaîne sous son pied. [...]

L'œil de Jean Valjean était devenu effrayant. Ce n'était plus une prunelle ; c'était cette vitre profonde qui remplace le regard chez certains infortunés, qui semble inconsciente de la réalité, et où flamboie la réverbération des épouvantes et des catastrophes. Il ne regardait pas un spectacle ; il subissait une vision. [...]

Cosette, autrement épouvantée, ne l'était pas moins. Elle ne comprenait pas ; le souffle lui manquait ; ce qu'elle voyait ne lui semblait pas possible ; enfin elle s'écria :

– Père ! qu'est-ce qu'il y a donc dans ces voitures-là ? Jean Valjean répondit :

– Des forçats.

– Où donc est-ce qu'ils vont ?

---

1. **Haquets :** un haquet est une voiture à deux roues et à deux brancards inclinables, tirée par des chevaux en file.
2. **Inexorable :** inflexible.
3. **Mille-pieds :** mille-pattes.

– Aux galères. [...]

Cosette tremblait de tous ses membres ; elle reprit :

40 – Père, est-ce que ce sont encore des hommes ?

– Quelquefois, dit le misérable.

C'était la Chaîne en effet qui, partie avant le jour de Bicêtre, prenait la route du Mans pour éviter Fontainebleau où était alors le roi. Ce détour faisait durer l'épouvantable voyage trois ou quatre 15 jours de plus ; mais, pour épargner à la personne royale la vue d'un supplice, on peut bien le prolonger.

Jean Valjean rentra accablé. De telles rencontres sont des chocs et le souvenir qu'elles laissent ressemble à un ébranlement.

Pourtant Jean Valjean, en regagnant avec Cosette la rue de 20 Babylone, ne remarqua point qu'elle lui fit d'autres questions au sujet de ce qu'ils venaient de voir ; peut-être était-il trop absorbé lui-même dans son accablement pour percevoir ses paroles et pour lui répondre. Seulement le soir, comme Cosette le quittait pour s'aller coucher, il l'entendit qui disait à demi-voix et comme se parlant à 25 elle-même : – Il me semble que si je trouvais sur mon chemin un de ces hommes-là, ô mon Dieu, je mourrais rien que de le voir de près !

LIVRE CINQUIÈME

Dont la fin ne ressemble pas au commencement

VI. Les vieux sont faits pour sortir à propos

(Pendant plusieurs soirs d'affilée, Marius s'aventure dans le jardin de la rue Plumet. Après avoir eu peur de cette ombre entrevue dans l'obscurité, Cosette découvre que son amoureux a déposé à son intention

un petit cahier sous une pierre placée sur le banc. Le cahier contient un bouquet de déclarations d'amour indirectes. Le soir même de cette découverte, Jean Valjean doit s'absenter ; Cosette est seule...)

LE SOIR VENU, Jean Valjean sortit ; Cosette s'habilla. Elle arrangea ses cheveux de la manière qui lui allait le mieux, et elle mit une robe dont le corsage, qui avait reçu un coup de ciseau de trop, et qui, par cette échancrure, laissait voir la naissance du cou, était, comme disent les jeunes filles, « un peu indécent[1] ». Ce n'était pas le moins du monde indécent, mais c'était plus joli qu'autrement. Elle fit toute cette toilette sans savoir pourquoi.

Voulait-elle sortir ? non.

Attendait-elle une visite ? non.

À la brune, elle descendit au jardin. Toussaint était occupée à sa cuisine qui donnait sur l'arrière-cour.

Elle se mit à marcher sous les branches, les écartant de temps en temps avec la main, parce qu'il y en avait de très basses.

Elle arriva au banc.

La pierre y était restée.

Elle s'assit, et posa sa douce main blanche sur cette pierre comme si elle voulait la caresser et la remercier.

Tout à coup, elle eut cette impression indéfinissable qu'on éprouve, même sans voir, lorsqu'on a quelqu'un debout derrière soi.

Elle tourna la tête et se dressa.

C'était lui. [...]

Cosette, prête à défaillir, ne poussa pas un cri. Elle reculait lentement, car elle se sentait attirée. Lui ne bougeait point. À je ne sais quoi d'ineffable[1] et de triste qui l'enveloppait, elle sentait le regard de ses yeux qu'elle ne voyait pas.

Cosette, en reculant, rencontra un arbre et s'y adossa. Sans cet arbre, elle fût tombée.

Alors elle entendit sa voix, cette voix qu'elle n'avait vraiment jamais entendue, qui s'élevait à peine au-dessus du frémissement des feuilles, et qui murmurait :

– Pardonnez-moi, je suis là. J'ai le cœur gonflé, je ne pouvais pas vivre comme j'étais, je suis venu. Avez-vous lu ce que j'avais mis là, sur ce banc ? Me reconnaissez-vous un peu ? N'ayez pas peur de moi. Voilà du temps déjà, vous rappelez-vous le jour où vous m'avez regardé ? c'était dans le Luxembourg, près du Gladiateur. Et le jour où vous avez passé devant moi ? C'étaient le 16 juin et le 2 juillet. Il va y avoir un an. Depuis bien longtemps, je ne vous ai plus vue. [...]

L'autre soir j'étais derrière vous, vous vous êtes retournée, je me suis enfui. Une fois je vous ai entendue chanter. J'étais heureux. Est-ce que cela vous fait quelque chose que je vous entende chanter à travers le volet ? cela ne peut rien vous faire. Non, n'est-ce pas ? Voyez-vous, vous êtes mon ange, laissez-moi venir un peu. Je crois que je vais mourir. Si vous saviez ! je vous adore, moi ! Pardonnez-moi, je vous parle, je ne sais pas ce que je vous dis, je vous fâche peut-être ; est-ce que je vous fâche ?

– Ô ma mère ! dit-elle.

Et elle s'affaissa sur elle-même comme si elle se mourait.

Il la prit, elle tombait, il la prit dans ses bras, il la serra étroitement sans avoir conscience de ce qu'il faisait. Il la soutenait tout en chancelant[1]. [...]

Elle lui prit une main et la posa sur son cœur. Il sentit le papier qui y était. Il balbutia :

– Vous m'aimez donc ?

Elle répondit d'une voix si basse que ce n'était plus qu'un souffle qu'on entendait à peine :

– Tais-toi ! tu le sais !

Et elle cacha sa tête rouge dans le sein[2] du jeune homme superbe[3] et enivré.

Il tomba sur le banc, elle près de lui. Ils n'avaient plus de paroles. Les étoiles commençaient à rayonner. Comment se fit-il que leurs lèvres se rencontrèrent ? Comment se fait-il que l'oiseau chante, que la neige fonde, que la rose s'ouvre, que mai s'épanouisse, que l'aube blanchisse derrière les arbres noirs au sommet frissonnant des collines ?

Un baiser, et ce fut tout.

Tous deux tressaillirent, et ils se regardèrent dans l'ombre avec des yeux éclatants. Ils ne sentaient ni la nuit fraîche, ni la pierre

1. **En chancelant :** en perdant l'équilibre.
2. **Dans le sein :** sur la poitrine.
3. **Superbe :** fier.

75 froide, ni la terre humide, ni l'herbe mouillée, ils se regardaient et ils avaient le cœur plein de pensées. Ils s'étaient pris les mains, sans savoir. [...]

Peu à peu ils se parlèrent. L'épanchement[1] succéda au silence qui est la plénitude[2]. La nuit était sereine et splendide au-dessus de 80 leur tête. [...]

Ces deux cœurs se versèrent l'un dans l'autre, de sorte qu'au bout d'une heure, c'était le jeune homme qui avait l'âme de la jeune fille et la jeune fille qui avait l'âme du jeune homme. Ils se pénétrèrent, ils s'enchantèrent, ils s'éblouirent.

85 Quand ils eurent fini, quand ils se furent tout dit, elle posa sa tête sur son épaule et lui demanda :

– Comment vous appelez-vous ?

– Je m'appelle Marius, dit-il. Et vous ?

– Je m'appelle Cosette.

LIVRE NEUVIÈME

Où vont-ils ?

I. Jean Valjean

(Marius va demander à son grand-père l'autorisation d'épouser la jeune fille qu'il aime. Mais le vieux Gillenormand pense que Cosette n'est pas un parti convenable à un jeune homme de bonne famille : Marius n'a qu'à en faire sa maîtresse, se passer son caprice et 5 *l'oublier. Profondément outragé, le jeune amoureux quitte la maison pour la deuxième fois, ce qui replonge le vieillard dans le désespoir qu'il vient juste de quitter.)*

---

1. **Épanchement :** expression des sentiments.
2. **Plénitude :** sentiment d'harmonie.

Ce même jour, vers quatre heures de l'après-midi Jean Valjean était assis seul sur le revers de l'un des talus les plus solitaires du
10 Champ de Mars. Soit prudence, soit désir de se recueillir, soit tout simplement par suite d'un de ces insensibles changements d'habitudes qui s'introduisent peu à peu dans toutes les existences, il sortait maintenant assez rarement avec Cosette. Il avait sa veste d'ouvrier et un pantalon de toile grise, et sa casquette à longue
15 visière lui cachait le visage. Il était à présent calme et heureux du côté de Cosette ; ce qui l'avait quelque peu effrayé et troublé s'était dissipé ; mais, depuis une semaine ou deux, des anxiétés d'une autre nature lui étaient venues. Un jour, en se promenant sur le boulevard, il avait aperçu Thénardier ; grâce à son dégui-
20 sement, Thénardier ne l'avait point reconnu ; mais depuis lors Jean Valjean l'avait revu plusieurs fois, et il avait maintenant la certitude que Thénardier rôdait dans le quartier. Ceci avait suffi pour lui faire prendre un grand parti. Thénardier là, c'étaient tous les périls à la fois.

En outre Paris n'était pas tranquille ; les troubles politiques
25 offraient cet inconvénient pour quiconque avait quelque chose à cacher dans sa vie que la police était devenue très inquiète et très ombrageuse, et qu'en cherchant à dépister un homme comme Pépin ou Morey[1], elle pouvait fort bien découvrir un homme comme Jean Valjean.

30 À tous ces points de vue, il était soucieux.

Enfin, un fait inexplicable qui venait de le frapper, et dont il était encore tout chaud, avait ajouté à son éveil. Le matin de ce même jour, seul levé dans la maison, et se promenant dans le jardin avant que les volets de Cosette fussent ouverts, il avait aperçu tout à coup
35 cette ligne gravée sur la muraille, probablement avec un clou :

16, rue de la Verrerie.

Cela était tout récent, les entailles étaient blanches dans le vieux mortier[2] noir, une touffe d'ortie au pied du mur était poudrée de fin plâtre frais. Cela probablement avait été écrit là dans la nuit.
40 Qu'était-ce ? une adresse ? un signal pour d'autres ? un avertissement pour lui ? Dans tous les cas, il était évident que le jardin était violé, et que des inconnus y pénétraient. Il se rappela les incidents

1. **Pépin ou Morey :** responsables d'un complot contre le roi Louis-Philippe.
2. **Mortier :** ciment.

bizarres qui avaient déjà alarmé la maison. Son esprit travailla sur ce canevas. Il se garda bien de parler à Cosette de la ligne écrite au clou sur le mur, de peur de l'effrayer.

Tout cela considéré et pesé, Jean Valjean s'était décidé à quitter Paris, et même la France, et à passer en Angleterre. Il avait prévenu Cosette. Avant huit jours il voulait être parti. Il s'était assis sur le talus du Champ de Mars, roulant dans son esprit toutes sortes de pensées, Thénardier, la police, cette ligne étrange écrite sur le mur, ce voyage, et la difficulté de se procurer un passeport.

Au milieu de ces préoccupations, il s'aperçut, à une ombre que le soleil projetait, que quelqu'un venait de s'arrêter sur la crête du talus immédiatement derrière lui. Il allait se retourner, lorsqu'un papier plié en quatre tomba sur ses genoux, comme si une main l'eût lâché au-dessus de sa tête. Il prit le papier, le déplia, et y lut ce mot écrit en grosses lettres au crayon :

DÉMÉNAGEZ.

Jean Valjean se leva vivement, il n'y avait plus personne sur le talus ; il chercha autour de lui et aperçut une espèce d'être plus grand qu'un enfant, plus petit qu'un homme, vêtu d'une blouse grise et d'un pantalon de velours de coton couleur poussière, qui enjambait le parapet[1] et se laissait glisser dans le fossé du Champ de Mars.

Jean Valjean rentra chez lui sur-le-champ, tout pensif.

II. Marius

(Au sortir de chez son grand-père, Marius est désespéré. Il erre en attendant la tombée de la nuit.)

À LA NUIT TOMBANTE, à neuf heures précises, comme il l'avait promis à Cosette, il était rue Plumet. Quand il approcha de la grille, il oublia tout. Il y avait quarante-huit heures qu'il n'avait vu Cosette, il allait la revoir, toute autre pensée s'effaça et il n'eut plus qu'une joie inouïe et profonde. Ces minutes où l'on vit des siècles ont

1. **Parapet :** rambarde.

toujours cela de souverain et d'admirable qu'au moment où elles passent elles emplissent entièrement le cœur.

10 Marius dérangea la grille et se précipita dans le jardin. Cosette n'était pas à la place où elle l'attendait d'ordinaire. Il traversa le fourré et alla à l'enfoncement près du perron. – Elle m'attend là, dit-il. – Cosette n'y était pas. Il leva les yeux et vit que les volets de la maison étaient fermés. Il fit le tour du jardin, le jardin était 15 désert. Alors il revint à la maison, et, insensé d'amour, ivre, épouvanté, exaspéré de douleur et d'inquiétude, comme un maître qui rentre chez lui à une mauvaise heure, il frappa aux volets. Il frappa, il frappa encore, au risque de voir la fenêtre s'ouvrir et la face sombre du père apparaître et lui demander : Que voulez-20 vous ? Ceci n'était plus rien auprès de ce qu'il entrevoyait. Quand il eut frappé, il éleva la voix et appela Cosette. – Cosette ! cria-t-il. Cosette ! répéta-t-il impérieusement. On ne répondit pas. C'était fini. Personne dans le jardin ; personne dans la maison.

Marius fixa ses yeux désespérés sur cette maison lugubre, aussi 25 noire, aussi silencieuse et plus vide qu'une tombe. Il regarda le banc de pierre où il avait passé tant d'adorables heures près de Cosette. Alors il s'assit sur les marches du perron, le cœur plein de douceur et de résolution, il bénit son amour dans le fond de sa pensée, et il se dit que, puisque Cosette était partie, il n'avait plus 30 qu'à mourir.

Tout à coup il entendit une voix qui paraissait venir de la rue et qui criait à travers les arbres :

– Monsieur Marius !

Il se dressa.

35 – Hein ? dit-il.

– Monsieur Marius, êtes-vous là ?

– Oui.

– Monsieur Marius, reprit la voix, vos amis vous attendent à la barricade de la rue de la Chanvrerie.

40 Cette voix ne lui était pas entièrement inconnue. Elle ressemblait à la voix enrouée et rude d'Éponine. Marius courut à la grille, écarta le barreau mobile, passa sa tête au travers et vit quelqu'un, qui lui parut être un jeune homme, s'enfoncer en courant dans le crépuscule.

Clefs d'analyse

p. 167 à p. 180

Action et personnages

1. La quatrième partie du roman s'ouvre sur un retour en arrière : quel laps de temps couvre-t-il ? Pourquoi est-il nécessaire ?
2. Quelle est la particularité de la maison de la rue Plumet qui a dû séduire Jean Valjean ?
3. Expliquez la raison pour laquelle Jean Valjean a décidé de quitter le couvent du Petit-Picpus. Que pensez-vous de cette décision ?
4. Que pensez-vous de l'attitude des deux jeunes gens ? Vous paraît-elle invraisemblable ou pensez-vous qu'elle reflète l'expression normale des sentiments ?
5. Pourquoi Jean Valjean éprouve-t-il un serrement de cœur lorsqu'il constate la beauté de Cosette ?
6. À votre avis, quel genre de sentiment Victor Hugo veut-il éveiller chez le lecteur en décrivant la chaîne des forçats ?

Langue

7. Page 171, lignes 24-26, « Sa taille… ses prunelles bleues » : quels sont les mots et les groupes nominaux en position de sujet dans cette phrase ? Quel est leur point commun ? Quel est l'effet produit ?
8. Page 174, lignes 25-26, « Il me semble que si je trouvais sur mon chemin… » : expliquez le caractère cruellement ironique de cette phrase.
9. Page 176, ligne 64, « Tais-toi ! tu le sais ! » : commentez le passage au tutoiement.
10. Page 176, ligne 72 : quelle particularité grammaticale présente la phrase « Un baiser, et ce fut tout ». Quel est l'effet produit ?
11. Page 177, ligne 76, « Ils s'étaient pris les mains » : quelle est la valeur du plus-que-parfait ? En quoi permet-il ici de rendre compte de l'état d'émotion des deux jeunes gens ?

Genre ou thèmes

12. Qu'est-ce qu'une idylle (page 167) ?
13. Montrez que la chaîne prive les forçats de leur humanité.
14. Comparez le chapitre VI du livre V et le chapitre II du livre IX (jusqu'à « il n'avait plus qu'à mourir » (page 180, ligne 30)). Vous prêterez notamment attention aux circonstances de lieu et de temps. Que pensez-vous des phrases finales des deux passages ?

Écriture

15. En fournissant une argumentation précise et conforme à la psychologie des deux personnages, imaginez le dialogue entre M. de Gillenormand et Marius, venu lui demander la permission d'épouser Cosette.

Pour aller plus loin

16. Documentez-vous sur les bagnes : quelle est la différence entre le bagne et la prison ? Pourquoi les forçats décrits ici doivent-ils faire ce voyage ? Où vont-ils ? Existe-t-il toujours des bagnes ? Que pensez-vous de ce genre d'établissement ?

✻ *À retenir*

Le registre littéraire du pathétique met en œuvre les moyens d'éveiller l'émotion en mettant en scène la souffrance. Il repose sur l'identification du lecteur aux personnages : dans cette partie des *Misérables*, nous sommes invités à partager les émotions amoureuses des jeunes gens aussi bien que les souffrances morales de Jean Valjean.

LIVRE DOUZIÈME

Corinthe[1]

VII. L'homme recruté rue des Billettes

(Sur la barricade de la rue de la Chanvrerie, se trouve Enjolras, le chef du groupe des Amis de l'ABC. Le petit Gavroche, ce gamin de Paris abandonné par les Thénardier ou Jondrette (voir le livre premier de la troisième partie), participe aussi au combat du peuple en révolte contre le gouvernement. Soudain, un inconnu fait irruption parmi les combattants du cabaret Corinthe...)

LA NUIT était tout à fait tombée, rien ne venait. On n'entendait que des rumeurs confuses, et par instants des fusillades, mais rares, peu nourries et lointaines. Ce répit, qui se prolongeait, était signe que le gouvernement prenait son temps et ramassait ses forces. Ces cinquante hommes en attendaient soixante mille.

Enjolras se senti pris de cette impatience qui saisit les âmes fortes au seuil des événements redoutables. Il alla trouver Gavroche qui s'était mis à fabriquer des cartouches dans la salle basse à la clarté douteuse de deux chandelles, posées sur le comptoir par précaution à cause de la poudre répandue sur les tables. Ces deux chandelles ne jetaient aucun rayonnement au dehors. Les insurgés en outre avait eu soin de ne point allumer de lumière dans les étages supérieurs. [...]

– Tu es petit, dit Enjolras, on ne te verra pas. Sors des barricades, glisse-toi le long des maisons, va un peu partout par les rues, et reviens me dire ce qui se passe.

Gavroche se haussa sur ses hanches.

– Les petits sont donc bons à quelque chose ! c'est bien heureux ! J'y vas. En attendant fiez-vous aux petits, méfiez-vous des

---

1. **Corinthe :** cabaret où se sont regroupés les insurgés pour former une barricade.

grands... – Et Gavroche, levant la tête et baissant la voix, ajouta, en désignant l'homme de la rue des Billettes :

– Vous voyez bien ce grand-là ?

– Eh bien ?

30 – C'est un mouchard[1].

– Tu es sûr ?

– Il n'y a pas quinze jours qu'il m'a enlevé par l'oreille de la corniche du pont Royal où je prenais l'air. [...]

Alors Enjolras s'approcha de l'homme et lui demanda :

35 – Qui êtes-vous ?

À cette question brusque, l'homme eut un soubresaut. Il plongea son regard jusqu'au fond de la prunelle candide d'Enjolras et parut y saisir sa pensée. Il sourit d'un sourire qui était tout ce qu'on peut voir au monde de plus dédaigneux, de plus énergique et de plus 40 résolu, et répondit avec une gravité hautaine :

– Je vois ce que c'est... Eh bien oui !

– Vous êtes mouchard ?

– Je suis agent de l'autorité.

– Vous vous appelez ?

45 – Javert.

Enjolras fit signe aux quatre hommes. En un clin d'œil, avant que Javert eût eu le temps de se retourner, il fut colleté[2], terrassé, garrotté[3], fouillé.

On trouva sur lui une petite carte ronde collée entre deux verres et 50 portant d'un côté les armes de France gravées, avec cette légende : *Surveillance et vigilance*, et de l'autre cette mention : JAVERT, inspecteur de police, âgé de cinquante-deux ans ; et la signature du préfet de police d'alors, M. Gisquet. [...]

Le fouillage terminé, on redressa Javert, on lui noua les bras der- 55 rière le dos et on l'attacha au milieu de la salle basse à ce poteau célèbre qui avait jadis donné son nom au cabaret.

Gavroche, qui avait assisté à toute la scène et tout approuvé d'un hochement de tête silencieux, s'approcha de Javert et lui dit :

– C'est la souris qui a pris le chat. [...]

---

1. **Mouchard :** espion.
2. **Colleté :** saisi par le cou.
3. **Garrotté :** ligoté.

60 Javert, adossé au poteau, et si entouré de cordes qu'il ne pouvait faire un mouvement, levait la tête avec la sérénité intrépide de l'homme qui n'a jamais menti.

– C'est un mouchard, dit Enjolras.

Et se tournant vers Javert :

65 – Vous serez fusillé deux minutes avant que la barricade soit prise.

Javert répliqua de son accent le plus impérieux :

– Pourquoi pas tout de suite ?

– Nous ménageons la poudre.

70 – Alors finissez-en d'un coup de couteau.

– Mouchard, dit le bel Enjolras, nous sommes des juges et non des assassins.

Puis il appela Gavroche.

– Toi ! va à ton affaire ! Fais ce que je t'ai dit.

75 – J'y vas, cria Gavroche.

Et s'arrêtant au moment de partir :

– À propos, vous me donnerez son fusil ! Et il ajouta : Je vous laisse le musicien, mais je veux la clarinette.

Le gamin fit le salut militaire et franchit gaîment la coupure de 80 la grande barricade.

LIVRE QUATORZIÈME
Les grandeurs du désespoir

VI. L'agonie de la mort après l'agonie de la vie

(Marius a rejoint la barricade ; il y combat héroïquement, ne tenant plus guère à une vie sans Cosette. Le voici en plein repérage avant un assaut décisif...)

COMME Marius, l'inspection faite, se retirait, il entendit son nom prononcé faiblement dans l'obscurité :

– Monsieur Marius !

Il tressaillit, car il reconnut la voix qui l'avait appelé deux heures auparavant à travers la grille de la rue Plumet.

Seulement cette voix maintenant semblait n'être plus qu'un souffle.

Il regarda autour de lui et ne vit personne.

Marius crut s'être trompé, et que c'était une hallucination ajoutée par son esprit aux réalités extraordinaires qui se heurtaient autour de lui. Il fit un pas pour sortir de l'enfoncement reculé où était la barricade.

– Monsieur Marius ! répéta la voix.

Cette fois, il ne pouvait douter, il avait distinctement entendu ; il regarda, et ne vit rien.

– À vos pieds, dit la voix.

Il se courba et vit dans l'ombre une forme qui se traînait vers lui. Cela rampait sur le pavé. C'était cela qui lui parlait.

Le lampion permettait de distinguer une blouse, un pantalon de gros velours déchiré, des pieds nus, et quelque chose qui ressemblait à une mare de sang. Marius entrevit une tête pâle qui se dressait vers lui et qui lui dit :

– Vous ne me reconnaissez pas ?

– Non.

– Éponine.

Marius se baissa vivement. C'était en effet cette malheureuse enfant. Elle était habillée en homme.

– Comment êtes-vous ici ? que faites-vous là ? 1

– Je meurs, lui dit-elle.

Il y a des mots et des incidents qui réveillent les êtres accablés. Marius s'écria comme en sursaut :

– Vous êtes blessée ! Attendez, je vais vous porter dans la salle. On va vous panser. Est-ce grave ? comment faut-il vous prendre pour ne pas vous faire mal ? où souffrez-vous ? Du secours ! mon Dieu ! Mais qu'êtes-vous venue faire ici ?

Et il essaya de passer son bras sous elle pour la soulever.

En la soulevant il rencontra sa main.

Elle poussa un cri faible.

– Vous ai-je fait mal ? demanda Marius.

– Un peu.

– Mais je n'ai touché que votre main.

45 Elle leva sa main vers le regard de Marius, et Marius au milieu de cette main vit un trou noir.

– Qu'avez-vous donc à la main ? dit-il.

– Elle est percée.

– Percée !

50 – Oui.

– De quoi ?

– D'une balle.

– Comment ?

– Avez-vous vu un fusil qui vous couchait en joue[1] ?

55 – Oui, et une main qui l'a bouché.

–C'était la mienne.

Marius eut un frémissement.

– Quelle folie ! Pauvre enfant ! Mais tant mieux, si c'est cela, ce n'est rien. Laissez-moi vous porter sur un lit. On va vous panser,

60 on ne meurt pas d'une main percée.

Elle murmura :

– La balle a traversé la main, mais elle est sortie par le dos. C'est inutile de m'ôter d'ici. Je vais vous dire comment vous pouvez me panser, mieux qu'un chirurgien. Asseyez-vous près de moi sur

65 cette pierre.

Il obéit ; elle posa sa tête sur les genoux de Marius, et, sans le regarder, elle dit :

– Oh ! que c'est bon ! Comme on est bien ! Voilà ! Je ne souffre plus.

Elle demeura un moment en silence, puis elle tourna son visage

70 avec effort et regarda Marius.

– Savez-vous, monsieur Marius ? Cela me taquinait que vous entriez dans ce jardin, c'était bête, puisque c'était moi qui vous avais montré la maison, et puis enfin je devais bien me dire qu'un jeune homme comme vous...

75 Elle s'interrompit, et, franchissant les sombres transitions qui étaient sans doute dans son esprit, elle reprit avec un déchirant sourire :

---

1. **Qui vous couchait en joue :** qui vous visait.

– Vous me trouviez laide, n'est-ce pas ?

Elle continua :

80 – Voyez-vous, vous êtes perdu ! Maintenant personne ne sortira de la barricade. C'est moi qui vous ai amené ici, tiens ! Vous allez mourir. J'y compte bien. Et pourtant, quand j'ai vu qu'on vous visait, j'ai mis la main sur la bouche du canon de fusil. Comme c'est drôle ! Mais c'est que je voulais mourir avant vous. Quand j'ai 85 reçu cette balle, je me suis traînée ici, on ne m'a pas vue, on ne m'a pas ramassée. Je vous attendais, je disais : Il ne viendra donc pas ? [...] Oh ! je suis heureuse ! Tout le monde va mourir.

Elle avait un air insensé, grave et navrant. Sa blouse déchirée montrait sa gorge nue. Elle appuyait en parlant sa main percée sur 90 sa poitrine où il y avait un autre trou, et d'où il sortait par instants un flot de sang comme le jet de vin d'une bonde ouverte. [...]

Elle approchait le plus qu'elle pouvait son visage du visage de Marius. Elle ajouta avec une expression étrange :

– Écoutez, je ne veux pas vous faire une farce. J'ai dans ma 95 poche une lettre pour vous. Depuis hier. On m'avait dit de la mettre à la poste. Je l'ai gardée. Je ne voulais pas qu'elle vous parvînt. Mais vous m'en voudriez peut-être quand nous allons nous revoir tout à l'heure. On se revoit, n'est-ce pas ? Prenez votre lettre.

Elle saisit convulsivement la main de Marius avec sa main 100 trouée, mais elle semblait ne plus percevoir la souffrance. Elle mit la main de Marius dans la poche de sa blouse. Marius y sentit en effet un papier.

– Prenez, dit-elle.

Marius prit la lettre. Elle fit un signe de satisfaction et de 105 consentement.

– Maintenant pour ma peine, promettez-moi...

Et elle s'arrêta.

– Quoi ? demanda Marius.

– Promettez-moi !

110 – Je vous promets.

– Promettez-moi de me donner un baiser sur le front quand je serai morte. – Je le sentirai.

Elle laissa retomber sa tête sur les genoux de Marius et ses paupières se fermèrent. Il crut cette pauvre âme partie. Éponine restait 115 immobile ; tout à coup, à l'instant où Marius la croyait à jamais endormie, elle ouvrit lentement ses yeux où apparaissait la sombre profondeur de la mort, et lui dit avec un accent dont la douceur semblait déjà venir d'un autre monde :

– Et puis, tenez, monsieur Marius, je crois que j'étais un peu amoureuse de vous.

Elle essaya encore de sourire et expira.

VII. Gavroche profond calculateur des distances

MARIUS tint sa promesse. Il déposa un baiser sur ce front livide où perlait une sueur glacée. Ce n'était pas une infidélité à Cosette ; c'était un adieu pensif et doux à une malheureuse âme.

Il n'avait pas pris sans un tressaillement la lettre qu'Éponine lui avait donnée. Il avait tout de suite senti là un événement. Il était impatient de la lire. Le cœur de l'homme est ainsi fait, l'infortunée enfant avait à peine fermé les yeux que Marius songeait à déplier ce papier. Il la reposa doucement sur la terre et s'en alla.

Quelque chose lui disait qu'il ne pouvait lire cette lettre devant ce cadavre.

Il s'approcha d'une chandelle dans la salle basse.

C'était un petit billet plié et cacheté avec ce soin élégant des femmes. L'adresse était d'une écriture de femme et portait :

– À monsieur, monsieur Marius Pontmercy, chez M. Courfeyrac, rue de la Verrerie, n° 16[1].

Il défit le cachet, et lut :

« Mon bien-aimé, hélas ! mon père veut que nous partions tout de suite. Nous serons ce soir rue de l'Homme-Armé, n° 7. Dans huit jours nous serons à Londres.

COSETTE, 4 juin. » [...]

Il avait sur lui un portefeuille ; le même qui avait contenu le cahier où il avait écrit tant de pensées d'amour pour Cosette. Il en arracha une feuille et écrivit au crayon ces quelques lignes :

1. **Rue de la Verrerie, n° 16 :** c'est donc Marius qui avait gravé cette inscription sur le mur de la maison au chapitre précédent.

« Notre mariage était impossible. J'ai demandé à mon grand-père, il a refusé ; je suis sans fortune, et toi aussi. J'ai couru chez toi, je ne t'ai plus trouvée, tu sais la parole que je t'avais donnée, je la tiens. Je meurs. Je t'aime. Quand tu liras ceci, mon âme sera près de toi, et te sourira. »

N'ayant rien pour cacheter cette lettre, il se borna à plier le papier en quatre et y mit cette adresse :

À Mademoiselle Cosette Fauchelevent, chez M. Fauchelevent, rue de l'Homme-Armé, n° 7.

La lettre pliée, il demeura un moment pensif, reprit son portefeuille, l'ouvrit, et écrivit avec le même crayon sur la première page ces quatre lignes :

« Je m'appelle Marius Pontmercy. Porter mon cadavre chez mon grand-père, M. Gillenormand, rue des Filles-du-Calvaire, n° 6, au Marais. »

Il remit le portefeuille dans la poche de son habit, puis il appela Gavroche. Le gamin, à la voix de Marius, accourut avec sa mine joyeuse et dévouée. [...]

– Tu vois bien cette lettre ?

– Oui.

– Prends-la. Sors de la barricade sur-le-champ (Gavroche, inquiet, commença à se gratter l'oreille), et demain matin tu la remettra à son adresse, à mademoiselle Cosette chez M. Fauchelevent, rue de l'Homme-Armé, n° 7.

L'héroïque enfant répondit :

– Ah bien mais ! pendant ce temps-là on prendra la barricade, et je n'y serai pas.

– La barricade ne sera plus attaquée qu'au point du jour selon toute apparence et ne sera pas prise avant demain midi. [...]

LIVRE QUINZIÈME
La rue de l'Homme-Armé

I. Buvard, bavard

(Jean Valjean a pris l'avertissement de l'inconnu au sérieux, et craignant d'avoir été repéré, il décide de s'installer provisoirement rue de l'Homme-Armé. En fait, le billet lui conseillant de déménager venait d'Éponine, qui voulait éloigner Marius de Cosette...)

5 À PEINE Jean Valjean fut-il rue de l'Homme-Armé que son anxiété s'éclaircit, et, par degrés, se dissipa. Il y a des lieux calmants qui agissent en quelque sorte mécaniquement sur l'esprit. [...]

Avoir quitté la rue Plumet sans complication et sans incident, c'était déjà un bon pas de fait.

10 Peut-être serait-il sage de se dépayser, ne fût-ce que pour quelques mois, et d'aller à Londres. Eh bien, on irait. Être en France, être en Angleterre, qu'est-ce que cela faisait, pourvu qu'il eût près de lui Cosette ? Cosette était sa nation. Cosette suffisait à son bonheur ; l'idée qu'il ne suffisait peut-être pas, lui au bonheur de Cosette, 15 cette idée, qui avait été autrefois sa fièvre et son insomnie, ne se présentait même pas à son esprit. [...]

Tout en marchant de long en large à pas lents, son regard rencontra tout à coup quelque chose d'étrange.

Il aperçut en face de lui, dans le miroir incliné qui surmontait le 20 buffet, et il lut distinctement les quatre lignes que voici :

« Mon bien-aimé, hélas ! mon père veut que nous partions tout de suite. Nous serons ce soir rue de l'Homme-Armé, n° 7. Dans huit jours nous serons à Londres. – COSETTE. 4 juin. »

Jean Valjean s'arrêta hagard.

25 Cosette en arrivant avait posé son buvard sur le buffet devant le miroir, et, toute à sa douloureuse angoisse, l'avait oublié là, sans même remarquer qu'elle le laissait tout ouvert, et ouvert précisément à la page sur laquelle elle avait appuyé, pour les sécher,

les quatre lignes écrites par elle et dont elle avait chargé le jeune
30 ouvrier passant rue Plumet. L'écriture s'était imprimée sur le
buvard. Le miroir reflétait l'écriture.

Il en résultait ce qu'on appelle en géométrie l'image symétrique ; de telle sorte que l'écriture renversée sur le buvard s'offrait redressée dans le miroir et présentait son sens naturel ; et Jean Valjean avait
35 sous les yeux la lettre écrite la veille par Cosette à Marius.

C'était simple et foudroyant.

Jean Valjean alla au miroir. Il relut les quatre lignes, mais il n'y crut point. Elles lui faisaient l'effet d'apparaître dans de la lueur d'éclair. C'était une hallucination. Cela était impossible. Cela
40 n'était pas.

Peu à peu sa perception devint plus précise ; il regarda le buvard de Cosette, et le sentiment du fait réel lui revint. Il prit le buvard et dit : Cela vient de là. Il examina fiévreusement les quatre lignes imprimées sur le buvard, le renversement des lettres en faisait un
45 griffonnage bizarre, et il n'y vit aucun sens. Alors il se dit : Mais cela ne signifie rien, il n'y a rien d'écrit là. Et il respira à pleine poitrine avec un inexprimable soulagement. Qui n'a pas eu de ces joies bêtes dans les instants horribles ? L'âme ne se rend pas au désespoir sans avoir épuisé toutes les illusions.

50 Il tenait le buvard à la main et le contemplait, stupidement heureux, presque prêt à rire de l'hallucination dont il avait été dupe. Tout à coup ses yeux retombèrent sur le miroir, et il revit la vision. Les quatre lignes s'y dessinaient avec une netteté inexorable. Cette fois ce n'était pas un mirage. La récidive[1] d'une vision est une
55 réalité, c'était palpable, c'était l'écriture redressée dans le miroir. Il comprit. [...]

Aussi, quand il vit que c'était décidément fini, qu'elle lui échappait, qu'elle glissait de ses mains, qu'elle se dérobait, que c'était du nuage, que c'était de l'eau, quand il eut devant les yeux cette
60 évidence écrasante : un autre est le but de son cœur, un autre est le souhait de sa vie ; il y a le bien-aimé, je ne suis que le père ; je n'existe plus ; quand il ne put plus douter, quand il se dit : Elle s'en va hors de moi ! la douleur qu'il éprouva dépassa le possible. Avoir

1. **Récidive :** retour.

fait tout ce qu'il avait fait pour en venir là ! et, quoi donc ! n'être
65 rien ! Alors, comme nous venons de le dire, il eut de la tête aux pieds un frémissement de révolte. Il sentit jusque dans la racine de ses cheveux l'immense réveil de l'égoïsme, et le moi hurla dans l'abîme de cet homme. [...]

III. Pendant que Cosette et Toussaint dorment

(Lorsque Gavroche vient apporter la lettre de Marius à Cosette, c'est Jean Valjean qui la réceptionne. L'ancien forçat a pitié du jeune va-nu-pieds et lui donne une grosse pièce ; puis il se retrouve seul face à ce message intercepté...)

5 JEAN VALJEAN rentra avec la lettre de Marius.

Il monta l'escalier à tâtons, satisfait des ténèbres comme le hibou qui tient sa proie, ouvrit et referma doucement sa porte, écouta s'il n'entendait aucun bruit, constata que, selon toute apparence, Cosette et Toussaint dormaient, plongea dans la bouteille du bri-
10 quet Fumade trois ou quatre allumettes avant de pouvoir faire jaillir l'étincelle, tant sa main tremblait ; il y avait du vol dans ce qu'il venait de faire. Enfin, sa chandelle fut allumée, il s'accouda sur la table, déplia le papier, et lut. [...]

« ... Je meurs. Quand tu liras ceci, mon âme sera près de toi. »

15 En présence de ces deux lignes, il eut un éblouissement horrible ; il resta un moment comme écrasé du changement d'émotion qui se faisait en lui, il regardait le billet de Marius avec une sorte d'étonnement ivre ; il avait devant les yeux cette splendeur, la mort de l'être haï.

20 Il poussa un affreux cri de joie intérieure. – Ainsi, c'était fini. Le dénouement arrivait plus vite qu'on n'eût osé l'espérer. L'être qui encombrait sa destinée disparaissait. [...] Jean Valjean se sentait délivré. Il allait donc, lui, se retrouver seul avec Cosette. La concurrence cessait ; l'avenir recommençait. Il n'avait qu'à garder ce billet

25 dans sa poche. Cosette ne saurait jamais ce que « cet homme » était devenu. « Il n'y a qu'à laisser les choses s'accomplir. Cet homme ne peut échapper. S'il n'est pas mort encore, il est sûr qu'il va mourir. Quel bonheur ! »

Tout cela dit en lui-même, il devint sombre.

30 Puis il descendit et réveilla le portier.

Environ une heure après, Jean Valjean sortait en habit complet de garde national[1] et en armes. Le portier lui avait aisément trouvé dans le voisinage de quoi compléter son équipement. Il avait un fusil chargé et une giberne[2] pleine de cartouches. Il se dirigea du 35 côté des halles.

1. **Garde national :** il porte l'uniforme des partisans du gouvernement, ennemis des insurgés.
2. **Giberne :** sac à munitions.

Clefs d'analyse

p. 183 à p. 194

Action et personnages

1. Quelle est la raison des combats de rue auxquels prennent part Marius, Gavroche et Enjolras ?

2. Page 183, ligne 7, « rien ne venait » : qu'attendent les protagonistes ? Ce qu'ils désirent arrive-t-il ?

3. Que pensez-vous de l'attitude de Javert au cours de cette partie ?

4. Que révèle la lettre qu'écrit Marius à Cosette sur ses intentions ? Que compte-t-il faire ? Pourquoi ?

5. Comparez l'attitude de Jean Valjean à celle d'Éponine. Que révèle cette comparaison ? Pourquoi est-elle rassurante pour le lecteur.

6. À quoi voit-on que Jean Valjean ne veut pas admettre la réalité des liens amoureux entre Cosette et Marius ?

Langue

7. Expliquez le titre « L'agonie de la mort après l'agonie de la vie » (page 185). À quoi renvoie-t-il ? Pourquoi l'expression « agonie de la vie » est-elle contradictoire ? Comment se justifie-t-elle ?

8. Page 186, ligne 21, « Cela rampait sur le pavé. C'était cela qui lui parlait » : quelle est la nature et le genre du mot « cela ». Que désigne-t-il ? Quel est l'effet produit ?

9. Pages 189-191 : repérez les embrayeurs temporels (c'est-à-dire les mots se référant à une situation temporelle que l'on ne peut comprendre que par rapport au contexte).

10. Page 192, lignes 57-59 : commentez l'accumulation des propositions complétives (« qu'elle lui échappait », « qu'elle glissait... », etc.). Quel rapport entretiennent-elles ? Quel est l'effet produit ?

11. Que marquent les points d'exclamation dans les réflexions de Jean Valjean à la fin du chapitre I, livre XV, pages 192-193 ?

Genre ou thèmes

12. « C'est la souris qui a pris le chat » : éclairez la métaphore qu'emploie Gavroche pour parler de Javert.
13. « Surveillance et vigilance » (page 184, ligne 51) : comment appelle-t-on ce genre de formule ? En quoi vous paraît-elle susceptible de rendre compte du personnage de Javert ?
14. Dégagez les éléments qui font du personnage d'Éponine un personnage tragique.

Écriture

15. Pages 191-192, de « Cosette en arrivant » (ligne 25) à « toutes les illusions » (ligne 49) : réécrivez le passage en ajoutant aux noms et aux groupes nominaux sujets une apposition qui apporte une précision supplémentaire.

Pour aller plus loin

16. Qu'est-ce qu'une exécution ? Dans quelles conditions l'exécution de Javert est-elle décidée ? Ces conditions vous paraissent-elles normales ? Que pensez-vous de la distinction d'Enjolras : « nous sommes des juges et non des assassins » (p. 185, lignes 71-72) ?

* À retenir

La mise en scène de l'Histoire est l'une des grandes originalités du roman romantique qui permet d'allier le goût du sublime et la peinture de l'héroïsme. La peinture de la révolution de 1830 met des personnages inconnus au centre de l'action et montre ainsi le rôle majeur du peuple dans le déroulement de l'Histoire.

CINQUIÈME PARTIE
Jean Valjean

LIVRE PREMIER
La guerre entre quatre murs

IV. Cinq de moins, un de plus

(Nous sommes le 6 juin 1832 ; depuis la veille, l'insurrection n'est plus soutenue par le peuple de Paris : les insurgés s'apprêtent à se faire massacrer. Sur la barricade du cabaret Corinthe, on dispose de quatre uniformes ennemis pour sortir du piège. Il faut choisir quatre combattants parmi les cinq qui, étant responsables d'une famille, ont priorité pour être sauvés : chacun veut se sacrifier pour les autres...)

CES GRANDES barricades révolutionnaires étaient des rendez-vous d'héroïsmes. L'invraisemblable y était simple. Ces hommes ne s'étonnaient pas les uns les autres.

– Faites vite, répétait Courfeyrac.

On cria des groupes à Marius :

– Désignez, vous, celui qui doit rester.

– Oui, dirent les cinq, choisissez. Nous vous obéirons.

Marius ne croyait plus à une émotion possible. Cependant à cette idée, choisir un homme pour la mort, tout son sang reflua vers son cœur. Il eût pâli, s'il eût pu pâlir encore.

Il s'avança vers les cinq qui lui souriaient, et chacun, l'œil plein de cette grande flamme qu'on voit au fond de l'histoire sur les Thermopyles[1], lui criait :

---

1. **Les Thermopyles :** bataille célèbre pour la résistance héroïque des Grecs face aux Perses.

– Moi ! moi ! moi !

Et Marius, stupidement, les compta ; ils étaient toujours cinq ! Puis son regard s'abaissa sur les quatre uniformes.

En cet instant, un cinquième uniforme tomba, comme du ciel, sur les quatre autres.

Le cinquième homme était sauvé.

Marius leva les yeux et reconnut M. Fauchelevent.

Jean Valjean venait d'entrer dans la barricade.

Soit renseignement pris, soit instinct, soit hasard, il arrivait par la ruelle Mondétour. Grâce à son habit de garde national, il avait passé aisément.

Au moment où Jean Valjean était entré dans la redoute[1], personne ne l'avait remarqué, tous les yeux étant fixés sur les cinq choisis et sur les quatre uniformes. Jean Valjean, lui, avait vu et entendu, et, silencieusement, il s'était dépouillé de son habit et l'avait jeté sur le tas des autres.

L'émotion fut indescriptible.

– Quel est cet homme ? demanda Bossuet.

– C'est, répondit Combeferre, un homme qui sauve les autres.

Marius ajouta d'une voix grave :

– Je le connais.

Cette caution suffisait à tous.

Enjolras se tourna vers Jean Valjean.

– Citoyen, soyez le bienvenu.

Et il ajouta :

– Vous savez qu'on va mourir.

Jean Valjean, sans répondre, aida l'insurgé qu'il sauvait à revêtir son uniforme. [...]

VI. Marius hagard, Javert laconique

Quand les cinq hommes renvoyés à la vie furent partis, Enjolras pensa au condamné à mort. Il entra dans la salle basse. Javert, lié au pilier, songeait.

1. **Redoute :** fortification.

– Te faut-il quelque chose ? lui demanda Enjolras.
5 Javert répondit :
– Quand me tuerez-vous ?
– Attends. Nous avons besoin de toutes nos cartouches en ce moment.
– Alors, donnez-moi à boire, dit Javert.
10 Enjolras lui présenta lui-même un verre d'eau, et, comme Javert était garrotté, il l'aida à boire.
– Est-ce là tout ? reprit Enjolras.
– Je suis mal à ce poteau, répondit Javert. Vous n'êtes pas tendres de m'avoir laissé passer la nuit là. [...]
15 Il y avait, on s'en souvient, au fond de la salle une grande et longue table sur laquelle on avait fondu des balles et fait des cartouches. Toutes les cartouches étant faites et toute la poudre étant employée, cette table était libre.
Sur l'ordre d'Enjolras, quatre insurgés délièrent Javert du poteau.
20 Tandis qu'on le déliait, un cinquième lui tenait une bayonnette appuyée sur la poitrine. On lui laissa les mains attachées derrière le dos, on lui mit aux pieds une corde à fouet mince et solide qui lui permettait de faire des pas de quinze pouces comme à ceux qui vont monter à l'échafaud, et on le fit marcher jusqu'à la table
25 au fond de la salle où on l'étendit, étroitement lié par le milieu du corps. [...]
Pendant qu'on garrottait Javert, un homme, sur le seuil de la porte, le considérait avec une attention singulière. L'ombre que faisait cet homme fit tourner la tête à Javert. Il leva les yeux et
30 reconnut Jean Valjean. Il ne tressaillit même pas, abaissa fièrement la paupière, et se borna à dire : C'est tout simple. [...]

XV. Gavroche dehors

(La bataille fait rage ; les insurgés commencent à manquer de munitions. N'écoutant que son courage et sa jeunesse, Gavroche s'avance à découvert pour récupérer les balles dans les gibernes des cadavres...)

Courfeyrac tout à coup aperçut quelqu'un au bas de la barri-
5 cade, dehors, dans la rue, sous les balles.

Gavroche avait pris un panier à bouteilles, dans le cabaret, était sorti par la coupure[1], et était paisiblement occupé à vider dans son panier les gibernes pleines de cartouches des gardes nationaux tués sur le talus de la redoute.

10 – Qu'est-ce que tu fais là ? dit Courfeyrac.

Gavroche leva le nez :

– Citoyen, j'emplis mon panier.

– Tu ne vois donc pas la mitraille ?

Gavroche répondit :

15 – Eh bien, il pleut. Après ?

Courfeyrac cria :

– Rentre !

– Tout à l'heure, fit Gavroche.

Et, d'un bond, il s'enfonça dans la rue. [...]

20 Il rampait à plat ventre, galopait à quatre pattes, prenait son panier aux dents, se tordait, glissait, ondulait, serpentait d'un mort à l'autre, et vidait la giberne ou la cartouchière comme un singe ouvre une noix.

De la barricade, dont il était encore assez près, on n'osait lui crier 25 de revenir, de peur d'appeler l'attention sur lui.

Sur un cadavre, qui était un caporal, il trouva une poire à poudre.

– Pour la soif, dit-il, en la mettant dans sa poche.

À force d'aller en avant, il parvint au point où le brouillard de la 30 fusillade devenait transparent.

Si bien que les tirailleurs de la ligne rangés et à l'affût derrière leur levée de pavés, et les tirailleurs[2] de la banlieue massés à l'angle de la rue, se montrèrent soudainement quelque chose qui remuait dans la fumée.

35 Au moment où Gavroche débarrassait de ses cartouches un sergent gisant près d'une borne, une balle frappa le cadavre.

– Fichtre ! fit Gavroche. Voilà qu'on me tue mes morts.

Une deuxième balle fit étinceler le pavé à côté de lui. Une troisième renversa son panier.

40 Gavroche regarda, et vit que cela venait de la banlieue.

1. **Coupure :** brèche par laquelle les insurgés pouvaient s'enfuir.

2. **Tirailleurs :** soldats armés de fusils.

Il se dressa tout droit, debout, les cheveux au vent, les mains sur les hanches, l'œil fixé sur les gardes nationaux qui tiraient, et il chanta :

On est laid à Nanterre,
45 *C'est la faute à Voltaire,*
Et bête à Palaiseau,
C'est la faute à Rousseau[1].

Puis il ramassa son panier, y remit, sans en perdre une seule, les cartouches qui en étaient tombées, et, avançant vers la fusillade,
50 alla dépouiller une autre giberne. Là une quatrième balle le manqua encore.

Gavroche chanta :

Je ne suis pas notaire,
C'est la faute à Voltaire,
55 *Je suis petit oiseau,*
C'est la faute à Rousseau.

Une cinquième balle ne réussit qu'à tirer de lui un troisième couplet :

Joie est mon caractère,
60 *C'est la faute à Voltaire,*
Misère est mon trousseau,
C'est la faute à Rousseau.

Cela continua ainsi quelque temps.

Le spectacle était épouvantable et charmant. Gavroche, fusillé,
65 taquinait la fusillade. Il avait l'air de s'amuser beaucoup. C'était le moineau becquetant[2] les chasseurs. Il répondait à chaque décharge par un couplet. On le visait sans cesse, on le manquait toujours. Les gardes nationaux et les soldats riaient en l'ajustant. Il se couchait, puis se redressait, s'effaçait dans un coin de porte, puis bondissait,
70 disparaissait, reparaissait, se sauvait, revenait, ripostait à la mitraille par des pieds de nez, et cependant pillait les cartouches, vidait les gibernes et remplissait son panier. Les insurgés, haletants d'anxiété, le suivaient des yeux. La barricade tremblait ; lui, chantait. Ce n'était

1. **On est laid [...] la faute à Rousseau :** célèbre chanson où les révolutionnaires défendent sur un ton ironique Rousseau et Voltaire contre les aristocrates qui les accusaient de tous les maux.
2. **Becquetant :** donnant des petits coups de bec. Ici, pour narguer le chasseur.

pas un enfant, ce n'était pas un homme ; c'était un étrange gamin
75 fée[1]. On eût dit le nain invulnérable de la mêlée. Les balles couraient après lui, il était plus leste[2] qu'elles. Il jouait on ne sait quel effrayant jeu de cache-cache avec la mort ; chaque fois que la face camarde du spectre[3] s'approchait, le gamin lui donnait une pichenette.

Une balle pourtant, mieux ajustée ou plus traître que les autres,
80 finit par atteindre l'enfant feu follet[4]. On vit Gavroche chanceler, puis il s'affaissa. Toute la barricade poussa un cri ; mais il y avait de l'Antée[5] dans ce pygmée[6] ; pour le gamin toucher le pavé, c'est comme pour le géant touche la terre ; Gavroche n'était tombé que pour se redresser ; il resta assis sur son séant, un long filet de sang
85 rayait son visage, il éleva ses deux bras en l'air, regarda du côté d'où était venu le coup, et se mit à chanter :

Je suis tombé par terre,
C'est la faute à Voltaire,
Le nez dans le ruisseau,
90 *C'est la faute à...*

Il n'acheva point. Une seconde balle du même tireur l'arrêta court. Cette fois il s'abattit la face contre le pavé, et ne remua plus. Cette petite grande âme venait de s'envoler.

XIX. Jean Valjean se venge

(Au café Corinthe, Jean Valjean a obtenu l'autorisation d'exécuter lui-même le mouchard condamné à mort. Il entraîne Javert à l'abri des regards...)

QUAND Jean Valjean fut seul avec Javert, il défit la corde qui assu-
5 jettissait[7] le prisonnier par le milieu du corps, et dont le nœud était sous la table. Après quoi, il lui fit signe de se lever.

---

1. **Gamin fée :** gamin doué de pouvoir magique.
2. **Leste :** rapide.
3. **Face camarde du spectre :** visage aplati et hideux de la mort.
4. **Feu follet :** flammèche réputée surgir dans les cimetières au-dessus des tombes.
5. **Antée :** géant mythologique qui reprenait des forces en touchant le sol.
6. **Pygmée :** homme de petite taille.
7. **Assujettissait :** attachait.

Javert obéit, avec cet indéfinissable sourire où se condense la suprématie[1] de l'autorité enchaînée.

Jean Valjean prit Javert par la martingale[2] comme on prendrait une bête de somme par la bricole[3], et, l'entraînant après lui, sortit du cabaret, lentement, car Javert, entravé aux jambes, ne pouvait faire que de très petits pas.

Jean Valjean avait le pistolet au poing. [...]

Jean Valjean fit escalader, avec quelque peine, à Javert garrotté, mais sans le lâcher un seul instant, le petit retranchement de la ruelle Mondétour.

Quand ils eurent enjambé ce barrage, ils se trouvèrent seuls tous les deux dans la ruelle. [...]

Jean Valjean tira de son gousset un couteau, et l'ouvrit.

– Un surin[4] ! s'écria Javert. Tu as raison. Cela te convient mieux.

Jean Valjean coupa la martingale que Javert avait au cou, puis il coupa les cordes qu'il avait aux poignets, puis se baissant, il coupa la ficelle qu'il avait aux pieds ; et, se redressant, il lui dit :

– Vous êtes libre.

Javert n'était pas facile à étonner. Cependant, tout maître qu'il était de lui, il ne put se soustraire à une commotion. Il resta béant et immobile.

Jean Valjean poursuivit :

– Je ne crois pas que je sorte d'ici. Pourtant, si, par hasard, j'en sortais, je demeure, sous le nom de Fauchelevent, rue de l'Homme-Armé, numéro sept.

Javert eut un froncement de tigre qui lui entr'ouvrit un coin de la bouche, et il murmura entre ses dents :

– Prends garde.

– Allez, dit Jean Valjean.

Javert reprit :

– Tu as dit Fauchelevent, rue de l'Homme-Armé ?

– Numéro sept.

Javert répéta à demi-voix : – Numéro sept.

---

1. **Où se condense la suprématie :** où se résume la supériorité.
2. **Martingale :** courroie.
3. **Bricole :** harnais.
4. **Surin :** couteau (argot).

40 Il reboutonna sa redingote, remit de la roideur militaire entre ses deux épaules, fit demi-tour, croisa les bras en soutenant son menton dans une de ses mains, et se mit à marcher dans la direction des halles. Jean Valjean le suivait des yeux. Après quelques pas, Javert se retourna, et cria à Jean Valjean :

45 – Vous m'ennuyez. Tuez-moi plutôt.

Javert ne s'apercevait pas lui-même qu'il ne tutoyait plus Jean Valjean :

– Allez-vous-en, dit Jean Valjean.

Javert s'éloigna à pas lents. Un moment après, il tourna l'angle de 50 la rue des Prêcheurs.

Quand Javert eut disparu, Jean Valjean déchargea le pistolet en l'air.

Puis il rentra dans la barricade et dit :

– C'est fait. [...]

XXII. Pied à pied

(Si Jean Valjean est venu sur la barricade, c'est pour sauver la vie à l'amoureux de Cosette, malgré la haine qu'il éprouve pour ce rival ; aussi surveille-t-il de près les faits et gestes du jeune héros...)

Marius était resté dehors. Un coup de feu venait de lui casser la cla- 5 vicule ; il sentit qu'il s'évanouissait et qu'il tombait. En ce moment, les yeux déjà fermés, il eut la commotion d'une main vigoureuse qui le saisissait, et son évanouissement, dans lequel il se perdit, lui laissa à peine le temps de cette pensée mêlée au suprême souvenir de Cosette : – Je suis fait prisonnier. Je serai fusillé. [...]

XXIV. Prisonnier

Marius était prisonnier en effet. Prisonnier de Jean Valjean.

La main qui l'avait étreint par derrière au moment où il tombait, et dont, en perdant connaissance, il avait senti le saisissement, était celle de Jean Valjean.

Jean Valjean n'avait pris au combat d'autre part que de s'y exposer. Sans lui, à cette phase suprême de l'agonie, personne n'eût songé aux blessés. Grâce à lui, partout présent dans le carnage comme une providence, ceux qui tombaient étaient relevés, transportés dans la salle basse, et pansés. Dans les intervalles, il réparait la barricade. Mais rien qui pût ressembler à un coup, à une attaque, ou même à une défense personnelle, ne sortit de ses mains. Il se taisait et secourait. Du reste, il avait à peine quelques égratignures. Les balles n'avaient pas voulu de lui. [...]

Jean Valjean, dans la nuée épaisse du combat, n'avait pas l'air de voir Marius ; le fait est qu'il ne le quittait pas des yeux. Quand un coup de feu renversa Marius, Jean Valjean bondit avec une agilité de tigre, s'abattit sur lui comme sur une proie, et l'emporta. [...]

La situation était épouvantable. [...]

Il était évident que franchir la barricade c'était aller chercher un feu de peloton[1], et que toute tête qui se risquerait à dépasser le haut de la muraille de pavés servirait de cible à soixante coups de fusil. Il avait à sa gauche le champ du combat. La mort était derrière l'angle du mur.

Que faire ?

Un oiseau seul eût pu se tirer de là. [...]

Jean Valjean regarda la maison en face de lui, il regarda la barricade à côté de lui, puis il regarda la terre, avec la violence de l'extrémité suprême, éperdu, et comme s'il eût voulu y faire un trou avec ses yeux.

À force de regarder, on ne sait quoi de vaguement saisissable dans une telle agonie se dessina et prit forme à ses pieds, comme si c'était une puissance du regard de faire éclore la chose demandée. Il aperçut à quelques pas de lui, au bas du petit barrage si impitoyablement gardé et guetté au dehors, sous un écroulement de pavés qui la cachait en partie, une grille de fer posée à plat et de niveau avec le sol. Cette grille, faite de forts barreaux transversaux, avait environ deux pieds carrés.

L'encadrement de pavés qui la maintenait avait été arraché, et elle était comme descellée[2]. À travers les barreaux on entrevoyait

---

1. **Un feu de peloton :** tir d'un groupe de soldats.
2. **Descellée :** détachée du mur.

40 une ouverture obscure, quelque chose de pareil au conduit d'une cheminée ou au cylindre d'une citerne. Jean Valjean s'élança. Sa vieille science des évasions lui monta au cerveau comme une clarté. Écarter les pavés, soulever la grille, charger sur ses épaules Marius inerte comme un corps mort, descendre, avec ce fardeau 45 sur les reins, en s'aidant des coudes et des genoux, dans cette espèce de puits heureusement peu profond, laisser retomber au-dessus de sa tête la lourde trappe de fer sur laquelle les pavés ébranlés croulèrent de nouveau, prendre pied sur une surface dallée à trois mètres au-dessous du sol, cela fut exécuté comme 50 ce qu'on fait dans le délire, avec une force de géant et une rapidité d'aigle ; cela dura quelques minutes à peine.

Jean Valjean se trouva, avec Marius toujours évanoui, dans une sorte de long corridor souterrain.

Là, paix profonde, silence absolu, nuit.

55 L'impression qu'il avait autrefois éprouvée en tombant de la rue dans le couvent, lui revint. Seulement, ce qu'il emportait aujourd'hui, ce n'était plus Cosette ; c'était Marius.

LIVRE TROISIÈME

La boue, mais l'âme

I. Le cloaque[1] et ses surprises

(Le narrateur fait une pause pour décrire les égouts de Paris ; il explique notamment que tous les conduits sont en pente et mènent à la Seine, où ils déversent les eaux usagées.)

C'EST DANS L'ÉGOUT de Paris que se trouvait Jean Valjean.

---

1. **Cloaque :** eau boueuse et sale.

Ressemblance de plus de Paris avec la mer. Comme dans l'Océan, le plongeur peut y disparaître.

La transition était inouïe. Au milieu même de la ville, Jean Valjean était sorti de la ville ; et, en un clin d'œil, le temps de lever un couvercle et de le refermer, il avait passé du plein jour à l'obscurité complète, de midi à minuit, du fracas au silence, du tourbillon des tonnerres à la stagnation de la tombe, et, par une péripétie bien plus prodigieuse encore que celle de la rue Polonceau, du plus extrême péril à la sécurité la plus absolue. [...]

Seulement le blessé ne remuait point, et Jean Valjean ne savait pas si ce qu'il emportait dans cette fosse était un vivant ou un mort. [...]

Quand il eut fait cinquante pas, il fallut s'arrêter. Une question se présenta. Le couloir aboutissait à un autre boyau[1] qu'il rencontrait transversalement. Là s'offraient deux voies. Laquelle prendre ? fallait-il tourner à gauche ou à droite ? Comment s'orienter dans ce labyrinthe noir ? Ce labyrinthe, nous l'avons fait remarquer, a un fil ; c'est sa pente. Suivre la pente, c'est aller à la rivière.

Jean Valjean le comprit sur-le-champ. [...]

IV. Lui aussi porte sa croix

(Jean Valjean progresse péniblement dans « l'intestin de Paris ». Il s'efforce de se diriger mentalement vers le quartier de Paris qu'il veut atteindre...)

Un peu au-delà d'un affluent qui était vraisemblablement le branchement de la Madeleine, il fit halte. Il était très las. Un soupirail assez large, probablement le regard de la rue d'Anjou, donnait une lumière presque vive. Jean Valjean, avec la douceur de mouvements qu'aurait un frère pour son frère blessé, déposa Marius sur la banquette de l'égout[2]. La face sanglante de Marius apparut sous la lueur blanche du soupirail comme au fond d'une tombe. Il avait

1. **Boyau :** couloir étroit.
2. **La banquette de l'égout :** le rebord du tunnel.

les yeux fermés, les cheveux appliqués aux tempes comme des pinceaux séchés dans de la couleur rouge, les mains pendantes et mortes, les membres froids, du sang coagulé au coin des lèvres. Un caillot de sang s'était amassé dans le nœud de la cravate ; la chemise entrait dans les plaies, le drap de l'habit frottait les coupures béantes de la chair vive. Jean Valjean, écartant du bout des doigts les vêtements, lui posa la main sur la poitrine ; le cœur battait encore. Jean Valjean déchira sa chemise, banda les plaies le mieux qu'il put et arrêta le sang qui coulait ; puis, se penchant dans ce demi-jour sur Marius toujours sans connaissance et presque sans souffle, il le regarda avec une inexprimable haine.

En dérangeant les vêtements de Marius, il avait trouvé dans les poches deux choses, le pain qui y était oublié depuis la veille, et le portefeuille de Marius. Il mangea le pain et ouvrit le portefeuille. Sur la première page, il trouva les quatre lignes écrites par Marius. On s'en souvient :

« Je m'appelle Marius Pontmercy. Porter mon cadavre chez mon grand-père M. Gillenormand, rue des Filles-du-Calvaire, n° 6, au Marais. »

Jean Valjean lut, à la clarté du soupirail, ces quatre lignes, et resta un moment comme absorbé en lui-même, répétant à demi-voix : Rue des Filles-du-Calvaire, numéro six, monsieur Gillenormand. Il replaça le portefeuille dans la poche de Marius. Il avait mangé, la force lui était revenue ; il reprit Marius sur son dos, lui appuya soigneusement la tête sur son épaule droite, et se remit à descendre l'égout. [...]

VII. Quelquefois on échoue où l'on croit débarquer

(Après encore bien des embûches, Jean Valjean parvient épuisé à la porte de sortie du tunnel, qui donne sur un quai de Seine...)

IL LEVA les yeux, et à l'extrémité du souterrain, là-bas, devant lui, loin, très loin, il aperçut une lumière. Cette fois, ce n'était pas la lumière terrible ; c'était la lumière bonne et blanche. C'était le jour.

Jean Valjean voyait l'issue. [...]

C'était bien la sortie, mais on ne pouvait sortir.

L'arche[1] était fermée d'une forte grille. [...] La serrure était visiblement fermée à double tour. [...]

Au delà de la grille, le grand air, la rivière, le jour, la berge très étroite, mais suffisante pour s'en aller, les quais lointains, Paris, ce gouffre où l'on se dérobe si aisément, le large horizon, la liberté. [...]

Fallait-il donc finir là ? Que faire ? que devenir ? Rétrograder ; recommencer le trajet effrayant qu'il avait déjà parcouru ; il n'en avait pas la force. [...]

C'était fini. Tout ce qu'avait fait Jean Valjean était inutile. Dieu refusait.

Ils étaient pris l'un et l'autre dans la sombre et immense toile de la mort, et Jean Valjean sentait courir sur ces fils noirs tressaillant dans les ténèbres l'épouvantable araignée.

Il tourna le dos à la grille, et tomba sur le pavé, plutôt terrassé qu'assis, près de Marius, toujours sans mouvement, et sa tête s'affaissa entre ses genoux. Pas d'issue. C'était la dernière goutte de l'angoisse.

À qui songeait-il dans ce profond accablement ? Ni à lui-même, ni à Marius. Il pensait à Cosette.

VIII. Le pan de l'habit déchiré

AU MILIEU de cet anéantissement, une main se posa sur son épaule, et une voix qui parlait bas lui dit :

– Part à deux.

Quelqu'un dans cette ombre ? Rien ne ressemble au rêve comme le désespoir. Jean Valjean crut rêver. Il n'avait point entendu de pas. Était-ce possible ? Il leva les yeux.

Un homme était devant lui.

Cet homme était vêtu d'une blouse ; il avait les pieds nus ; il tenait ses souliers dans sa main gauche ; il les avait évidemment ôtés pour pouvoir arriver jusqu'à Jean Valjean, sans qu'on l'entendît marcher.

Jean Valjean n'eut pas un moment d'hésitation. Si imprévue que fût la rencontre, cet homme lui était connu. Cet homme était Thénardier. [...]

15 Il y eut un instant d'attente.

Thénardier, élevant sa main droite à la hauteur de son front, s'en fit un abat-jour, puis il rapprocha les sourcils en clignant les yeux, ce qui, avec un léger pincement de la bouche, caractérise l'attention sagace d'un homme qui cherche à en reconnaître un autre. Il 20 n'y réussit point. Jean Valjean, on vient de le dire, tournait le dos au jour, et était d'ailleurs si défiguré, si fangeux et si sanglant qu'en plein midi il eût été méconnaissable. [...] La rencontre avait lieu entre Jean Valjean voilé et Thénardier démasqué.

Jean Valjean s'aperçut tout de suite que Thénardier ne le recon-25 naissait pas.

Ils se considérèrent un moment dans cette pénombre, comme s'ils se prenaient mesure. Thénardier rompit le premier le silence.

– Comment vas-tu faire pour sortir ?

Jean Valjean ne répondit pas.

30 Thénardier continua :

– Impossible de crocheter la porte. Il faut pourtant que tu t'en ailles d'ici.

– C'est vrai, dit Jean Valjean.

– Eh bien, part à deux.

35 – Que veux-tu dire ?

– Tu as tué l'homme ; c'est bien. Moi, j'ai la clef. Thénardier montrait du doigt Marius. Il poursuivit :

[...]

– Écoute, camarade. Tu n'as pas tué cet homme sans regarder 40 ce qu'il avait dans ses poches. Donne-moi ma moitié. Je t'ouvre la porte. [...]

Jean Valjean se fouilla.

C'était, on s'en souvient, son habitude, d'avoir toujours de l'argent sur lui. La sombre vie d'expédients à laquelle il était 45 condamné lui en faisait une loi. Cette fois pourtant il était pris au dépourvu. En mettant, la veille au soir, son uniforme de garde national, il avait oublié, lugubrement absorbé qu'il était, d'emporter son portefeuille. Il n'avait que quelque monnaie dans le gousset de son gilet. Cela se montait à une trentaine de francs. Il retourna

50 sa poche, toute trempée de fange, et étala sur la banquette du radier[1] un louis d'or, deux pièces de cinq francs et cinq ou six gros sous.

Thénardier avança la lèvre inférieure avec une torsion de cou significative.

55 – Tu l'a tué pour pas cher, dit-il.

Il se mit à palper, en toute familiarité, les poches de Jean Valjean et les poches de Marius. Jean Valjean, préoccupé surtout de tourner le dos au jour, le laissait faire. Tout en maniant l'habit de Marius, Thénardier, avec une dextérité d'escamoteur[2], trouva moyen d'en 60 arracher, sans que Jean Valjean s'en aperçût, un lambeau qu'il cacha sous sa blouse, pensant probablement que ce morceau d'étoffe pourrait lui servir plus tard à reconnaître l'homme assassiné et l'assassin. Il ne trouva du reste rien de plus que les trente francs.

65 – C'est vrai, dit-il, l'un portant l'autre, vous n'avez pas plus que ça.

Et, oubliant son mot : part à deux, il prit tout. [...]

Thénardier entre-bâilla la porte, livra tout juste passage à Jean Valjean, referma la grille, tourna deux fois la clef dans la serrure, et replongea dans l'obscurité, sans faire plus de bruit qu'un souffle. 70 [...]

Jean Valjean se trouva dehors.

IX. Marius fait l'effet d'être mort à quelqu'un qui s'y connaît

C'ÉTAIT l'heure indécise et exquise[2] qui ne dit ni oui ni non. Il y avait déjà assez de nuit pour qu'on pût s'y perdre à quelque distance, et encore assez de jour pour qu'on pût s'y reconnaître de près. [...]

5 Jean Valjean ne put s'empêcher de contempler cette vaste ombre claire qu'il avait au-dessus de lui ; pensif, il prenait dans le majes-

---

1. **Radier :** planche de bois couvrant le sol.
2. **Une dextérité d'escamoteur :** l'habileté d'un pickpocket.

tueux silence du ciel éternel un bain d'extase et de prière. Puis vivement, comme si le sentiment d'un devoir lui revenait, il se courba vers Marius, et, puisant de l'eau dans le creux de sa main, il lui en jeta 10 doucement quelques gouttes sur le visage. Les paupières de Marius ne se soulevèrent pas ; cependant sa bouche entr'ouverte respirait.

Jean Valjean allait plonger de nouveau sa main dans la rivière, quand tout à coup il sentit je ne sais quelle gêne, comme lorsqu'on a, sans le voir, quelqu'un derrière soi.

15 Nous avons déjà indiqué ailleurs cette impression, que tout le monde connaît.

Il se retourna.

Comme tout à l'heure, quelqu'un en effet était derrière lui.

Un homme de haute stature, enveloppé d'une longue redingote, 20 les bras croisés, et portant dans son poing droit un casse-tête dont on voyait la pomme de plomb, se tenait debout à quelques pas en arrière de Jean Valjean accroupi sur Marius.

C'était, l'ombre aidant, une sorte d'apparition. Un homme simple en eût eu peur à cause du crépuscule, et un homme réfléchi à 25 cause du casse-tête.

Jean Valjean reconnut Javert. [...]

Jean Valjean était passé d'un écueil à l'autre.

Ces deux rencontres coup sur coup, tomber de Thénardier en Javert, c'était rude.

30 Javert ne reconnut pas Jean Valjean qui, nous l'avons dit, ne se ressemblait plus à lui-même. Il ne décroisa pas les bras, assura son casse-tête dans son poing par un mouvement imperceptible, et dit d'une voix brève et calme :

– Qui êtes-vous ?

35 – Moi.

– Qui, vous ?

– Jean Valjean.

Javert mit le casse-tête entre ses dents, ploya les jarrets, inclina le torse, posa ses deux mains puissantes sur les épaules de Jean 40 Valjean, qui s'y emboîtèrent comme dans deux étaux, l'examina, et le reconnut. Leurs visages se touchaient presque. Le regard de Javert était terrible.

Jean Valjean demeura inerte sous l'étreinte de Javert comme un lion qui consentirait à la griffe d'un lynx.

45 – Inspecteur Javert, dit-il, vous me tenez. D'ailleurs, depuis ce matin je me considère comme votre prisonnier. Je ne vous ai point donné mon adresse pour chercher à vous échapper. Prenez-moi. Seulement, accordez-moi une chose.

Javert semblait ne pas entendre. Il appuyait sur Jean Valjean sa 50 prunelle fixe. Son menton froncé poussait ses lèvres vers son nez, signe de rêverie farouche. Enfin, il lâcha Jean Valjean, se dressa tout d'une pièce, reprit à plein poignet le casse-tête, et, comme dans un songe, murmura plutôt qu'il ne prononça cette question :

– Que faites-vous là ? et qu'est-ce que c'est que cet homme ?

55 Il continuait de ne plus tutoyer Jean Valjean.

Jean Valjean répondit, et le son de sa voix parut réveiller Javert :

– C'est de lui précisément que je voulais vous parler. Disposez de moi comme il vous plaira ; mais aidez-moi d'abord à le rapporter chez lui. Je ne vous demande que cela.

60 La face de Javert se contracta comme cela lui arrivait toutes les fois qu'on semblait le croire capable d'une concession. Cependant il ne dit pas non. [...]

Il saisit la main de Marius, cherchant le pouls.

– C'est un blessé, dit Jean Valjean.

65 – C'est un mort, dit Javert.

Jean Valjean répondit :

– Non. Pas encore.

– Vous l'avez donc apporté de la barricade ici ? observa Javert. [...]

– Il demeure au Marais, rue des Filles-du-Calvaire, chez son 70 aïeul... – Je ne sais plus le nom.

Jean Valjean fouilla dans l'habit de Marius, en tira le portefeuille, l'ouvrit à la page crayonnée par Marius, et le tendit à Javert.

Il y avait encore dans l'air assez de clarté flottante pour qu'on pût lire. Javert, en outre, avait dans l'œil la phosphorescence féline des 75 oiseaux de nuit. Il déchiffra les quelques lignes écrites par Marius, et grommela : – Gillenormand, rue des Filles-du-Calvaire, numéro 6.

Puis il cria :

– Cocher ! [...]

Un moment après, la voiture, descendue par la rampe de l'abreu-80 voir, était sur la berge, Marius était déposé sur la banquette du fond, et Javert s'asseyait près de Jean Valjean sur la banquette de devant. [...]

XI. Ébranlement dans l'absolu

À L'ENTRÉE de la rue de l'Homme-Armé, le fiacre s'arrêta, cette rue étant trop étroite pour que les voitures puissent y pénétrer. Javert et Jean Valjean descendirent. [...]

Il s'engagèrent dans la rue. Elle était, comme d'habitude, déserte. Javert suivait Jean Valjean. Ils arrivèrent au numéro 7. Jean Valjean frappa. La porte s'ouvrit.

– C'est bien, dit Javert. Montez.

Il ajouta avec une expression étrange et comme s'il faisait effort en parlant de la sorte :

– Je vous attends ici.

Jean Valjean regarda Javert. Cette façon de faire était peu dans les habitudes de Javert. [...]

Parvenu au premier étage, il fit une pause. [...] La fenêtre du palier, qui était une fenêtre-guillotine[1], était ouverte. [...]

Jean Valjean, soit pour respirer, soit machinalement, mit la tête à cette fenêtre. Il se pencha sur la rue. Elle est courte et le réverbère l'éclairait d'un bout à l'autre. Jean Valjean eut un éblouissement de stupeur ; il n'y avait plus personne.

Javert s'en était allé.

LIVRE QUATRIÈME
Javert déraillé

XI. Ébranlement dans l'absolu

JAVERT s'était éloigné à pas lents de la rue de l'Homme-Armé.

1. **Fenêtre-guillotine :** fenêtre qui se ferme verticalement.

Il marchait la tête baissée, pour la première fois de sa vie, et, pour la première fois de sa vie également, les mains derrière le dos. [...]

Il s'enfonça dans les rues silencieuses.

Cependant, il suivait une direction.

Il coupa par le plus court vers la Seine, gagna le quai des Ormes, longea le quai, dépassa la Grève, et s'arrêta, à quelque distance du poste de la place du Châtelet, à l'angle du pont Notre-Dame. La Seine fait là, entre le pont Notre-Dame et le Pont au Change d'une part, et d'autre part entre le quai de la Mégisserie et le quai aux Fleurs, une sorte de lac carré traversé par un rapide[1]. [...]

Javert appuya ses deux coudes sur le parapet[2], son menton dans ses deux mains, et, pendant que ses ongles se crispaient machinalement dans l'épaisseur de ses favoris, il songea.

Une nouveauté, une révolution, une catastrophe, venait de se passer au fond de lui-même ; et il y avait de quoi s'examiner.

Javert souffrait affreusement. [...]

Toutes sortes de nouveautés énigmatiques s'entr'ouvraient devant ses yeux. Il s'adressait des questions, et il se faisait des réponses, et ses réponses l'effrayaient. Il se demandait : Ce forçat, ce désespéré, que j'ai poursuivi jusqu'à le persécuter, et qui m'a eu sous son pied, et qui pouvait se venger, et qui le devait tout à la fois pour sa rancune et pour sa sécurité, en me laissant la vie, en me faisant grâce, qu'a-t-il fait ? Son devoir. Non. Quelque chose de plus. Et moi, en lui faisant grâce à mon tour, qu'ai-je fait ? Mon devoir. Non. Quelque chose de plus. Il y a donc quelque chose de plus que le devoir ? Ici il s'effarait ; sa balance se disloquait ; l'un des plateaux tombait dans l'abîme, l'autre s'en allait dans le ciel ; et Javert n'avait pas moins d'épouvante de celui qui était en haut que de celui qui était en bas. Sans être le moins du monde ce qu'on appelle voltairien, ou philosophe, ou incrédule, respectueux au contraire, par instinct, pour l'Église établie, il ne la connaissait que comme un fragment auguste de l'ensemble social ; l'ordre était son dogme[3] et lui suffisait ; depuis qu'il avait l'âge d'homme et de

1. **Rapide :** torrent.
2. **Parapet :** rebord.
3. **Dogme :** loi absolue.

fonctionnaire, il mettait dans la police à peu près toute sa religion, étant, et nous employons ici les mots sans la moindre ironie et dans leur acception[1] la plus sérieuse, étant, nous l'avons dit, espion comme on est prêtre. Il avait un supérieur, M. Gisquet ; il n'avait
40 guère songé jusqu'à ce jour à cet autre supérieur, Dieu.

Ce chef nouveau, Dieu, il le sentait inopinément[2], et en était troublé.

Il était désorienté de cette présence inattendue ; il ne savait que faire de ce supérieur-là, lui qui n'ignorait pas que le subordonné
45 est tenu de se courber toujours, qu'il ne doit ni désobéir, ni blâmer, ni discuter, et que, vis-à-vis d'un supérieur qui l'étonne trop, l'inférieur n'a d'autre ressource que sa démission.

Mais comment s'y prendre pour donner sa démission à Dieu ? [...]

50 L'endroit où Javert s'était accoudé était, on s'en souvient, précisément situé au-dessus du rapide de la Seine, à pic sur cette redoutable spirale de tourbillons qui se dénoue et se renoue comme une vis sans fin. [...]

Javert demeura quelques minutes immobile, regardant cette
55 ouverture de ténèbres ; il considérait l'invisible avec une fixité qui ressemblait à de l'attention. L'eau bruissait. Tout à coup, il ôta son chapeau et le posa sur le rebord du quai. Un moment après, une figure haute et noire, que de loin quelque passant attardé eût pu prendre pour un fantôme, apparut debout sur le parapet, se courba
60 vers la Seine, puis se redressa, et tomba droite dans les ténèbres ; il y eut un clapotement sourd ; et l'ombre seule fut dans le secret des convulsions de cette forme obscure disparue sous l'eau.

---

1. **Acception :** signification.
2. **Inopinément :** par surprise.

Clefs d'analyse

p. 197 à p. 216

Action et personnages

1. Pourquoi l'uniforme apporté par Jean Valjean au chapitre IV est-il si précieux (pages 197-198) ?
2. Pourquoi Enjolras accepte-t-il de laisser son prisonnier s'étendre ? Pensez-vous qu'il en ait pitié ?
3. Pourquoi Thénardier est-il convaincu que Jean Valjean a tué Marius ? Que nous apprend cette certitude sur le personnage ? Vous surprend-elle ?
4. Montrez quelle est l'évolution psychologique de Javert ? Faites la liste des différents événements qui amènent cette évolution. Pourquoi se suicide-t-il ? Montrez que son suicide invite à le ranger dans la catégorie des « misérables », malgré son comportement d'oppresseur.

Langue

5. Page 200, ligne 37 : « Voilà qu'on me tue mes morts ». Pourquoi Gavroche emploie-t-il un possessif ? Commentez l'expression « tuer des morts ». En quoi cette phrase est-elle un symptôme de la désinvolture de Gavroche ?
6. Page 202, ligne 93, « cette petite grande âme » : pourquoi cette alliance de mots est-elle possible ? Que signifient respectivement « petite » et « grande » dans ce contexte ? Proposez une formulation différente qui ait le même sens.
7. « C'était l'heure indécise [...] s'y reconnaître de près » (p. 211, lignes 1 à 4) : trouvez un mot qui désigne ce moment de la journée.
8. Pages 212-213, lignes 38-63 : repérez les connecteurs logiques. Pour chacun d'entre eux, précisez sa nature grammaticale et le type de relation qu'il définit (cause, condition, concession...).

Genre ou thèmes

9. Sur quels jeux de contrastes le récit de la mort de Gavroche (livre I, chapitre XV, pages 199-202) est-il construit ?

10. Pourquoi Victor Hugo a-t-il choisi de décrire de façon détaillée la difficile traversée des égouts ? Quel est le sentiment du lecteur lorsqu'il comprend que la grille fermée empêche Jean Valjean et Marius de sortir ?

Écriture

11. Page 199 : en introduisant les verbes de déclaration qui conviennent, en respectant la concordance des temps et en opérant les changements nécessaires à la clarté et à la correction grammaticale des phrases, réécrivez le dialogue entre Enjolras et Javert.

Pour aller plus loin

12. Page 198, ligne 43 : Enjolras appelle Jean Valjean « citoyen ». Pourquoi ? Quelle est la signification de ce mot ? Quelle relation suppose-t-il entre les hommes ? Quelle est la période de l'histoire de France où l'apostrophe « citoyen » était usuelle ?

✻ *À retenir*

Dans la littérature classique, on appelle « épopée » un long récit en vers qui relate les hauts faits d'un héros et d'une nation. Dans la littérature romantique, le roman, forme moderne, se substitue au poème pour assurer cette fonction. Parallèlement, la figure du héros se modifie et devient parfois inattendue : ici, c'est un enfant, Gavroche, qui assume la fonction épique du héros.

LIVRE CINQUIÈME

Le petit-fils et le grand-père

VI. Les deux vieillards font tout, chacun à leur façon, pour que Cosette soit heureuse

(Chaque jour, Jean Valjean vient chez M. Gillenormand s'informer de la convalescence de Marius. C'est l'occasion d'arranger le mariage entre les deux jeunes gens, auquel le grand-père consent d'autant plus facilement qu'il est séduit par la grâce et la gentillesse de Cosette. Jean Valjean donnera à Cosette une dot de six cent mille francs, une somme considérable qui la met à l'abri du besoin pour toujours...)

ON PRÉPARA tout pour le mariage. Le médecin consulté déclara qu'il pourrait avoir lieu en février. On était en décembre. Quelques ravissantes semaines de bonheur parfait s'écoulèrent.

Le moins heureux n'était pas le grand-père. Il restait des quarts d'heure en contemplation devant Cosette.

– L'admirable jolie fille ! s'écriait-il. Et elle a l'air si douce et si bonne ! Il n'y a pas à dire mamie[1] mon cœur, c'est la plus charmante fille que j'aie vue de ma vie. Plus tard, ça vous aura des vertus avec odeur de violette. C'est une grâce, quoi ! On ne peut que vivre noblement avec une telle créature. Marius, mon garçon, tu es baron, tu es riche, n'avocasse pas[2], je t'en supplie.

Cosette et Marius étaient passés brusquement du sépulcre[3] au paradis. La transition avait été peu ménagée, et ils en auraient été étourdis s'ils n'en avaient été éblouis.

– Comprends-tu quelque chose à cela ? disait Marius à Cosette.

– Non, répondit Cosette, mais il me semble que le bon Dieu nous regarde.

---

1. **Mamie :** contraction de « mon amie ».
2. **N'avocasse pas :** ne chicane pas, n'ergote pas.
3. **Sépulcre :** tombeau.

Jean Valjean fit tout, aplanit tout, concilia tout, rendit tout facile.
25 Il se hâtait vers le bonheur de Cosette avec autant d'empressement, et, en apparence, de joie, que Cosette elle-même.

Comme il avait été maire, il sut résoudre un problème délicat, dans le secret duquel il était seul, l'état civil de Cosette. Dire crûment[1] l'origine, qui sait ? cela eût pu empêcher le mariage. Il tira
30 Cosette de toutes les difficultés. Il lui arrangea une famille de gens morts, moyen sûr de n'encourir aucune réclamation. [...]

Cosette apprit qu'elle n'était pas la fille de ce vieux homme qu'elle avait si longtemps appelé père. Ce n'était qu'un parent ; un autre Fauchelevent était son père véritable. Dans tout autre
35 moment, cela l'eût navrée. Mais à l'heure ineffable où elle était, ce ne fut qu'un peu d'ombre, un rembrunissement[2], et elle avait tant de joie que ce nuage dura peu. Elle avait Marius. Le jeune homme arrivait, le bonhomme s'effaçait ; la vie est ainsi.

Et puis, Cosette était habituée depuis de longues années à voir
40 autour d'elle des énigmes ; tout être qui a eu une enfance mystérieuse est toujours prêt à de certains renoncements.

Elle continua pourtant de dire à Jean Valjean : Père.

VIII. Deux hommes impossibles à retrouver

L'ENCHANTEMENT, si grand qu'il fût, n'effaça point dans l'esprit de Marius d'autres préoccupations.

Pendant que le mariage s'apprêtait et en attendant l'époque fixée, il fit faire de difficiles et scrupuleuses recherches rétrospectives[3].
5 Il devait la reconnaissance de plusieurs côtés ; il en devait pour son père, il en devait pour lui-même.

Il y avait Thénardier ; il y avait l'inconnu qui l'avait rapporté, lui Marius, chez M. Gillenormand.

---

1. **Crûment :** brutalement.
2. **Rembrunissement :** assombrissement.
3. **Rétrospectives :** qui portent sur le passé.

Marius tenait à retrouver ces deux hommes, n'entendant point
10 se marier, être heureux et les oublier, et craignant que ces dettes du devoir non payées ne fissent ombre sur sa vie, si lumineuse désormais. Il lui était impossible de laisser tout cet arriéré en souffrance[1] derrière lui, et il voulait, avant d'entrer joyeusement dans l'avenir, avoir quittance du passé. [...]

15 De cet homme, qui était son sauveur, rien ; nulle trace ; pas le moindre indice. [...]

Dans l'espoir d'en tirer parti pour ses recherches, Marius fit conserver les vêtements ensanglantés qu'il avait sur le corps, lorsqu'on l'avait ramené chez son aïeul. En examinant l'habit, on remarqua qu'un
20 pan était bizarrement déchiré. Un morceau manquait.

Un soir, Marius parlait, devant Cosette et Jean Valjean, de toute cette singulière aventure, des informations sans nombre qu'il avait prises et de l'inutilité de ses efforts. Le visage froid de « monsieur Fauchelevent » l'impatientait. Il s'écria avec une vivacité qui avait
25 presque la vibration de la colère :

– Oui, cet homme-là, quel qu'il soit, a été sublime. Savez-vous ce qu'il a fait, monsieur ? Il est intervenu comme l'archange[2]. Il a fallu qu'il se jetât au milieu du combat, qu'il me dérobât, qu'il ouvrît l'égout, qu'il m'y traînât, qu'il m'y portât ! Il a fallu qu'il fît plus
30 d'une lieue et demie dans d'affreuses galeries souterraines, courbé, ployé, dans les ténèbres, dans le cloaque, plus d'une lieue et demie, monsieur, avec un cadavre sur le dos ! Et dans quel but ? Dans l'unique but de sauver ce cadavre. Et ce cadavre, c'était moi. Il s'est dit : Il y a encore là peut-être une lueur de vie ; je vais risquer mon
35 existence à moi pour cette misérable étincelle ! Et son existence, il ne l'a pas risquée une fois, mais vingt ! Et chaque pas était un danger. La preuve, c'est qu'en sortant de l'égout il a été arrêté. Savez-vous, monsieur, que cet homme a fait tout cela ? Et aucune récompense à attendre. Qu'étais-je ? Un insurgé. Qu'étais-je ? Un vaincu. Oh ! si
40 les six cent mille francs de Cosette étaient à moi...

– Ils sont à vous, interrompit Jean Valjean.

– Eh bien, reprit Marius, je les donnerais pour retrouver cet homme !

Jean Valjean garda le silence.

---

1. **Arriéré en souffrance :** dette impayée.
2. **Archange :** ange appartenant à une classe supérieure, chargé de combattre le Mal.

LIVRE SIXIÈME
La nuit blanche

II. Jean Valjean a toujours son bras en écharpe

(Le mariage de Cosette et de Marius a lieu le 16 février 1833. Jean Valjean y apparaît avec un bras en écharpe, ce qui l'empêche de signer l'acte de mariage. Lors de la soirée, celui qu'on appelle toujours M. Fauchelevent semble triste et absent...)

5 LES CONVIVES, précédés de M. Gillenormand donnant le bras à Cosette, entrèrent dans la salle à manger, et se répandirent, selon l'ordre voulu, autour de la table.

Deux grand fauteuils y figuraient, à droite et à gauche de la mariée, le premier pour M. Gillenormand, le second pour Jean 10 Valjean. M. Gillenormand s'assit. L'autre fauteuil resta vide.

On chercha des yeux « monsieur Fauchelevent ».

Il n'était plus là.

M. Gillenormand interpella Basque[1].

– Sais-tu où est monsieur Fauchelevent ?

15 – Monsieur, répondit Basque, précisément. Monsieur Fauchelevent m'a dit de dire à monsieur qu'il souffrait un peu de sa main malade, et qu'il ne pourrait dîner avec monsieur le baron et madame la baronne. Qu'il priait qu'on l'excusât. Qu'il viendrait demain matin. Il vient de sortir. [...]

III. L'inséparable

QU'ÉTAIT devenu Jean Valjean ? [...]

Il quitta la rue des Filles-du-Calvaire et s'en revint rue de l'Homme-Armé. [...]

---

1. **Basque :** nom du domestique de M. Gillenormand.

Il alluma sa chandelle et monta. L'appartement était vide. Toussaint elle-même n'y était plus. Le pas de Jean Valjean faisait dans les chambres plus de bruit qu'à l'ordinaire. Toutes les armoires étaient ouvertes. Il pénétra dans la chambre de Cosette. Il n'y avait pas de draps au lit. L'oreiller de coutil[1], sans taie et sans dentelles, était posé sur les couvertures pliées au pied des matelas dont on voyait la toile et où personne ne devait plus coucher. Tous les petits objets féminins auxquels tenait Cosette avaient été emportés ; il ne restait que les gros meubles et les quatre murs. Le lit de Toussait était également dégarni. Un seul lit était fait et semblait attendre quelqu'un ; c'était celui de Jean Valjean. [...]

Il s'approcha de son lit, et ses yeux s'arrêtèrent, fut-ce par hasard ? fut-ce avec intention ? sur l'*inséparable* dont Cosette avait été jalouse, sur la petite malle qui ne le quittait jamais. Le 4 juin, en arrivant rue de l'Homme-Armé, il l'avait déposée sur un guéridon près de son chevet. Il alla à ce guéridon avec une sorte de vivacité, prit dans sa poche une clef, et ouvrit la valise.

Il en tira lentement les vêtements avec lesquels, dix ans auparavant, Cosette avait quitté Montfermeil ; d'abord la petite robe noire, puis le fichu noir, puis les bons gros souliers d'enfant que Cosette aurait presque pu mettre encore, tant elle avait le pied petit, puis la brassière de futaine bien épaisse, puis le jupon de tricot, puis le tablier à poches, puis les bas de laine. Ces bas, où était encore gracieusement marquée la forme d'une petite jambe, n'étaient guère plus longs que la main de Jean Valjean. Tout cela était de couleur noire. C'était lui qui avait apporté ces vêtements pour elle à Montfermeil. [...]

Alors sa vénérable tête blanche tomba sur le lit, ce vieux cœur stoïque[2] se brisa, sa face s'abîma[3] pour ainsi dire dans les vêtements de Cosette, et si quelqu'un eût passé dans l'escalier en ce moment, on eût entendu d'effrayants sanglots. [...]

---

1. **Coutil :** tissu de grosse toile.
2. **Stoïque :** qui supporte la douleur sans se plaindre.
3. **S'abîma :** disparut.

IV. « Immortale jecur »[1]

CETTE NUIT-LÀ, Jean Valjean sentit qu'il livrait son dernier combat.

Une question se présentait, poignante. [...]

De quelle façon Jean Valjean allait-il se comporter avec le bonheur de Cosette et de Marius ? Ce bonheur, c'était lui qui l'avait voulu, c'était lui qui l'avait fait ; il se l'était lui-même enfoncé dans les entrailles, et à cette heure, en le considérant, il pouvait avoir l'espèce de satisfaction qu'aurait un armurier qui reconnaîtrait sa marque de fabrique sur un couteau, en se le retirant tout fumant de la poitrine.

Cosette avait Marius. Marius possédait Cosette. Ils avaient tout, même la richesse. Et c'était son œuvre.

Mais ce bonheur, maintenant qu'il existait, maintenant qu'il était là, qu'allait-il en faire, lui Jean Valjean ? S'introduirait-il tranquillement dans la maison de Cosette ? Apporterait-il, sans dire mot, son passé à cet avenir ? Se présenterait-il là comme ayant droit, et viendrait-il s'asseoir, voilé, à ce lumineux foyer ? Prendrait-il, en leur souriant, les mains de ces innocents dans ses deux mains tragiques ? Poserait-il sur les paisibles chenets[2] du salon Gillenormand ses pieds qui traînaient derrière eux l'ombre infamante de la loi ? Entrerait-il en participation de chances avec Cosette et Marius ? Épaissirait-il l'obscurité sur son front et le nuage sur le leur ? Mettrait-il en tiers avec leurs deux félicités sa catastrophe ? Continuerait-il de se taire ? En un mot serait-il, près de ces deux êtres heureux, le sinistre muet de la destinée ?

Il faut être habitué à la fatalité et à ses rencontres pour oser lever les yeux quand de certaines questions nous apparaissent dans leur nudité horrible. Le bien ou le mal sont derrière ce sévère point d'interrogation. Que vas-tu faire ? demande le sphinx.

Cette habitude de l'épreuve, Jean Valjean l'avait. Il regarda le sphinx fixement.

Il examina l'impitoyable problème sous toutes ses faces.

---

1. **« Immortale jecur » :** littéralement « le foie immortel ». Dans l'Antiquité, le foie était l'organe des passions (comme pour nous le cœur).
2. **Chenets :** support de métal sur lequel on pose le bois dans une cheminée.

Cosette, cette existence charmante, était le radeau de ce naufragé. Que faire ? S'y cramponner, ou lâcher prise ?

S'il s'y cramponnait, il sortait du désastre, il remontait au soleil, il laissait ruisseler de ses vêtements et de ses cheveux l'eau amère, il était sauvé, il vivait.

Allait-il lâcher prise ?

Alors, l'abîme.

Il tenait ainsi douloureusement conseil avec sa pensée. Ou, pour mieux dire, il combattait ; il se ruait, furieux, au-dedans de lui-même, tantôt contre sa volonté, tantôt contre sa conviction. [...]

(Jean Valjean passe encore une de ces terribles nuits où son âme est le théâtre d'un débat déchirant. Au matin, il décide de se sacrifier au bonheur de Cosette.)

LIVRE SEPTIÈME

La dernière gorgée du calice

I. Le septième cercle et le huitième ciel

LE MATIN du 17 février, il était un peu plus de midi quand Basque, la serviette et le plumeau sous le bras, occupé « à faire son antichambre », entendit un léger frappement à la porte. On n'avait point sonné, ce qui est discret un pareil jour. Basque ouvrit et vit M. Fauchelevent. Il l'introduisit dans le salon, encore encombré et sens dessus dessous, et qui avait l'air du champ de bataille des joies de la veille. [...]

Jean Valjean resta seul.

Quelques minutes s'écoulèrent. [...]

Un bruit se fit à la porte, il leva les yeux.

Marius entra, la tête haute, la bouche riante, on ne sait quelle lumière sur le visage, le front épanoui, l'œil triomphant. Lui aussi n'avait pas dormi. [...]

– Que je suis content de vous voir ! Si vous saviez comme vous nous avez manqué hier ! Bonjour, père. Comment va votre main ? Mieux, n'est-ce pas ?

Et, satisfait de la bonne réponse qu'il se faisait à lui-même, il poursuivit :

– Nous avons bien parlé de vous tous les deux. Cosette vous aime tant ! Vous n'oubliez pas que vous avez votre chambre ici. Nous ne voulons plus de la rue de l'Homme-Armé. Nous n'en voulons plus du tout. Comment aviez-vous pu aller demeurer dans une rue comme ça, qui est malade, qui est grognon, qui est laide, qui a une barrière à un bout, où l'on a froid, où l'on ne peut pas entrer ? Vous viendrez vous installer ici. Et dès aujourd'hui. Ou vous aurez affaire à Cosette. Elle entend nous mener tous par le bout du nez, je vous en préviens. Vous avez vu votre chambre, elle est tout près de la nôtre ; elle donne sur des jardins ; on a fait arranger ce qu'il y avait à la serrure, le lit est fait, elle est toute prête, vous n'avez qu'à arriver. Cosette a mis près de votre lit une grande vieille bergère en velours d'Utrecht, à qui elle a dit : « Tends-lui les bras. » Tous les printemps, dans le massif d'acacias qui est en face de vos fenêtres, il vient un rossignol. Vous l'aurez dans deux mois. Vous aurez son nid à votre gauche et le nôtre à votre droite. [...] Nous sommes absolument décidés à être très heureux. Et vous en serez, de notre bonheur, entendez-vous, père ? Ah çà, vous déjeunez avec nous aujourd'hui ?

– Monsieur, dit Jean Valjean, j'ai une chose à vous dire. Je suis un ancien forçat. [...]

Jean Valjean dénoua la cravate noire qui lui soutenait le bras droit, défit le linge roulé autour de sa main, mit son pouce à nu et le montra à Marius.

– Je n'ai rien à la main, dit-il.

Marius regarda le pouce.

– Je n'y ai jamais rien eu, reprit Jean Valjean.

Il n'y avait en effet aucune trace de blessure.

Jean Valjean poursuivit :

– Il convenait que je fusse absent de votre mariage. Je me suis fait absent le plus que j'ai pu. J'ai supposé cette blessure pour ne point faire un faux, pour ne pas introduire de nullité dans les actes du mariage[1], pour être dispensé de signer.

Marius bégaya :

– Qu'est-ce que cela veut dire ?

– Cela veut dire, répondit Jean Valjean, que j'ai été aux galères.

– Vous me rendez fou ! s'écria Marius épouvanté.

– Monsieur Pontmercy, dit Jean Valjean, j'ai été dix-neuf ans aux galères. Pour vol. Puis j'ai été condamné à perpétuité. Pour vol. Pour récidive. À l'heure qu'il est, je suis en rupture de ban[2].

Marius avait beau reculer devant la réalité, refuser le fait, résister à l'évidence, il fallait s'y rendre. [...]

Et il fit deux pas en arrière avec un mouvement d'indicible horreur. [...]

– Mais enfin, s'écria-t-il, pourquoi me dites-vous tout cela ? Qu'est-ce qui vous y force ? Vous pouviez vous garder le secret à vous-même. Vous n'êtes ni dénoncé, ni poursuivi, ni traqué ? Vous avez une raison pour faire, de gaîté de cœur, une telle révélation. Achevez. Il y a autre chose. À quel propos faites-vous cet aveu ? Pour quel motif ?

– Pour quel motif ? répondit Jean Valjean d'une voix si basse et si sourde qu'on eût dit que c'était à lui-même qu'il parlait plus qu'à Marius. Pour quel motif, en effet, ce forçat vient-il dire : Je suis un forçat ? Eh bien oui ! le motif est étrange. C'est par honnêteté. [...] Je pouvais mentir, c'est vrai, vous tromper tous, rester monsieur Fauchelevent. Tant que cela a été pour elle, j'ai pu mentir ; mais maintenant ce serait pour moi, je ne le dois pas. Il suffisait de me taire, c'est vrai, et tout continuait. Vous me demandez ce qui me force à parler ? une drôle de chose, ma conscience. [...] Il y a un silence qui ment. Et mon mensonge, et ma fraude[3], et mon indignité, et ma lâcheté, et ma trahison, et mon crime, je l'aurais bu goutte à goutte, je l'aurais recraché, puis rebu, j'aurais fini à minuit et recommencé à midi, et mon bonjour aurait menti, et mon bonsoir aurait menti, et j'aurais dormi là-dessus, et j'aurais mangé cela avec mon pain, et j'aurais regardé

1. **Pour ne pas introduire de nullité dans les actes du mariage :** pour ne pas risquer de faire annuler le mariage.
2. **En rupture de ban :** en fuite.
3. **Fraude :** trahison.

Cosette en face, et j'aurais répondu au sourire de l'ange par le sourire du damné, et j'aurais été un fourbe abominable ! Pourquoi faire ? pour être heureux. Pour être heureux, moi ! Est-ce que j'ai le droit
85 d'être heureux ? Je suis hors de la vie, monsieur.

Jean Valjean s'arrêta. Marius écoutait. [...]

– Pauvre Cosette ! murmura-t-il, quand elle va savoir...

À ce mot, Jean Valjean trembla de tous ses membres. Il fixa sur Marius un œil égaré.

90 – Cosette ! oh oui, c'est vrai, vous allez dire cela à Cosette. C'est juste. Tiens, je n'y avais pas pensé. On a de la force pour une chose, on n'en a pas pour une autre. Monsieur, je vous en conjure, je vous en supplie, monsieur, donnez-moi votre parole la plus sacrée, ne le lui dites pas. [...]

95 Il s'affaissa sur un fauteuil et cacha son visage dans ses deux mains. On ne l'entendait pas, mais aux secousses de ses épaules, on voyait qu'il pleurait. Pleurs silencieux, pleurs terribles. [...]

– Tout est à peu près fini. Il me reste une dernière chose...

– Laquelle ?

100 Jean Valjean eut comme une suprême hésitation, et, sans voix, presque sans souffle, il balbutia plus qu'il ne dit :

– À présent que vous savez, croyez-vous, monsieur, vous qui êtes le maître, que je ne dois plus voir Cosette ?

– Je crois que ce serait mieux, répondit froidement Marius.

105 – Je ne la verrai plus, murmura Jean Valjean.

Et il se dirigea vers la porte. [...]

Il n'était plus pâle, il était livide, il n'y avait plus de larmes dans ses yeux, mais une sorte de flamme tragique. Sa voix était redevenue étrangement calme.

110 – Tenez, monsieur, dit-il, si vous voulez, je viendrai la voir. Je vous assure que je le désire beaucoup. Si je n'avais pas tenu à voir Cosette, je ne vous aurais pas fait l'aveu que je vous ai fait, je serais parti ; mais voulant rester dans l'endroit où est Cosette et continuer de la voir, j'ai dû honnêtement tout vous dire. [...]

115 – Vous viendrez tous les soirs, dit Marius, et Cosette vous attendra.

– Vous êtes bon, monsieur, dit Jean Valjean.

Marius salua Jean Valjean, le bonheur reconduisit jusqu'à la porte le désespoir, et ces deux hommes se quittèrent.

120 *(Comme promis, Jean Valjean vient souvent rendre visite à Cosette ; mais au fur et à mesure, il espace ses visites, supportant de plus en plus mal le mensonge qui le sépare de cette jeune femme si heureuse, mais aussi le dégoût silencieux de Marius. Un jour, il ne sort pas de chez lui ; puis il ne sort pas de son lit : la maladie qui le gagne est*
125 *incurable, elle est logée au plus profond de son cœur...)*

LIVRE NEUVIÈME

Suprême ombre, suprême aurore

II. Dernières palpitations de la lampe sans huile

JEAN VALJEAN un jour descendit son escalier, fit trois pas dans la rue, s'assit sur une borne, sur cette même borne où Gavroche, dans la nuit du 5 au 6 juin, l'avait trouvé songeant ; il resta là quelques minutes, puis remonta. Ce fut la dernière oscillation du pendule.
5 Le lendemain, il ne sortit pas de chez lui. Le surlendemain, il ne sortit pas de son lit. [...]

IV. Bouteille d'encre qui ne réussit qu'à blanchir

(Un soir, Jean Valjean, très affaibli, sent que sa fin est proche. Il commence à écrire une dernière lettre à Cosette. Pendant ce temps, voici ce qui se passait chez les Pontmercy...)

CE MÊME JOUR, ou, pour mieux dire, ce même soir, comme Marius
5 sortait de table et venait de se retirer dans son cabinet, ayant un

dossier à étudier, Basque lui avait remis une lettre en disant : La personne qui a écrit la lettre est dans l'antichambre. [...]

Marius la prit. Elle sentait le tabac. Rien n'éveille un souvenir comme une odeur. Marius reconnut ce tabac. Il regarda la sus-
10 cription : *À monsieur, monsieur le baron Pommerci. En son hôtel.* Le tabac reconnu lui fit reconnaître l'écriture. On pourrait dire que l'étonnement a des éclairs. Marius fut comme illuminé d'un de ces éclairs-là. [...]

Il décacheta avidement la lettre, et il lut :

15 « Monsieur le baron,

Si l'Être Suprême m'en avait donné les talents, j'aurais pu être le baron Thénard, membre de l'institut (académie des ciences), mais je ne le suis pas. Je porte seulement le même nom que lui, heureux si ce souvenir me recommande à l'excellence de vos
20 bontés. Le bienfait dont vous m'honorerez sera réciproque. Je suis en possession d'un secret consernant un individu. Cet individu vous conserne. Je tiens le secret à votre disposition désirant avoir l'honneur de vous être hutile. Je vous donnerai le moyen simple de chaser de votre honorable famille cet individu qui n'y a pas
25 droit, madame la barone étant de haute naissance. Le sanctuaire de la vertu ne pourrait coabiter plus longtemps avec le crime sans abdiquer[1].

J'atends dans l'entichambre les ordres de monsieur le baron.

Avec respect. »

30 La lettre était signée « Thénard ».

Cette signature n'était pas fausse. Elle était seulement un peu abrégée. [...]

Il ouvrit un tiroir de son secrétaire, y prit quelques billets de banque, les mit dans sa poche, referma le secrétaire et sonna.
35 Basque entre-bâilla la porte.

– Faites entrer, dit Marius.

Basque annonça :

– Monsieur Thénard.

Un homme entra.

40 Nouvelle surprise pour Marius. L'homme qui entra lui était parfaitement inconnu. [...]

---

1. **Abdiquer :** renoncer.

Il l'examina des pieds à la tête, pendant que le personnage s'inclinait démesurément, et lui demanda d'un ton bref :

– Que voulez-vous ?

45 L'homme répondit avec un rictus aimable dont le sourire caressant d'un crocodile donnerait quelque idée : [...]

– Je voudrais aller m'établir à la Joya. Nous sommes trois. J'ai mon épouse et ma demoiselle ; une fille qui est fort belle. Le voyage est long et cher. Il me faut un peu d'argent.

50 – En quoi cela me regarde-t-il ? demanda Marius.

L'inconnu tendit le cou hors de sa cravate, geste propre au vautour, et répliqua avec un redoublement de sourire :

– Est-ce que monsieur le baron n'a pas lu ma lettre ? [...]

– Précisez.

55 L'inconnu inséra ses deux mains dans ses deux goussets, releva sa tête sans redresser son épine dorsale, mais en scrutant de son côté Marius avec le regard vert de ses lunettes.

– Soit, monsieur le baron. Je précise. J'ai un secret à vous vendre.

– Un secret !

60 – Un secret.

– Qui me concerne ?

– Un peu.

– Quel est ce secret ? [...]

– Monsieur le baron, vous avez chez vous un voleur et un
65 assassin.

Marius tressaillit.

– Chez moi ? non, dit-il.

L'inconnu, imperturbable, brossa son chapeau du coude, et poursuivit :

70 – Assassin et voleur. [...] Cet homme s'est glissé dans votre confiance, et presque dans votre famille, sous un faux nom. Je vais vous dire son nom vrai. Et vous le dire pour rien.

– J'écoute.

– Il s'appelle Jean Valjean.

75 – Je le sais.

– Je vais vous dire, également pour rien, qui il est.

– Dites.

– C'est un ancien forçat. [...]

Marius le regarda fixement :

80 – Je sais votre secret extraordinaire ; de même que je savais le nom de Jean Valjean, de même que je sais votre nom.

– Mon nom ?

– Oui.

– Ce n'est pas difficile, monsieur le baron. J'ai eu l'honneur de 85 vous l'écrire et de vous le dire. Thénard.

– Dier.

– Hein ? [...]

– Thénardier, je vous ai dit votre nom. À présent, votre secret, ce que vous veniez m'apprendre, voulez-vous que je vous le dise ? 90 J'ai mes informations aussi, moi. Vous allez voir que j'en sais plus long que vous. Jean Valjean, comme vous l'avez dit, est un assassin et un voleur. Un voleur, parce qu'il a volé un riche manufacturier dont il a causé la ruine, M. Madeleine. Un assassin, parce qu'il a assassiné l'agent de police Javert.

95 – Je ne comprends pas, monsieur le baron, fit Thénardier. [...]

– Quoi ! repartit Marius, contestez-vous cela ? Ce sont des faits.

– Ce sont des chimères. La confiance dont monsieur le baron m'honore me fait un devoir de le lui dire. Avant tout la vérité et la justice. Je n'aime pas voir accuser les gens injustement. Monsieur 100 le baron, Jean Valjean n'a point volé M. Madeleine, et Jean Valjean n'a point tué Javert.

– Voilà qui est fort ! comment cela ?

– Pour deux raisons.

– Lesquelles ? parlez.

105 – Voici la première : il n'a pas volé M. Madeleine, attendu que c'est lui-même Jean Valjean qui est M. Madeleine.

– Que me contez-vous là ?

– Et voici la seconde : il n'a pas assassiné Javert, attendu que celui qui a tué Javert, c'est Javert.

110 – Que voulez-vous dire ?

– Que Javert s'est suicidé. [...]

– Eh bien alors, ce malheureux est un admirable homme ! toute cette fortune était vraiment à lui ! c'est Madeleine, la providence de tout un pays ! c'est Jean Valjean, le sauveur de Javert ! c'est un 115 héros ! c'est un saint !

– Ce n'est pas un saint, et ce n'est pas un héros, dit Thénardier. C'est un assassin et un voleur.

Et il ajouta du ton d'un homme qui commence à se sentir quelque autorité : – Calmons-nous.

120 Voleur, assassin, ces mots que Marius croyait disparus, et qui revenaient, tombèrent sur lui comme une douche de glace.

– Encore ! dit-il. [...]

– Monsieur le baron, le 6 juin 1832, il y a un an environ, le jour de l'émeute, un homme était dans le Grand Égout de Paris, du côté 125 où l'égout vient rejoindre la Seine, entre le pont des Invalides et le pont d'Iéna. [...] Cet homme, forcé de se cacher, pour des raisons du reste étrangères à la politique, avait pris l'égout pour domicile et en avait une clef. [...] Chose étrange, il y avait dans l'égout un autre homme que lui. La grille de sortie de l'égout n'était pas loin. Un 130 peu de lumière qui en venait lui permit de reconnaître le nouveau venu et de voir que cet homme portait quelque chose sur son dos. Il marchait courbé. L'homme qui marchait courbé était un ancien forçat, et ce qu'il traînait sur ses épaules était un cadavre. Flagrant délit d'assassinat, s'il en fut. Quant au vol, il va de soi ; on ne tue 135 pas un homme gratis. Ce forçat allait jeter ce cadavre à la rivière. [...] Monsieur le baron, un égout n'est pas le Champ de Mars. On y manque de tout, et même de place. Quand deux hommes sont là, il faut qu'ils se rencontrent. C'est ce qui arriva. Le domicilié et le passant furent forcés de se dire bonjour, à regret l'un et l'autre. Le 140 passant dit au domicilié : – *Tu vois ce que j'ai sur le dos, il faut que je sorte, tu as la clef, donne-la-moi.* Ce forçat était un homme d'une force terrible. Il n'y avait pas à refuser. Pourtant celui qui avait la clef parlementa, uniquement pour gagner du temps. Il examina ce mort, mais il ne put rien voir, sinon qu'il était jeune, bien mis, l'air 145 d'un riche, et tout défiguré par le sang. Tout en causant, il trouva moyen de déchirer et d'arracher par derrière, sans que l'assassin s'en aperçût, un morceau de l'habit de l'homme assassiné. [...] Celui qui portait le cadavre, c'est Jean Valjean ; celui qui avait la clef vous parle en ce moment ; et le morceau de l'habit...

150 Thénardier acheva la phrase en tirant de sa poche et en tenant, à la hauteur de ses yeux, pincé entre ses deux pouces et ses deux index, un lambeau de drap noir déchiqueté, tout couvert de taches sombres.

Marius s'était levé, pâle, respirant à peine, l'œil fixé sur le mor-155 ceau de drap noir, et, sans prononcer une parole, sans quitter ce

haillon du regard, il reculait vers le mur et, de sa main droite étendue derrière lui, cherchait en tâtonnant sur la muraille une clef qui était à la serrure d'un placard près de la cheminée. Il trouva cette clef, ouvrit le placard, et y enfonça son bras sans y regarder, et
160 sans que sa prunelle effarée se détachât du chiffon que Thénardier tenait déployé. [...]

– Le jeune homme était moi, et voici l'habit ! cria Marius, et il jeta sur le parquet un vieil habit noir tout sanglant.

Puis, arrachant le morceau des mains de Thénardier, il s'accroupit
165 sur l'habit, et rapprocha du pan déchiqueté le morceau déchiré. La déchirure s'adaptait exactement, et le lambeau complétait l'habit.

Thénardier était pétrifié. Il pensa ceci : Je suis épaté.

Marius se redressa frémissant, désespéré, rayonnant.

170 Il fouilla dans sa poche, et marcha, furieux, vers Thénardier, lui présentant et lui appuyant presque sur le visage son poing rempli de billets de cinq cents francs et de mille francs.

– Vous êtes un infâme ! vous êtes un menteur, un calomniateur[1], un scélérat. Vous veniez accuser cet homme, vous l'avez justifié ;
175 vous vouliez le perdre, vous n'avez réussi qu'à le glorifier. Et c'est vous qui êtes un voleur ! Et c'est vous qui êtes un assassin ! Je vous ai vu, Thénardier Jondrette, dans ce bouge du boulevard de l'Hôpital. J'en sais assez sur vous pour vous envoyer au bagne, et plus loin même, si je voulais. Tenez, voilà mille francs, sacripant
180 que vous êtes ! [...]

V. Nuit derrière laquelle il y a le jour

(Marius se précipite dans un fiacre en attrapant Cosette au vol. Sur le chemin de la rue de l'Homme-Armé, il explique à sa jeune épouse que M. Fauchelevent, qu'il appelle M. Jean depuis la scène de l'aveu, n'est autre que celui qui lui a sauvé la vie sur la barricade. C'est

1. **Calomniateur** : qui lance de fausses accusations.

5 *rempli de reconnaissance et d'affection que le couple arrive au chevet du mourant...)*

IL FIT SIGNE à Cosette d'approcher, puis à Marius ; c'était évidemment la dernière minute de la dernière heure, et il se mit à leur parler d'une voix si faible qu'elle semblait venir de loin, et qu'on
10 eût dit qu'il y avait dès à présent une muraille entre eux et lui.

– Approche, approchez tous deux. Je vous aime bien. Oh ! c'est bon de mourir comme cela ! [...] J'écrivais tout à l'heure à Cosette. Elle trouvera ma lettre. C'est à elle que je lègue les deux chandeliers qui sont sur la cheminée. Ils sont en argent ; mais pour moi ils
15 sont en or, ils sont en diamant ; ils changent les chandelles qu'on y met, en cierges[1]. Je ne sais pas si celui qui me les a donnés est content de moi là-haut. J'ai fait ce que j'ai pu. Mes enfants, vous n'oublierez pas que je suis un pauvre, vous me ferez enterrer dans le premier coin de terre venu sous une pierre pour marquer l'endroit.
20 C'est là ma volonté. Pas de nom sur la pierre. Si Cosette veut venir un peu quelquefois, cela me fera plaisir. Vous aussi, monsieur Pontmercy. Il faut que je vous avoue que je ne vous ai pas toujours aimé ; je vous en demande pardon. Maintenant, elle et vous, vous n'êtes qu'un pour moi. Je vous suis très reconnaissant. Je sens que
25 vous rendez Cosette heureuse. Si vous saviez, monsieur Pontmercy, ses belles joues roses, c'était ma joie ; quand je la voyais un peu pâle, j'étais triste. Il y a dans la commode un billet de cinq cents francs. Je n'y ai pas touché. C'est pour les pauvres. Cosette, vois-tu ta petite robe, là, sur le lit ? la reconnais-tu ? Il n'y a pourtant que
30 dix ans de cela. Comme le temps passe ! Nous avons été bien heureux. C'est fini. Mes enfants, ne pleurez pas, je ne vais pas très loin. Je vous verrai de là. Vous n'aurez qu'à regarder quand il fera nuit, vous me verrez sourire. Cosette, te rappelles-tu Montfermeil ? Tu étais dans le bois, tu avais bien peur ; te rappelles-tu quand j'ai
35 pris l'anse du seau d'eau ? C'est la première fois que j'ai touché ta pauvre petite main. Elle était si froide ! Ah ! vous aviez les mains rouges dans ce temps-là, mademoiselle, vous les avez bien blanches maintenant. Et la grande poupée ! te rappelles-tu ? Tu la nommais Catherine. Tu regrettais de ne pas l'avoir emmenée au
40 couvent ! Comme tu m'as fait rire des fois, mon doux ange ! Quand il avait plu, tu embarquais sur les ruisseaux des brins de paille, et

tu les regardais aller. Un jour, je t'ai donné une raquette en osier, et un volant[1] avec des plumes jaunes, bleues, vertes. Tu l'as oublié, toi. Tu étais si espiègle toute petite ! Tu jouais. Tu te mettais des cerises aux oreilles. Ce sont là des choses du passé. Les forêts où l'on a passé avec son enfant, les arbres où l'on s'est promené, les couvents où l'on s'est caché, les jeux, les bons rires de l'enfance, c'est de l'ombre. Je m'étais imaginé que tout cela m'appartenait. Voilà où était ma bêtise. Ces Thénardier ont été méchants. Il faut leur pardonner. Cosette, voici le moment venu de te dire le nom de ta mère. Elle s'appelait Fantine. Retiens ce nom-là : Fantine. Mets-toi à genoux toutes les fois que tu le prononceras. Elle a bien souffert. Elle t'a bien aimée. Elle a eu en malheur tout ce que tu as en bonheur. Ce sont les partages de Dieu. Il est là-haut, il nous voit tous, et il sait ce qu'il fait au milieu de ses grandes étoiles. Je vais donc m'en aller, mes enfants. Aimez-vous bien toujours. Il n'y a guère autre chose que cela dans le monde : s'aimer. Vous penserez quelquefois au pauvre vieux qui est mort ici. Ô ma Cosette ! ce n'est pas ma faute, va, si je ne t'ai pas vue tous ces temps-ci, cela me fendait le cœur ; j'allais jusqu'au coin de ta rue, je devais faire un drôle d'effet aux gens qui me voyaient passer, j'étais comme fou, un fois je suis sorti sans chapeau. Mes enfants, voici que je ne vois plus très clair, j'avais encore des choses à dire, mais c'est égal[1]. Pensez un peu à moi. Vous êtes des êtres bénis. Je ne sais pas ce que j'ai, je vois de la lumière. Approchez encore. Je meurs heureux. Donnez-moi vos chères têtes bien-aimées, que je mette mes mains dessus.

Cosette et Marius tombèrent à genoux, éperdus[2], étouffés de larmes, chacun sur une des mains de Jean Valjean. Ces mains augustes ne remuaient plus.

Il était renversé en arrière, la lueur des deux chandeliers l'éclairait ; sa face blanche regardait le ciel, il laissait Cosette et Marius couvrir ses mains de baisers ; il était mort. [...]

---

1. **Volant :** projectile léger dont on se sert comme d'une balle.

VI. L'herbe cache et la pluie efface

Il y a, au cimetière du Père-Lachaise, aux environs de la fosse commune, loin du quartier élégant de cette ville des sépulcres, loin de tous ces tombeaux de fantaisie qui étalent en présence de l'éternité les hideuses modes de la mort, dans un angle désert, le long d'un vieux mur, sous un grand if[1] auquel grimpent, parmi les chiendents[2] et les mousses, les liserons[3], une pierre. [...]

Cette pierre est toute nue. On n'a songé en la taillant qu'au nécessaire de la tombe, et l'on n'a pris d'autre soin que de faire cette pierre assez longue et assez étroite pour couvrir un homme.

On n'y lit aucun nom.

Seulement, voilà de cela bien des années déjà, une main y a écrit au crayon ces quatre vers qui sont devenus peu à peu illisibles sous la pluie et la poussière, et qui probablement sont aujourd'hui effacés :

Il dort. Quoique le sort fût pour lui bien étrange,
Il vivait. Il mourut quand il n'eut plus son ange ;
La chose simplement d'elle-même arriva,
Comme la nuit se fait lorsque le jour s'en va.

---

1. **If :** arbre très droit qu'on trouve dans les cimetières.
2. **Chiendents :** herbes nuisibles.
3. **Liserons :** fleurs qui poussent en s'enroulant autour d'un support.

Clefs d'analyse

p. 219 à p. 237

Action et personnages

1. Pourquoi Jean Valjean ne veut-il pas signer l'acte de mariage de Cosette ?
2. Montrez les changements qui se sont opérés chez Marius, indépendamment de son bonheur amoureux. Quelle est sa situation professionnelle et financière ? Que pensez-vous de son évolution ?
3. Pourquoi Thénardier dit-il à Marius que Jean Valjean n'a tué ni Javert, ni M. Madeleine ?
4. Éclairez le comportement de Marius à l'égard de Jean Valjean ? Quels griefs a-t-il à son égard ? Pourquoi le laisse-t-il rendre visite à Cosette ? Sur quel point la visite de Thénardier le détrompe-t-il ?
5. Que pensez-vous du legs de Jean Valjean à Cosette ?

Langue

6. Page 219 : relevez les mots et les tournures qui font du langage du vieux monsieur Gillenormand un parler pittoresque.
7. Pages 224-225 : quelle est la marque de ponctuation récurrente dans le texte ? De quoi est-elle significative ?
8. Pages 227-228 (lignes 76-83), « Et mon mensonge, et ma fraude [...] abominable » : indiquez le temps et le mode des verbes conjugués et justifiez ce choix.
9. Page 233 : relevez les noms ou les périphrases qu'utilise Thénardier pour parler de lui-même. Justifiez ce procédé.
10. Livre IX, chapitre VI, § 1, pages 236-237. Combien y a-t-il de compléments circonstanciels de lieu ? Identifiez-les. Quelle est la fonction grammaticale de « une pierre » (ligne 80) ? Quel effet produit son rejet à la fin de la phrase ?

Genre ou thèmes

11. Comment appelle-t-on l'inscription qui figure sur une tombe ? À quoi sert-elle ? Ici, remplit-elle son rôle ?

12. Dans quelle mesure le sort de Cosette et de Marius était-il prévisible ?
13. Trouvez-vous que le roman se termine bien ? Expliquez pourquoi. Si vous avez des réserves, expliquez-les.

Écriture

14. Réécrivez la lettre de Thénardier en corrigeant les fautes d'orthographe.
15. Imaginez un autre dénouement pour le roman.

Pour aller plus loin

16. Dans quel genre littéraire le mariage des amoureux précédemment contrarié constitue-t-il une constante ? *Les Misérables* vous paraissent-ils s'inscrire dans ce registre ? Pourquoi ?

✱ À retenir

Le roman s'achève avec la mort de Jean Valjean dont le rôle est terminé. Il ne meurt qu'une fois réglé le sort des autres personnages : Cosette a épousé Marius, qui s'est réconcilié avec son grand-père ; le jeune couple, désormais riche, échappe définitivement à la misère. Il s'agit donc apparemment d'une fin heureuse. Cependant, parmi les personnages secondaires – les autres misérables –, les plus sympathiques sont morts, broyés par la machine sociale : Fantine, Javert, Gavroche, Éponine, ont connu une fin tragique. Au contraire, Thénardier, toujours vivant, poursuit son métier d'escroc. Au delà du *happy end* se dessine ainsi une morale sans illusion qui dénonce, dans la société telle qu'elle est, l'impossibilité de sortir honnêtement de la misère.

Le genre

Avez-vous bien lu ?

1. ***Les Misérables*** **sont (plusieurs réponses possibles) :**

a. un roman d'aventures.
b. un roman de cape et d'épée.
c. un roman noir.
d. un roman policier.
e. un roman épistolaire.
f. une épopée.
g. une œuvre dramatique.

2. Victor Hugo est l'auteur :

a. de poèmes.
b. de souvenirs.
c. de romans.
d. de pamphlets.
e. de films.
f. de dessins.
g. de biographies.

3. Dans ***Les Misérables*****, l'auteur :**

a. apparaît sous la figure du narrateur.
b. n'apparaît pas.
c. apparaît comme témoin de l'action.
d. apparaît comme héros de l'action.

4. Dans ***Les Misérables*****, le narrateur donne l'impression :**

a. d'en savoir toujours plus que le lecteur.
b. d'en savoir toujours moins que le lecteur.
c. d'en savoir parfois plus, parfois moins que le lecteur.

Sources et postérité

1. Qui a dit : le style des *Misérables* « me semble intentionnellement incorrect et bas » ?

a. Flaubert.
b. Baudelaire.
c. Balzac.

2. *Les Misérables* ont été adaptés (plusieurs réponses possibles) :

a. Pour la télévision.
b. Pour un jeu vidéo.
c. Pour le cinéma.
d. Pour l'opéra.
e. Pour la comédie musicale.

3. *Les Misérables* ont été inspirés :

a. Par *Les Trois Mousquetaires* d'Alexandre Dumas.
b. Par *Les Mystères de Paris* d'Eugène Sue.
c. Par *Les Chouans* d'Honoré de Balzac.

Les lieux

1. Quelle(s) ville(s) est (sont) absente(s) du roman ?

a. Paris.
b. Toulon.
c. Bordeaux.
d. Rouen.
e. Montreuil-sur-Mer.
f. Montfermeil.
g. Montrouge.

2. Quel(s) personnage(s) n'est pas (ne sont pas) né(s) à Paris ?

a. Jean Valjean.
b. Marius.
c. Cosette.
d. Gavroche.

3. Quelle(s) rue(s) ou quel quartier de Paris apparaissent dans le roman ?

a. rue Plumet.
b. rue Saint-Denis.
c. rue des Filles-du-Calvaire.
d. rue Caulaincourt.
e. jardin du Luxembourg.
f. jardin de l'Observatoire.
g. rue de l'Homme-Armé.
h. rue Jean-Jaurès.

4. Où se trouve la tombe de Jean Valjean ?

a. à Toulon.
b. au cimetière du Père-Lachaise.
c. au cimetière du Montparnasse.
d. au cimetière de Vaugirard.
e. au cimetière de Picpus.

Les personnages

1. Rectifiez l'orthographe des noms de personnages du roman et chassez l'intrus :

a. Tholomies.
b. Miriel.
c. Enjoleras.
d. Gilenormant.
e. Éponyne.
f. Julien.
g. Fauchellevent.
h. Courffeirac.

2. De quel(s) personnage(s) le roman décrit-il les grands yeux bleus à plusieurs reprises ?

a. Jean Valjean.
b. Mme Thénardier.
c. Cosette.
d. Fantine.

3. Quel est le plus grand personnage (en taille) du roman ?

a. Jean Valjean.
b. Marius.
c. Javert.

4. Citez le nom d'au moins deux personnages qui travaillent comme domestiques.

....

....

5. Rattachez chaque personnage à l'animal auquel il est comparé :

a. Thénardier.	☐ tigre.
b. Javert.	☐ oiseau.
c. Gavroche.	☐ fouine.

6. Quel(s) personnage(s) historique(s) apparaît (apparaissent) dans le roman ?

a. Napoléon Bonaparte.
b. Napoléon III.
c. Louis XIV.

7. Avec quel(s) nom(s) Jean Valjean est-il nommé ?

a. M. Leblanc.
b. M. Madeleine.
c. M. Fabantou.
d. Ultime Fauchelevent.
e. M. Plumet.

8. **Citez trois noms de personnages composés à partir de prénoms.**

....

....

L'histoire

PREMIÈRE PARTIE

1. **Jean Valjean est resté au bagne :**
   a. 18 ans.
   b. 19 ans.
   c. 10 ans.

2. **On écrit :**
   a. « Cinq ans de galère ».
   b. « Cinq ans de galères ».
   c. « Cinq ans en galère ».

3. **Classez dans l'ordre les différents objets volés par Jean Valjean :**
   a. des chandeliers.
   b. du pain.
   c. un sou.

4. **Lequel de ces trois portraits n'est pas celui de Jean Valjean ?**

a. Il tenait son chapeau à la main, il n'y avait aucun désordre dans ses vêtements, sa redingote était boutonnée avec soin. Il était très pâle et il tremblait légèrement. Ses cheveux, gris encore au moment de son arrivée à Arras, étaient maintenant tout à fait blancs. Ils avaient blanchi depuis une heure qu'il était là.

b. Du reste, peu de crâne, beaucoup de mâchoire, les cheveux cachant le front et tombant sur les sourcils, entre les deux yeux un froncement central permanent comme une étoile de colère, le regard obscur, la bouche pincée et redoutable, l'air du commandement féroce.

c. Il pouvait avoir quarante-six ou quarante-huit ans. Une casquette à visière de cuir rabattue cachait en partie son visage, brûlé par le soleil et le hâle, et ruisselant de sueur. Sa chemise de grosse toile jaune, rattachée au col par une petite ancre d'argent, laissait voir sa poitrine velue.

5. Quelle profession n'a jamais exercée Jean Valjean ?

a. patron.
b. ouvrier de ferme.
c. jardinier.
d. émondeur.

Deuxième partie

1. Corrigez les fautes d'accent du passage suivant :

Cosette montait, descendait, lavait, brossait, frottait, balayait, courait, trimait, haletait, remuait des choses lourdes, et, toute chétive, faîsait les grosses besognes.

2. De quel personnage féminin le narrateur dit-il qu'elle « avait de la barbe » ?

3. Remettez les éléments du récit dans l'ordre :

a. Le frémissement nocturne de la forêt l'enveloppait tout entière.
b. Ce n'était plus seulement de la terreur qui la gagnait, c'était quelque chose de plus terrible même que la terreur.
c. Elle soufflait avec une sorte de râlement douloureux; des sanglots lui serraient la gorge, mais elle n'osait pas pleurer, tant elle avait peur de la Thénardier, même loin.
d. Cosette traversa ainsi le labyrinthe de rues tortueuses et désertes qui termine du côté de Chelles le village de Montfermeil.
e. L'enfant n'eut pas peur.

4. Citez le nom des deux filles des Thénardier.

....

....

5. Quel(s) vêtement(s) ne possède pas Cosette :

a. une guenille.
b. des haillons.
c. une futaine.
d. une redingote.

6. Que veut dire « à la brune » ?

a. au matin.
b. quand il pleut.
c. à la tombée de la nuit.
d. à la nuit.
e. dans une nuit sans lune.

7. À l'époque du roman :

a. Toutes les rues de Paris sont éclairées à l'électricité.
b. Certaines rues de Paris sont éclairées au gaz.
c. Certaines rues de Paris sont éclairées à l'électricité, d'autres au gaz.
d. Certaines rues de Paris sont éclairées au flambeau, d'autres à l'électricité, d'autres au gaz.
e. Toutes les rues de Paris sont éclairées au gaz.

TROISIÈME PARTIE

1. Quel nom Marius donne-t-il à Cosette ?

a. Mlle Leblanc.
b. Mlle Fauchelevent.
c. Mlle Lenoir.
d. Mlle Lanoire.

2. Que veulent dire les initiales U.F. sur le mouchoir trouvé par Marius ?

....

....

3. **Classez dans l'ordre les domiciles successifs de Jean Valjean.**
   a. rue de l'Homme-Armé.
   b. rue Plumet.
   c. couvent du Petit-Picpus.

4. **Citez un titre de chapitre en latin.**

....

....

5. **Où Marius aperçoit-il Cosette pour la première fois ?**
   a. au couvent du Petit-Picpus.
   b. dans le jardin du Luxembourg.
   c. rue Plumet.

QUATRIÈME PARTIE

1. **Quelle est la bonne orthographe ?**
   a. idille.
   b. idylle.
   c. idhyle.
   d. idyle.

2. **Combien d'appartements Jean Valjean loue-t-il à Paris ?**
   a. 1
   b. 2
   c. 3
   d. 4

3. **Remplissez les blancs par les noms des personnages :**

Ce locataire peu à effet était .... , la jeune fille était .... La servante était une fille appelée .... que .... avait sauvée de l'hôpital et de la misère et qui était vieille, provinciale et bègue, trois qualités qui avaient déterminé .... à la prendre avec lui. Il avait loué la maison sous le nom de .... , rentier.

Dans tout ce qui a été raconté plus haut, le lecteur a sans doute moins tardé encore que .... à reconnaître ....

4. Quel âge a Cosette lorsque Marius la rencontre rue Plumet ?

a. environ 14 ans.
b. environ 20 ans.
c. environ 22 ans.

5. Remettez les événements dans l'ordre :

a. Tous deux tressaillirent, et ils se regardèrent dans l'ombre avec des yeux éclatants.
b. Ils s'étaient pris les mains, sans savoir.
c. Un baiser, et ce fut tout.
d. Elle lui prit une main et la posa sur son cœur.
e. Et elle s'affaissa sur elle-même comme si elle se mourait.
f. Il la prit, elle tombait, il la prit dans ses bras, il la serra étroitement sans avoir conscience de ce qu'il faisait.
g. Elle arriva au banc.
h. Ils se pénétrèrent, ils s'enchantèrent, ils s'éblouirent.
i. Et elle cacha sa tête rouge dans le sein du jeune homme superbe et enivré.

CINQUIÈME PARTIE

1. Complétez la chanson :

On est laid à Nanterre,

C'est la faute à .... ,

Et bête à .... ,

C'est la faute à ....

2. Qui est « moi » dans le dialogue suivant :

– Qui êtes-vous ?
– Moi.
– Qui, vous ?

3. **Quel personnage des *Misérables* veut « donner sa démission à Dieu » ?**
   a. Jean Valjean.
   b. Marius.
   c. Mgr Myriel.
   d. Javert.
   e. Thénardier.

4. **Que lègue Jean Valjean à Cosette ?**
   a. Sa petite poupée Catherine.
   b. Un billet de cinq cents francs.
   c. Deux chandeliers en argent.
   d. L'héritage de ses trois maisons.

En savoir plus sur : **www.petitsclassiqueslarousse.com**

POUR APPROFONDIR

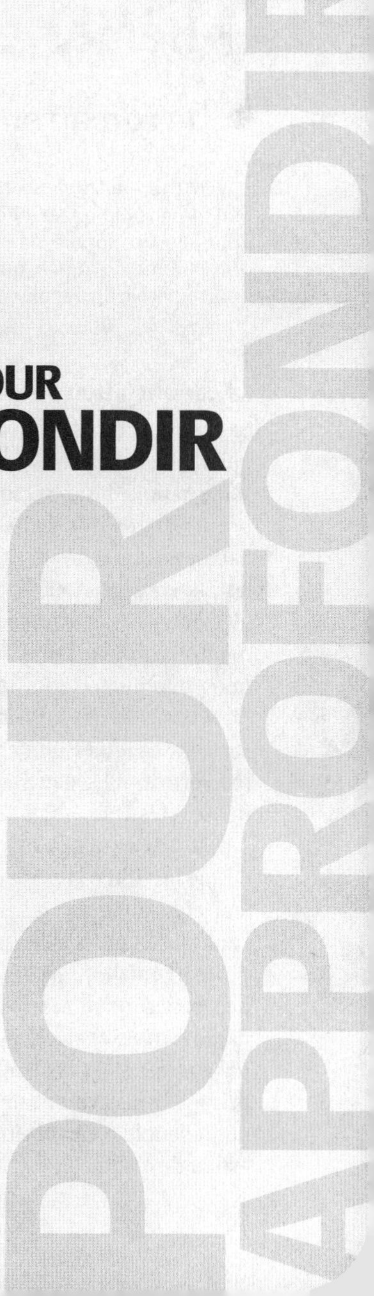

Thèmes et prolongements

✣ Un roman engagé

Avant toute autre chose, *Les Misérables* ont été voulus par Hugo comme un roman politiquement engagé, visant à dénoncer toutes les facettes de l'injustice sociale, un « livre de charité ». Ce projet est indiqué par le titre même du roman, qui devient la tribune où le romancier se fait le porte-parole du peuple contre ses multiples oppresseurs.

La dénonciation de l'injustice sociale

Le premier combat de Hugo, c'est avant tout de s'en prendre aux puissants, et d'abord à ceux qui exercent une forme d'oppression sur le peuple des misérables par leur richesse, par le fait qu'ils soient propriétaires des usines, des magasins ou des terres agricoles nécessaires au travail. Hugo dénonce le faible salaire que touchent les pauvres qui sont, comme Jean Valjean, obligés de « louer » aux plus puissants leur force de travail à un prix ne leur permettant pas d'entretenir leur famille et d'éduquer leurs enfants. Au contraire, nous explique Hugo, la bonne gestion de son usine permet à M. Madeleine de donner du travail à tous et d'enrichir Montreuil-sur-Mer. Ce que Hugo cherche ensuite à montrer, c'est d'abord la manière dont les pauvres sont prisonniers du cercle vicieux de cette misère : les Thénardier poussent Fantine dans la misère en augmentant le prix de la garde de Cosette, simplement parce que le travail à l'usine interdit à la mère de garder son enfant. La société détruit dès leur plus jeune âge les pauvres, en les humiliant : la petite fille est contrainte de travailler comme une esclave et est privée de tout ce qui fait l'enfance (elle ne va pas à l'école, n'a pas de jouets, etc.). La pauvreté conduit à la pauvreté mais aussi au crime, selon une mécanique terrible analysée avec précision par Hugo : la faim pousse Jean Valjean au vol, puis l'acharnement de la justice et la cruauté des prisons transforment un délit excusable en un véritable crime, en dégradant le coupable jusqu'à ce qu'il perde toute humanité et tout espoir de rachat.

La défense des valeurs révolutionnaires

Pour rédiger *Les Misérables*, Hugo a été inspiré par le tableau de Delacroix, *La Liberté guidant le peuple*, qui représente le combat victorieux de la nation française (symbolisée par Marianne portant un drapeau tricolore). Après avoir mis en accusation le système social, Hugo souhaite défendre ceux qui ont voulu changer l'Histoire de France au nom de l'idéal d'un monde meilleur, du progrès social, malgré la résistance des intérêts conservateurs, et en particulier de la bourgeoisie « qui arrête les révolutions à mi-côte ». Les représentations de l'héroïsme de ceux qui se battent pour la liberté abondent dans le roman : on peut penser aux soldats se battant pour l'idéal révolutionnaire à Waterloo, dirigés par un homme, Napoléon, qui incarne à lui seul l'âme du peuple et cherche à diffuser en Europe tout entière les « conquêtes sublimes » de la Révolution de 1789, ou au personnage de Marius, qui peu à peu prend parti pour le peuple et la république. Il faut surtout évoquer la figure du jeune Gavroche, qui « n'avait pas de gîte, pas de pain, pas de feu, pas d'amour ; mais [qui] était heureux parce qu'il était libre », qui partage avec les autres enfants de la rue le peu qu'il possède et qui meurt pour ses idées de fraternité et d'égalité, en chantant une chanson qui défend les philosophes des Lumières, Voltaire et Rousseau (voir V, I, 15). Même s'il regrette que la nation française soit divisée et s'entre-tue, lorsqu'il met en scène les émeutes révolutionnaires de 1832, Victor Hugo, tout comme son héros Jean Valjean qui se bat au côté du peuple, se situe donc du côté des insurgés et de leurs valeurs.

Réalisme et invraisemblance

Dans le roman, la représentation détaillée et crue de la réalité de la misère sociale contemporaine se combine avec une mise en scène dramatique des paroles et des actions de personnages héroïques. Ainsi, plus qu'un roman réaliste, le récit de Hugo est une épopée, voire un évangile moderne.

L'observation du réel

Tout comme les romanciers « réalistes » qui l'ont suivi (Balzac, Flaubert, etc.), Hugo accorde une place importante à l'observation précise du réel. Son roman fait référence à des lieux et à des événements historiques célèbres que peut reconnaître le lecteur. Par ailleurs, Hugo s'est appuyé sur une importante documentation pour rédiger son roman et a puisé dans ses propres souvenirs, parus sous le titre *Choses vues*, pour peindre de manière précise certaines scènes (par exemple, le défilé des bagnards) ou certains lieux (les égouts de Paris). L'impression de réalité que le roman dévoile est renforcée par le sentiment que le narrateur s'appuie sur des documents réels (au chapitre 7 du livre XIV de la troisième partie, il semble recopier la lettre envoyée par Marius à Cosette). Souvent aussi, Hugo feint d'ignorer certains détails, ce qui laisse à penser qu'il n'invente pas son histoire mais se contente de relater une histoire réelle.

La dimension dramatique du récit

L'aspect dramatique du récit de Hugo tient à l'accumulation des coups de théâtre ou péripéties, c'est-à-dire d'événements inattendus qui interrompent le cours de l'action : le don des chandeliers par l'évêque ou les interventions presque miraculeuses de Jean Valjean pour sauver Fauchelevent en sont des exemples. D'autre part, l'action du roman est souvent très concentrée : l'époque napoléonienne est condensée dans le moment décisif de la bataille de Waterloo, les sept années que M. Madeleine passe à Montreuil-sur-Mer sont brièvement résumées, tandis que l'arrestation de Champmathieu, la dénonciation de Madeleine et la mort de Fantine sont concentrées sur trois journées longuement racontées puisqu'elles occupent presque toute la cinquième partie. Enfin, dans ce roman, la parole est souvent dramatique : Hugo a le goût des formules, des phrases brèves et des titres frappants ; les dialogues possèdent également une forte dimension théâtrale et pathétique.

La dimension épique et religieuse du roman

Cette dramatisation confère une dimension épique au roman : Hugo a créé des personnages possédant, dans la méchanceté ou la générosité, une grandeur qui les élève à la position de géants du mal (Javert ou Thénardier) ou du bien (Mgr Bienvenu, Jean Valjean). La quête de justice du héros et son combat contre ses démons, extérieurs ou intérieurs, se mêle en un combat titanesque aux luttes du peuple français pour la liberté. Le roman est ainsi, selon les mots même de Hugo (V, 1, 23), « le grand champ épique où se débat l'humanité » : il nous montre la lutte héroïque de l'homme pour le progrès. Hugo affirmait à la première ligne de sa préface : « le livre que l'on va lire est religieux » ; cette lutte se fait sous le regard de Dieu et le thème du destin ou de la providence se retrouvent constamment dans l'œuvre. Le thème de la sainteté est lui aussi omniprésent, et, par de nombreux aspects, Jean Valjean est un Christ des temps modernes, qui se sacrifie à la fin du roman pour sauver sa fille.

✣ La question de la justice

Le roman de Hugo veut dénoncer l'injustice de son époque sous toutes ses formes : sévérité de la police, cruauté des prisons, dureté de la société qui laisse les pauvres sans éducation ni espoir et ne sait partager ses richesses. Mais l'homme, parce qu'il possède au fond de lui-même une conscience et témoigne de la présence de Dieu, se doit, en toute circonstance, de faire le bien et de tendre vers la sainteté laïque qu'incarne Jean Valjean.

Le système judiciaire

Comme beaucoup de romanciers de son époque, Eugène Sue par exemple, Hugo s'intéresse de près au système judiciaire : dans *Les Misérables*, il dépeint le fonctionnement de la police, des tribunaux (le procès de Champmatthieu), des prisons et des bagnes, en s'appuyant sur de nombreux documents et sur ses propres visites de prisons. On a pu par exemple affirmer que le personnage de Javert s'inspirait de la célèbre figure de Vidocq, forçat devenu chef de la police puis détective privé sous l'Empire. Dans *Le Dernier Jour d'un condamné* et dans *Claude Gueux*, l'écrivain s'intéressait d'un point de vue philosophique à la justice ; à cette réflexion générale s'ajoute, dans *Les Misérables*, l'emprunt d'un modèle littéraire original, celui du roman policier, riche en énigmes, en sombres mystères, en fausses pistes, en poursuites ou en filatures. C'est non seulement Javert, mais aussi Marius ou Thénardier qui s'interrogent face aux disparitions ou aux déguisements de Jean Valjean. À travers eux, c'est le lecteur qui mène l'enquête !

La justice sociale

L'injustice du système judiciaire est l'une des causes de l'injustice sociale. Le roman des *Misérables* possède en effet une ambition pédagogique : corriger l'injustice de la société en expliquant son fonctionnement au lecteur, dénoncer les crimes tels que la misère dans laquelle se trouvent plongés les pauvres, démontrer comment l'absence d'éducation conduit nécessairement au malheur. De même que la punition disproportionnée dont est victime Jean Valjean, qui va au bagne pour avoir volé du pain, les malheurs de Fantine et de Cosette sont exemplaires de cette soumission des pauvres à la mécanique écrasante de l'injustice dont les Thénardier ou Javert sont l'emblème. La justice est ainsi une question sociale qui impose un engagement politique : Hugo défend la République contre la monarchie ou l'empire, et il met en avant les valeurs de l'égalité et de la charité pour défendre le peuple. À ce propos, Baudelaire disait des *Misérables* qu'il s'agissait « d'un livre fait pour exciter, pour provoquer l'esprit de charité ».

Justice humaine et justice divine

Comme le prouve la manière dont Jean Valjean va réussir à expier ses fautes puis à se racheter, l'individu possède la possibilité de faire triompher le bien. Faire régner la justice grâce à la prière, à l'humilité, à l'amour et au don de soi : telles sont les manières dont l'homme peut faire le bien autour de lui. En prenant des risques pour autrui, en sacrifiant sa liberté et même, à la fin du roman, sa vie, Jean Valjean le démontre : l'amour, qu'il soit celui d'un père pour sa fille (Jean Valjean et Cosette), d'un prêtre pour un pécheur (Mgr Myriel et Jean Valjean), d'un homme pour son ami (Jean Valjean pour Marius), d'un enfant pour la liberté de son peuple (Gavroche), grandit l'homme et lui permet d'atteindre à une forme de sainteté. Dans son amour universel d'autrui, Jean Valjean rejoint ainsi le Christ et le roman de Hugo se rapproche du message biblique. La part de bonté et de charité située au cœur de l'homme est une image de la bonté divine : « sa conscience, c'est-à-dire Dieu », selon le célèbre passage intitulé « Tempête sous un crâne » (I, 7, 3).

Jean Valjean, un héros légendaire

Jean Valjean est à la fois le héros central du roman, celui vers lequel convergent tous les fils du récit, et un mythe populaire : en apparence, Valjean est un misérable comme tant d'autres, mais sa lutte pour le bien et la rédemption lui confère une dimension héroïque. Il devient alors le symbole du dépassement de l'homme par lui-même et un messager d'espoir pour l'humanité entière.

Un être ordinaire

Tout comme son nom – réduit à la répétition d'un prénom commun – le suggère, Jean Valjean est un ouvrier quelconque, rude et frustre, un orphelin silencieux et pensif, un misérable comme les autres : « Je suis un misérable », avoue-t-il après avoir volé sa pièce au Petit-Gervais, que la société a détruit et poussé progressivement vers le mal. Le roman de Hugo voulait décrire « l'épopée d'une âme » : à ce titre, Valjean représente l'homme ordinaire aux prises avec le bien et le mal. Le héros connaît les affres du doute ; en révolte contre la société au début du roman, il a aussi ses faiblesses, ses colères et ses haines ; il éprouve à la fois la tentation facile du vol, la prudence, l'égoïsme, le confort, fût-ce au prix du mensonge. Contrairement au héros traditionnel de l'épopée, Jean Valjean est avant tout un homme comme un autre, auquel tout lecteur pourrait s'identifier.

Un héros hors norme

Même s'il possède une taille et une force physique extraordinaires, Jean Valjean ne naît pas héros, mais le devient : c'est dans son extraordinaire courage à se confronter à sa propre conscience morale et dans le dépassement de ses faiblesses humaines que le personnage acquiert une dimension surhumaine. Le roman décrit les étapes de plus en plus douloureuses que le héros doit accomplir pour se racheter en oubliant, tel un saint, son propre moi. Ce héros étonne le lecteur par les miracles qu'il accomplit ou par la force intérieure qu'il acquiert dans l'adversité : il puise tour à tour en lui-même l'énergie nécessaire pour soulever une charrette et sauver Fauchelevent ou pour vaincre les égouts infernaux de Paris et sauver Marius. Mais ses exploits physiques sont doublés d'exploits moraux : le héros se montre capable de reconnaître ses erreurs, de pardonner à ses ennemis, de sacrifier sa respectabilité en se dénonçant.

Un symbole mémorable

Jean Valjean est un mythe parce qu'il porte dans sa conscience la lutte éternelle entre le bien et du mal. Il est à la fois coupable et victime et porte dans l'intensité de ses contradictions intérieures le destin même de l'humanité, partagée entre la tentation de l'égoïsme et l'espoir du progrès. Même s'il n'agit pas au nom d'un Dieu supérieur, Hugo l'assimile à une figure christique en multipliant les références à l'Ancien et au Nouveau Testament : Jean Valjean se laisse enfermer dans le cercueil d'une religieuse nommée Crucifixion pour rentrer au couvent du Petit-Picpus, il adopte Cosette le jour de Noël, renaît de son tombeau, il se dénonce ou se laisse dénoncer à plusieurs reprises – un des chapitres s'intitule *« Ecce homo »*, « voici l'homme », en hommage à l'expression par laquelle Pons Pilate présente le Christ arrêté –, et se sacrifie pour sa fille (quand Marius l'apprendra, il commentera d'ailleurs lui-même « le forçat se transforme en Christ », V, 9, 4). Dans le duo qu'il forme avec Javert, son double dans le mal, Jean Valjean est une figure emblématique de la conscience humaine et incarne l'espoir que l'humanité peut avoir en ses propres ressources.

Textes et images

✣ Le roman populaire

L'immense succès des *Misérables* indique que ce roman n'a pas intéressé seulement une élite, mais aussi des lecteurs généralement peu attirés par la littérature. Malgré sa singularité, il fait appel à des conceptions et à des sentiments partagés par tous. L'intrigue et les personnages sont originaux, mais chacun peut s'y reconnaître et partager les valeurs qui y sont proposées.

Documents :

❶ Eugène Sue, *Les Mystères de Paris*, 1843.

❷ Xavier de Montépin, *La Porteuse de pain*, 1884.

❸ Photographie des funérailles de Victor Hugo le 1er juin 1885.

❹ Affiche de la version anglo-saxonne de la comédie musicale *Les Misérables*, créée d'abord à Paris en 1980 dans une mise en scène de Robert Hossein, avec comme titre anglais *Les Mis*.

❺ Affiche de Jules Chéret annonçant la publication en fascicules des *Misérables* de Victor Hugo.

❻ Affiche du film *Les Misérables* de Claude Lelouch, 1995.

❶ [Fleur-de-Marie, une très jeune prostituée, qui a passé la plus grande partie de son enfance en prison où on l'avait enfermée pour vagabondage, raconte son histoire.]

« Enfin, j'attrape mes seize ans, je sors de prison... Voilà qu'à la porte je trouve l'ogresse d'ici et deux ou trois vieilles femmes qui étaient venues voir mes camarades prisonnières, et qui m'avaient toujours dit que, le jour de ma sortie, elles auraient de l'ouvrage à me donner.

– Ah ! bon ! bon ! j'y suis, dit le Chourineur.

– « Mon dauphin, mon bel ange, ma belle petite, me dirent l'ogresse et les vieilles... voulez-vous venir loger chez nous ? nous vous donnerons de belles robes, et vous n'aurez qu'à vous amuser.

Pour approfondir

Tu sens bien, Chourineur, qu'on n'a pas été huit ans en prison sans savoir ce que parler veut dire. Je les envoie promener, ces vieilles embaucheuses. Je me dis : « Je sais bien coudre, j'ai trois cents francs devant moi, de la jeunesse... »

– Et de la jolie jeunesse... ma fille ! dit le Chourineur.

– Voilà huit ans que je suis en prison, je vais jouir un peu de la vie, ça ne fait de mal à personne ; l'ouvrage viendra quand l'argent me manquera... Et je me mets à faire valser mes trois cents francs. Ç'a été mon grand tort, ajouta Fleur-de-Marie avec un soupir ; j'aurais dû, avant tout, m'assurer de l'ouvrage... mais je n'avais personne pour me conseiller... Enfin, ce qui est fait est fait... Je me mets donc à dépenser mon argent. D'abord j'achète des fleurs pour mettre tout plein ma chambre ; j'aime tant les fleurs ! et puis j'achète une robe, un beau châle, et je vais me promener au bois de Boulogne à âne, Saint-Germain aussi à âne.

[Mais la jeune fille donne l'argent qui lui reste à une amie malade surnommée La Lorraine]

– Dame, alors j'ai cherché de l'ouvrage. Je savais très bien coudre ; j'avais bon courage, je n'étais pas embarrassée ; j'entre dans une boutique de lingère de la rue Saint-Martin. Pour ne tromper personne, je dis que je sors de prison depuis deux mois, et que j'ai bonne envie de travailler ; on me montre la porte. Je demande de l'ouvrage à emporter, on me dit que je me moque du monde en demandant qu'on me confie seulement une chemise. Comme je m'en retournais bien triste... j'ai rencontré l'ogresse et une des vieilles qui étaient toujours après moi depuis ma sortie de prison... Je ne savais plus comment vivre... Elles m'ont emmenée... Elles m'ont faire boire de l'eau-de-vie !... Et voilà... »

Eugène Sue, *Les Mystères de Paris*, 1843.

2 [Jeanne Fortier, gardienne d'usine, qui vient d'être injustement licenciée, a repoussé les avances du contremaître Jacques Gavaud, un individu sans scrupule. Ce dernier cambriole le bureau de son patron, M. Labroue, et met le feu pour effacer les traces du vol.]

Tout à coup une lueur rougeâtre et vacillante éclaira les ténèbres. Cette lueur venait des ateliers. Jeanne, épouvantée, se dirigea en courant vers les bâtiments de la fabrique. Vingt pas tout au plus la séparaient du pavillon, quand elle entendit de façon nette et distincte cet appel :
– À moi !... Au secours !
Puis, immédiatement après retentit dans le silence un cri terrible, un cri d'agonie. À ce cri, une sorte de râle succéda, puis plus rien. Jeanne ne ralentit point sa course. Bientôt elle atteignit le seuil du pavillon dont les fenêtres à leur tour s'éclairaient de lueurs ardentes. Une exclamation d'horreur s'échappa de ses lèvres. Elle apercevait dans le couloir Jacques brandissant un couteau et à ses pieds M. Labroue étendu, inanimé, sanglant. La jeune femme laissa son enfant glisser de ses bras.
– Misérable ! assassin ! cria-t-elle. Je n'avais pas compris le sens de ta lettre infâme ! Tu m'offrais de m'enrichir avec de l'or ramassé dans le sang ! misérable ! misérable !
Le contremaître bondit jusqu'à Jeanne.
– Ah ! tu comprends, à présent ! lui dit-il avec un cynisme effroyable. Mieux vaut tard que jamais. Eh bien ! suis-moi.
– Jamais !
– Si tu ne me suis pas volontairement, je t'y contraindrai.
– Jamais ! J'appellerai au secours.
– Tais-toi, ou je tue ton enfant ! Suis-moi et hâtons-nous, car dans quelques instants tout va s'écrouler.
Et le contremaître entraîna Jeanne et Georges dans la cour d'abord, puis dans la campagne, en passant par la petite porte voisine du pavillon. La jeune femme voulait crier.
– Mais tais-toi donc, insensée ! lui dit Jacques d'un ton impérieux. Pour ton propre salut, tais-toi ! Tu appelles ceux qui t'accuseront bientôt !
– Moi ! moi ! m'accuser ! balbutia Jeanne.
– Oui !... et les preuves ne manqueront pas ! Le pétrole que tu avais acheté a servi à mettre le feu à l'usine. On retrouvera les bouteilles

vides dans la cour. On t'accusera d'avoir tué M. Labroue, car toi seule pouvais savoir qu'il était rentré cette nuit, et d'ailleurs on se souviendra des menaces proférées par toi contre lui devant témoins. Combien de fois n'as-tu pas dit que cela ne lui porterait pas bonheur de t'avoir chassée ! Allons.

Xavier de Montépin, *La Porteuse de pain*, 1884.

3

Les
Misérables

5

Les Misérables
Par
Victor Hugo
10c
La Livraison illustrée
GRATIS PARTOUT 1RE & 2ME LIVRAISONS

6

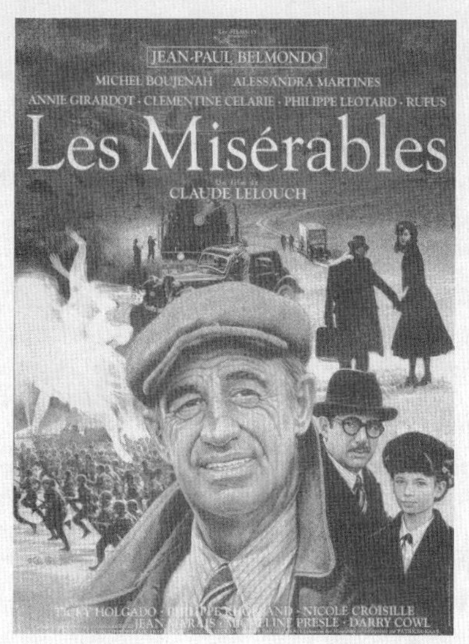
JEAN-PAUL BELMONDO
MICHEL BOUJENAH ALESSANDRA MARTINES
ANNIE GIRARDOT · CLEMENTINE CELARIE · PHILIPPE LEOTARD · RUFUS
Les Misérables
CLAUDE LELOUCH

Textes et images

✣ Étude des textes

Savoir lire

1. Quel personnage du roman de Hugo Fleur-de-Marie rappelle-t-elle ? Pourquoi ?
2. Selon vous, que cherche Eugène Sue en écrivant ce texte ?
3. Comparez les deux textes : qui sont les oppresseurs ? En quoi sont-ils différents ?
4. Quelle image de la femme se dégage de ces textes ? Qu'en pensez-vous ?

Savoir faire

5. Imaginez une autre version de l'histoire de Fleur-de-Marie à sa sortie de prison.
6. Proposez une suite au texte de Xavier de Montépin.
7. Imaginez le portrait physique de Jacques Gavaud.

✣ Étude des images

Savoir analyser

1. Comparez le document 4 (page 264) avec le document 5 (page 272) : quelle est la différence majeure ?
2. Dans le film de Lelouch (document 6), l'histoire des *Misérables* est transposée au XXe siècle, pendant la Seconde Guerre mondiale. Repérez dans l'affiche les éléments qui manifestent cette transposition
3. Déterminez la structure du document 5 : quels en sont les différents plans ? Quelle est la relation entre eux ?

Savoir faire

4. Document 3 : à la mort de Hugo, la Chambre des députés vote des funérailles nationales et ordonne que son corps soit exposé sous l'Arc de Triomphe, puis transporté au Panthéon. En quoi s'agit-il d'un honneur rendu à Victor Hugo ?
5. Sur un air que vous connaissez, écrivez les paroles d'une chanson présentant le personnage du roman que vous préférez.
6. Quelle image du roman de Hugo le document 5 donne-t-elle ? Imaginez une intrigue (différente de celle des *Misérables*) qui puisse convenir à cette illustration.

✣ L'enfance

L'enfant constitue un thème littéraire privilégié au XIXe siècle. S'il devient ainsi un héros de roman, c'est avant tout parce que la condition des enfants qu'aucune loi ne protège invite à raconter leur histoire et à dénoncer les abus dont ils sont victimes. Mais le sort de l'enfance maltraitée met aussi en évidence la violence et l'hypocrisie d'une société qui écrase les « misérables ».

Documents :

❶ Charles, Dickens, *Oliver Twist*, 1837.

❷ Alphonse Daudet, *Le Petit Chose*, 1868.

❸ J.-M. G. Le Clézio, *Poisson d'or*, 1997.

❹ Cosette, dessin du début du XXe siècle.

❺ Cécile d'Aubray dans le rôle de Cosette, Théâtre de la Porte Saint-Martin, 1878. Photographie d'Étienne Carjat, Paris-Portrait, 13-19 juin 1878.

❻ Gavroche à 6 ans, dessin de Victor Hugo, reproduit dans le cahier icono du tome I de l'édition Garnier (1963) des *Misérables*.

❼ Photographie de Victor Hugo entouré de sa famille à Guernesey.

❶ [Le héros, Oliver Twist, a été recueilli dans un orphelinat.]
L'endroit où mangeaient les enfants était une grande salle pavée, au bout de laquelle était une chaudière d'où le chef du dépôt, couvert d'un tablier et aidé d'une ou deux femmes, tirait le gruau aux heures des repas. Chaque enfant en recevait plein une petite écuelle et jamais davantage, sauf les jours de fête, où il avait en plus deux onces un quart de pain ; les bols n'avaient jamais besoin d'être lavés : les enfants les polissaient avec leurs cuillers jusqu'à ce qu'ils redevinssent luisants ; et, quand ils avaient terminé cette opération, qui n'était jamais longue, car les cuillers étaient presque aussi grandes que les bols, ils restaient

en contemplation devant la chaudière avec des yeux si avides qu'ils semblaient la dévorer de leurs regards, et ils se léchaient les doigts pour ne pas perdre quelques petites gouttes de gruau qui avaient pu s'y attacher. [...] On tira au sort pour savoir qui irait le soir même au souper demander au chef une autre portion ; le sort tomba sur Oliver Twist.
Le soir venu, les enfants prirent leurs places ; le chef de l'établissement, affublé de son costume de cuisinier, était en personne devant la chaudière ; on servit le gruau ; on dit un long « benedictus » sur ce chétif ordinaire. Le gruau disparut ; les enfants se parlaient à l'oreille, faisaient des signes à Oliver, et ses voisins le poussaient du coude. Tout enfant qu'il était, la faim l'avait exaspéré, et l'excès de la misère l'avait rendu insouciant ; il quitta sa place, et, s'avançant l'écuelle et la cuiller à la main, il dit, tout effrayé de sa témérité :
« J'en voudrais encore, monsieur, s'il vous plaît. »
Le chef, homme gras et rebondi, devint pâle ; stupéfait de surprise, il regarda plusieurs fois le petit rebelle ; puis il s'appuya sur la chaudière pour se soutenir ; les vieilles femmes qui l'aidaient étaient saisies d'étonnement, et les enfants de terreur.
« Comment ! dit enfin le chef d'une voix altérée.
– J'en voudrais encore, monsieur, s'il vous plaît, » répondit Oliver.
Le chef dirigea vers la tête d'Oliver un coup de sa cuiller à pot, l'étreignit dans ses bras, et appela à grands cris le bedeau.
Le conseil siégeait en séance solennelle quand M. Bumble tout hors de lui, se précipita dans la salle, et s'adressant au président, lui dit :
« Monsieur Limbkins, je vous demande pardon, monsieur, Oliver Twist en a redemandé. »
Ce fut une stupéfaction générale ; l'horreur était peinte sur tous les visages.
« Il en a redemandé, dit M. Limbkins ? calmez-vous, Bumble, et répondez-moi clairement. Dois-je comprendre qu'il a redemandé de la nourriture, après avoir mangé le souper alloué par le règlement ?
– Oui, monsieur, répondit Bumble.
– Cet enfant-là se fera pendre, dit le monsieur au gilet blanc ; oui, cet enfant-là se fera pendre. »

Personne ne contredit cette prédiction. Une discussion très vive eut lieu ; Oliver fut mis au cachot, et le lendemain matin, un avis affiché à la porte offrait une récompense de cinq livres sterling à quiconque voudrait débarrasser la paroisse d'Oliver Twist ; en d'autres termes, on offrait cinq livres sterling et Oliver Twist à quiconque, homme ou femme, aurait besoin d'un apprenti pour n'importe quel commerce ou quelle besogne.

Dickens, Charles, *Oliver Twist* (1837), traduit sous la direction de P. Lorain par Alfred Girardin, Paris, Hachette, 1893, pp. 12-13.

2 [Un soir, au moment de se mettre à table, on s'aperçoit qu'il n'y a plus une goutte d'eau dans la maison.]

« Si vous voulez, j'irai en chercher », dit ce bon enfant de Jacques.

Et le voila qui prend la cruche, une grosse cruche de grès.

M. Eyssette hausse les épaules :

« Si c'est Jacques qui y va, dit-il, la cruche est cassée, c'est sûr.

– Tu entends, Jacques, – c'est Mme Eyssette qui parle avec sa voix tranquille, – tu entends, ne la casse pas, fais bien attention. »

M. Eyssette reprend :

« Oh ! tu as beau lui dire de ne pas la casser, il la cassera tout de même. »

Ici, la voix éplorée de Jacques :

« Mais enfin, pourquoi voulez-vous que je la casse ?

– Je ne veux pas que tu la casses, je te dis que tu la casseras », répond M. Eyssette, et d'un ton qui n'admet pas de réplique.

Jacques ne réplique pas ; il prend la cruche d'une main fiévreuse et sort brusquement avec l'air de dire :

« Ah ! je la casserai ? Eh bien, nous allons voir. »

Cinq minutes, dix minutes se passent ; Jacques ne revient pas. Mme Eyssette commence à se tourmenter :

« Pourvu qu'il ne lui soit rien arrivé !

– Parbleu ! que veux-tu qu'il lui soit arrivé ? dit M. Eyssette d'un ton bourru. Il a cassé la cruche et n'ose plus rentrer. »

Mais tout en disant cela – avec son air bourru, c'était le meilleur homme du monde –, il se lève et va ouvrir la porte pour voir un peu ce que Jacques était devenu. Il n'a pas loin à aller ; Jacques est debout sur le palier, devant la porte, les mains vides, silencieux, pétrifié. En voyant M. Eyssette, il pâlit, et d'une voix navrante et faible, oh ! si faible : « Je l'ai cassée », dit-il.... Il l'avait cassée !...

Alphonse Daudet, *Le Petit Chose* (1868), Paris, Fasquelle, 1947, pp. 113-114.

❸ Quand j'avais six ou sept ans, j'ai été volée. Je ne m'en souviens pas vraiment, car j'étais trop jeune, et tout ce que j'ai vécu ensuite a effacé ce souvenir. C'est plutôt comme un rêve, un cauchemar lointain, terrible, qui revient certaines nuits, qui me trouble même dans le jour. Il y a cette rue blanche de soleil, poussiéreuse et vide, le ciel bleu, le cri déchirant d'un oiseau noir, et tout à coup des mains d'homme qui me jettent au fond d'un grand sac, et j'étouffe. C'est Lalla Asma qui m'a achetée.

C'est pourquoi je ne connais pas mon vrai nom, celui que ma mère m'a donné à ma naissance, ni le nom de mon père, ni le lieu où je suis née. Tout ce que je sais, c'est ce que m'a dit Lalla Asma, que je suis arrivée chez elle une nuit, et pour cela elle m'a appelée Laïla, la Nuit. Je viens du Sud, de très loin, peut-être d'un pays qui n'existe plus. Pour moi, il n'y a rien eu avant, juste cette rue poussiéreuse, l'oiseau noir, et le sac.

[...]

J'avais peur du noir, peur de la nuit. Je me souviens, je me réveillais quelquefois, je sentais la peur entrer en moi comme un serpent froid. Je n'osais plus respirer. Alors je me glissais dans le lit de ma maîtresse et je me collais contre son dos épais, pour ne plus voir, ne plus sentir. Je suis sûre que Lalla Asma se réveillait, mais pas une fois elle ne m'a chassée, et pour cela elle était vraiment ma grand-mère.

[...]

Je l'appelais « maîtresse » ou bien « grand-mère ». Elle voulait bien que je l'appelle « maîtresse » parce que c'était elle qui m'avait appris à lire et à écrire en français et en espagnol, qui m'avait enseigné le calcul mental et la géométrie, et qui m'avait donné les rudiments de la religion – la sienne, où Dieu n'a pas de nom, et la mienne, où il s'appelle Allah. Elle me lisait des passages de ses livres saints, et

elle m'enseignait tout ce qu'il ne fallait pas faire, comme souffler sur ce qu'on va manger, mettre le pain à l'envers, ou se torcher avec la main droite. Qu'il fallait toujours dire la vérité, et se laver chaque jour des pieds à la tête.
En échange, je travaillais pour elle du matin au soir dans la cour, à balayer, couper le petit bois pour le brasero, ou faire la lessive. J'aimais bien monter sur le toit pour étendre le linge. De là, je voyais la rue, les toits des maisons voisines, les gens qui marchaient, les autos et même, entre deux pans de mur, un bout de la grande rivière bleue. De là-haut, les bruits me paraissaient moins terribles. Il me semblait que j'étais hors d'atteinte.

J.-M. G., Le Clézio, *Poisson d'or*, Gallimard, 1997, pp. 11-13.

4

Textes et images

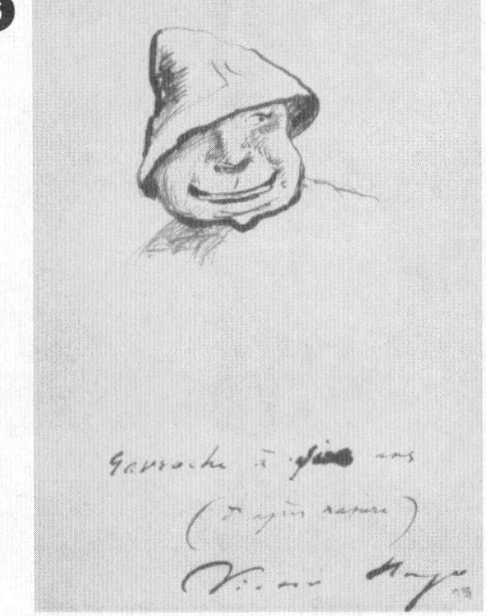

Pour approfondir

7

Textes et images

✥ Étude des textes

Savoir lire

1. Dans ces textes, le sentiment commun à tous les enfants est la peur. Mais elle n'est pas de la même nature d'un texte à l'autre : montrez pourquoi.
2. Quel est l'effet produit par la demande d'Oliver Twist ?
3. Selon vous, quels sont les sentiments de Jacques Eyssette à l'égard de son père ?
4. Comparez le sort de la petite Laïla à celui de Cosette.

Savoir faire

5. Écrivez le dialogue entre les enfants lorsqu'ils décident de réclamer davantage de nourriture.
6. Imaginez la réaction de M. Eyssette lorsque son fils avoue qu'il a cassé la cruche.
7. Laïla est une enfant volée : imaginez l'article que pourrait écrire un journaliste si on la retrouvait.

✥ Étude des images

Savoir analyser

1. Rappelez l'épisode du récit auquel se réfèrent les documents 4 et 5.
2. Document 4. Analysez la structure de l'image : comment est-elle organisée ? Que montre cette construction ?
3. Document 7. Jeanne, la petite-fille de Victor Hugo, se tient tout contre son grand-père : selon vous, quelle relation ont-ils ? Rapprochez cette image des relations entre Cosette et Jean Valjean.

Savoir faire

4. Rapprochez le document 5 du texte de Hugo et expliquez à quels passages précis du texte il peut renvoyer.
5. Imaginez ce que regarde Gavroche sur le dessin de Hugo, de manière à justifier son expression.
6. Si vous deviez illustrer le passage d'*Oliver Twist* (document 1), que choisiriez-vous de montrer ? Décrivez le dessin imaginaire que vous pourriez réaliser.

Vers le brevet

Sujet 1 : I, 7, 9, « Une tempête sous un crâne » (page 63, lignes 6 à 26).

Jean Valjean, dissimulé sous l'identité de Madeleine, s'interroge pour s'avoir s'il doit se dénoncer pour sauver un innocent injustement accusé de ses crimes.

Questions

I - Le récit

1. Qui parle dans ce passage ? Avec quel point de vue ? Comment le narrateur peut-il décrire si précisément son personnage ?
2. Quel est le sujet du récit ? Montrez comment s'expriment les deux hypothèses auxquelles le personnage est confronté.
3. Relevez les verbes à l'imparfait et justifiez l'usage de ce temps dans le premier paragraphe.
4. À partir de la ligne 14, le temps des verbes change. Quel est-il alors ? Expliquez pourquoi.
5. Comment progresse le récit ? Essayez d'en faire le plan.

II - La souffrance

1. Que signifient les mots « fatalité » et « funestes » (l. 8-9) ?
2. Expliquez la phrase des lignes 10 à 11 (de : « Être » à : « affermir ! »).
3. Quel signe typographique exprime le désarroi du personnage ?
4. Pourquoi le vocabulaire exprime-t-il la peur du personnage à la fin du texte ?
5. Relevez et classez les souvenirs du personnage.

6. À quel temps et à quel mode est le verbe « eût » (ligne 23) ? Pourquoi ?
7. La dernière phrase comporte-t-elle des verbes ? Pourquoi ?
8. Relevez les figures de répétition ; quels effets produisent-elle ?

Réécriture

Vous réécrirez la fin du texte, de la ligne 14 à la ligne 20 (de : « Il faudrait » à : « chambre ») à la première personne, en adaptant le vocabulaire et en découpant si besoin les phrases trop longues en des unités plus courtes.

Dictée

Jeanne, ayant fini ses malles, s'approcha de la fenêtre, mais la pluie ne cessait pas.
L'averse, toute la nuit, avait sonné contre les carreaux et les toits. Le ciel bas et chargé d'eau semblait crevé, se vidant sur la terre, la délayant en bouillie, la fondant comme du sucre. Des rafales passaient pleines d'une chaleur lourde. Le ronflement des ruisseaux débordés emplissait les rues désertes où les maisons, comme des éponges, buvaient l'humidité qui pénétrait au-dedans et faisait suer les murs de la cave au grenier.
Jeanne, sortie la veille du couvent, libre enfin pour toujours, prête à saisir tous les bonheurs de la vie dont elle rêvait depuis si longtemps, craignait que son père hésitât à partir si le temps ne s'éclaircissait pas, et pour la centième fois depuis le matin elle interrogeait l'horizon.

Maupassant, *Une vie.*

Rédaction

Vous racontez, dans votre journal intime, un moment de doute intérieur. Vous ferez alterner récit et expression des sentiments et vous ne manquerez pas d'inclure dans un passage argumenté votre débat entre les deux possibilités qui s'offraient à vous.
Il sera tenu compte, dans l'évaluation, de la présentation, de la correction de la langue et de l'orthographe.

Petite méthode pour la rédaction

– Le narrateur d'un récit peut participer à une histoire *(narrateur-personnage)* ou non *(narrateur extérieur)*. Il peut donner l'impression d'être un simple témoin *(narrateur externe)* ou, au contraire, être capable d'entrer dans le point de vue de son personnage *(narrateur interne)* ; lorsque le narrateur ne limite pas ce qu'il raconte à ce que voit ou sait ce personnage, mais sait tout et peut tout voir de ce qui se passe en deux lieux différents en même temps, on parle de *narrateur omniscient*.

– Les valeurs du conditionnel

• Le conditionnel présent exprime un fait hypothétique, soumis à une condition : « Si j'étais pauvre, je me pourrais pas partir en vacances » (hypothèse de pensée).

• Le conditionnel passé a valeur de futur dans le passé : « Quand j'étais petit, je pensais que je deviendrais médecin ».

Sujet 2 : « La petite toute seule » (II, 3, 7 ; p. 80, lignes 1 à 21).

Cosette est envoyée par les Thénardier chercher de l'eau toute seule au puits.

Questions

I - Le récit

1. Relevez et expliquez les différents temps employés dans le récit.
2. Relevez les connecteurs qui organisent le récit. Classez-les en différenciant les connecteurs logiques et les connecteurs temporels.
3. Quel point de vue adopte le narrateur dans ce passage ? Ce point de vue évolue-t-il au cours du récit ?
4. Quelle fonction grammaticale possède le groupe de mots « geste propre aux enfants terrifiés et indécis » (lignes 12-13) ? Selon vous, qui parle ici ?

II - Le portrait

1. Quels objets porte Cosette ? En quoi ces objets sont-ils essentiels pour elle ?
2. Ligne 8 : que signifie le mot « machinalement » et expliquez pourquoi la marche de Cosette se ralentit.
3. Ligne 19 : quel rapport logique existe-t-il entre les mots « peur » et « audace » ? Expliquez leur rapprochement et dites ce que celui-ci nous apprend sur Cosette.
4. À qui parle Cosette à la fin du passage ? Comment expliquez-vous sa décision ?
5. Selon vous, quel effet produit la description de Cosette sur le lecteur ?

III - La peur

1. Quelle impression produit la première phrase ? En quoi le paysage extérieur peut-il sembler effrayant ?
2. Quelle est la nature et la fonction de la proposition subordonnée introduite par « tant qu'elle » (lignes 2-3).
3. Expliquez l'adverbe « hardiment » (ligne 4). À quels mots s'oppose-t-il ?
4. Ligne 16 : que sont « les revenants » ? Existent-ils vraiment ?

Réécriture

Vous réécrirez à la première personne les quatre premières lignes du passage, en veillant à modifier si nécessaire les temps et à supprimer les indications ou les commentaires du narrateur.

Dictée

8 mai. - Quelle journée admirable ! J'ai passé toute la matinée étendu sur l'herbe, devant ma maison, sous l'énorme platane qui la couvre, l'abrite et l'ombrage tout entière. [...]
J'aime ma maison où j'ai grandi. De mes fenêtres, je vois la Seine qui coule, le long de mon jardin, derrière la route, presque chez moi, la grande et large Seine qui va de Rouen au Havre, couverte de bateaux qui passent.
À gauche, là-bas, Rouen, la vaste ville aux toits bleus, sous le peuple pointu des clochers gothiques. Ils sont innombrables, frêles ou larges, dominés par la flèche de fonte de la cathédrale, et pleins de cloches qui sonnent dans l'air bleu des belles matinées, jetant jusqu'à moi leur doux et lointain bourdonnement de fer, leur chant d'airain que la brise m'apporte, tantôt plus fort et tantôt plus affaibli, suivant qu'elle s'éveille ou s'assoupit.
Comme il faisait bon ce matin !

Maupassant, *Le Horla*

Rédaction

Vous relaterez, sous la forme d'une lettre, un moment de peur vécu sans raison réelle mais à cause de votre imagination. Vous utiliserez à la fois le récit, pour détailler les circonstances de ce moment, et le discours, pour essayer d'expliquer le sentiment que vous avez vécu et pourquoi les peurs humaines sont parfois sans proportion avec la réalité.
Il sera tenu compte, dans l'évaluation, de la présentation, de la correction de la langue et de l'orthographe.

Petite méthode pour la rédaction

– Utilisez une montre et organisez votre temps : vous devez avoir le temps de rédiger et de vous relire attentivement.
Si certaines questions vous paraissent trop difficiles et risquent de vous faire perdre trop de temps, mieux vaut les passer.

– Les temps du récit

• Le présent de narration rapporte au présent des actions passées. Il rend l'action plus vivante, donne une impression de « direct » alors que les faits appartiennent au passé.
Ce présent ne doit pas être confondu avec le présent du discours ordinaire : il remplace un passé simple.

• Le passé simple sert à relater des événements ou des actions, brèves ou longues, mais vues dans leur succession.

• L'imparfait exprime une action secondaire par rapport au premier plan, qui est au passé simple, vue dans son déroulement ou sa répétition. Cela explique qu'il serve fréquemment dans les descriptions.

Sujet 3 : 15, « Gavroche dehors » (p. 201-202, lignes 73 à 93).

Au cœur de l'insurrection révolutionnaire qui fait rage à Paris, le jeune Gavroche s'avance au-devant de l'ennemi.

Questions

I - Le récit

1. Classez les temps utilisés par le narrateur dans son récit.
2. Quel point de vue adopte le narrateur ? À quel moment le lecteur peut-il comprendre que Gavroche est blessé ?
3. Comment le personnage nous est-il rendu sympathique par le narrateur ? Donnez trois exemples précis.
4. Que sait-on des adversaires de Gavroche ? Quel est l'effet produit ?

II - Le portrait

1. « La barricade tremblait ; lui chantait » (ligne 73) : comment cette phrase est-elle construite ? Quel effet cette construction produit-elle ?
2. « Les balles couraient après lui, il était plus leste qu'elles » (lignes 75-76) : quel lien relie les deux partie de cette phrase sur le plan grammatical ? Et sur le plan logique ?
3. « Gavroche n'était tombé que pour se redresser » (lignes 83-84) : expliquez cette phrase.
4. À quoi ou à qui Gavroche est-il comparé ? Relevez toutes les métaphores et les comparaisons ?
5. Relevez les formules qui nous montrent que Gavroche n'est pas un combattant ordinaire.
6. Ligne 93 : expliquez l'expression « petite grande âme » et dites quel effet cette alliance de mots produit sur le lecteur.

III - La mort

1. Selon vous, quel ton possède ce texte ?
2. Relevez toutes les expressions utilisées par le texte pour évoquer le combat de Gavroche et la menace de la mort.
3. Quel est la nature du texte cité lignes 87 à 90 ? Quel effet produit cette citation ?
4. Ligne 91 : expliquez la formule « Il n'acheva point ». Comment la mort de Gavroche nous est-elle présentée à la fin du texte ? Quel est l'effet produit sur le lecteur ?

Réécriture

Vous réécrirez le premier paragraphe de ce passage (lignes 73 à 78) selon le point de vue d'un ami de Gavroche, admiratif du courage de celui-ci et ému par son sacrifice et s'exprimant à la première personne, en utilisant le présent de narration.

Dictée

Il la rendit malheureuse ; et, comme jamais bien heureuse il ne l'avait rendue, elle eut doublement mauvaise chance dans le mariage. [...] Mais comme elle était jeune et gentille, et si douce qu'il n'y avait pas moyen d'être longtemps fâché contre elle, il avait encore des moments de justice et d'amitié, où il lui prenait les deux mains, en lui disant : – Madeleine, il n'y a pas de meilleure femme que vous, et je crois qu'on vous a faite exprès pour moi. Si j'avais épousé une coquette comme j'en vois tant, je l'aurais tuée, ou je me serais jeté sous la roue de mon moulin. Mais je reconnais que tu es sage, laborieuse, et que tu vaux ton pesant d'or.
Mais quand son amour fut passé, ce qui arriva au bout de quatre ans de ménage, il n'eut plus de bonne parole à lui dire [...] Elle sentait que son mari était injuste, et elle ne voulait pas lui en faire de reproches, car elle mettait tout son devoir à respecter le maître qu'elle n'avait jamais pu chérir.

G. Sand, *François le Champi.*

Rédaction

Vous essayerez de convaincre un adulte, en vous servant de l'exemple de Gavroche ou d'autres exemples historiques, et en construisant une argumentation précise, du courage que peuvent avoir les enfants et de l'héroïsme dont ils peuvent faire preuve dans des circonstances exceptionnelles (30 lignes ; discours argumentatif).

Il sera tenu compte, dans l'évaluation, de la présentation, de la correction de la langue et de l'orthographe.

Petite méthode pour la rédaction

- Prenez le temps de lire attentivement le texte (au moins 10 minutes) et les consignes.
- La tonalité (ou le ton) d'un passage, c'est l'effet produit sur le destinataire ou le lecteur.

– Pathétique : qui émeut jusqu'au larmes.

– Tragique : qui inspire la terreur et le désespoir sur le destin de l'homme.

– Comique : qui fait rire.

– Dramatique : qui effraye, étonne et maintient le suspens.

– Lyrique : qui fait partager des sentiments intérieurs et intimes.

Veillez à différencier le ton d'un passage du type de discours employé par l'auteur (narratif, descriptif, explicatif, argumentatif, injonctif).

Outils de lecture

Antithèse : opposition de deux mots ou de deux idées.

Conte : récit, en général populaire ou destiné à des enfants par sa simplicité, d'événements merveilleux ou extraordinaires.

Comique : registre par lequel un auteur provoque l'amusement ou le rire de son auditeur.

Conversion : transformation d'un personnage causée par la découverte d'une idée ou d'une religion.

Dramatique : ce qui se rapporte au théâtre ou qui, dans un roman, fait penser au théâtre (« drame ») par l'insistance sur le rythme de l'action.

Épopée : récit qui rapporte des événements importants et des actions extraordinaires d'un héros. L'adjectif « épique » vient de ce mot.

Fantastique : intrusion du surnaturel dans le réel, provoquant le doute, la peur ou l'angoisse du lecteur.

Genre littéraire : regroupement d'œuvres qui possèdent des points communs (thèmes, formes, etc.).

Grotesque : l'opposé du sublime ; ce qui fait rire par son étrangeté.

Historique (roman) : roman qui fait revivre une époque ou des personnages célèbres de l'Histoire.

Hyperbole : figure de rhétorique consistant à employer des expressions exagérées pour frapper l'imagination.

Ironie : figure de style consistant à dire le contraire de ce que l'on veut faire comprendre au spectateur ou au lecteur.

Légende : récit qui présente comme vrais des faits extraordinaires.

Métaphore : rapprochement d'éléments possédant des points communs.

Mythe : histoire fabuleuse, souvent issue de la tradition populaire ou de l'Antiquité.

Narrateur : celui qui raconte une histoire et qui peut être selon les cas l'auteur lui-même, un personnage particulier ou une voix indéfinie.

Narration : action de raconter une histoire, et, par extension, contenu de celle-ci.

Noir (roman) : roman policier qui insiste de manière réaliste sur la violence des crimes, la personnalité du criminel et l'atmosphère.

Pathétique : émotion littéraire provoquée par la peinture du malheur ou de la douleur.

Péripétie : événement entraînant un rebondissement du récit.

Pittoresque : qui frappe la vue par sa fantaisie ou son originalité.

Point de vue : lieu, personnage ou situation depuis lesquels les événements d'un récit sont racontés. Par exemple : le point de vue d'un narrateur, celui d'un personnage particulier, etc.

Policier : roman qui a pour sujet une enquête sur un crime.

Portrait : description physique ou psychologique d'un personnage.

Registre : manière dont un texte s'adresse à son lecteur, sa tonalité.

Réaliste : texte qui cherche à peindre la réalité, aussi terrible soit-elle, dans tous ses détails.

Satirique : registre de la moquerie, de l'ironie ou de la caricature.

Sublime : ce qui provoque une admiration absolue par sa noblesse ou sa grandeur.

Suspense : moment d'un récit ou le lecteur attend avec impatience ce qui va suivre.

Symbole : élément concret ou objet qui représente une idée abstraite.

Utopique : ce qui appartient à un idéal qui ne saurait exister.

Thème : sujet principal d'une œuvre littéraire.

Tragique : registre qui présente la confrontation désespérée d'un être humain avec des forces qui le dépassent.

Bibliographie et filmographie

Autres œuvres de Victor Hugo

▸ Victor Hugo est l'auteur de près d'une dizaine de romans, de onze pièces de théâtre, de milliers de poèmes, de souvenirs, d'essais, etc. Quelques-unes de ses œuvres les plus célèbres sont :

Le Dernier Jour d'un condamné (1829).

▸ Le journal imaginaire des dernières vingt-quatre heures d'un condamné à mort ; un véritable réquisitoire contre la peine de mort, toujours d'actualité.

Hernani (1830).

▸ La première mise en scène de cette pièce qui a pour sujet une histoire d'amour tragique provoqua un extraordinaire scandale à sa création, en 1830 ; elle reste aujourd'hui un magnifique exemple du drame romantique.

Claude Gueux (1834).

▸ Un autre roman pour dénoncer la peine capitale, inspiré cette fois-ci de faits réels.

Notre-Dame de Paris (1831).

▸ Une histoire d'amour légendaire, unissant malgré la mort Quasimodo et Esméralda, dans le Paris du XVe siècle, avec pour décor la célèbre cathédrale.

Les Contemplations (1856).

▸ Un magnifique recueil de 158 poèmes, où le poète rend hommage à sa fille, Léopoldine, accidentellement noyée dans la Seine.

Quatrevingt-treize (1874).

▸ Un grand roman historique consacré à la Révolution française, qui fait revivre Marat, Danton et Robespierre.

Sur le même thème

Les Mystères de Paris, Eugène Sue.

▸ Roman noir, publié en 1842, qui inspira à Hugo son chef-d'œuvre et qui nous fait découvrir, guidés par le courageux et habile prince Rodolphe, le Paris de la pègre, ses malfrats, ses mœurs et son argot.

Les Rougon-Macquart, Émile Zola.

▸ En vingt romans, Zola nous parle de la misère ouvrière telle qu'il a pu la découvrir à la fin du XIXe siècle.

Oliver Twist, Charles Dickens.

◗ Publié en 1837, ce roman anglais raconte la misère d'un jeune orphelin de 9 ans, Oliver Twist, sa découverte des usines et de la capitale anglaise.

Filmographie

***Les Misérables* (1957)**, réalisation Jean-Paul Chamois, avec Jean Gabin, Bourvil, Sylvia Montfort.

◗ Une interprétation mythique de Jean Gabin, qui incarne comme personne Jean Valjean. « *Les Misérables* pour moi, c'est l'aventure d'un pauvre gars qui, après avoir fait un mauvais coup et s'être évadé du bagne, se réfugie chez un évêque qui lui fait cadeau de deux chandeliers. À cause de ce don, Jean Valjean se croira obligé de devenir bon, bon que c'en est malheur », explique Gabin.

Les Misérables (1982), réalisation Robert Hossein, avec Lino Ventura, Jean Carmet, Michel Bouquet.

◗ Une très belle adaptation de 3 heures 30 qui insiste sur la question de la misère sociale et met en scène de manière spectaculaire les barricades révolutionnaires.

Les Misérables (1995), réalisation Claude Lelouch, avec Jean-Paul Belmondo, Michel Boujenah, Annie Girardot, Philippe Léotard.

◗ La toute dernière adaptation cinématographique du roman, transposé dans le cadre de la Seconde Guerre mondiale.

***Les Misérables*,** série TV (2000) réalisée par Josée Dayan, avec Gérard Depardieu, Christian Clavier, Virginie Ledoyen, Charlotte Gainsbourg.

◗ À leur sortie, *Les Misérables* étaient parus par épisodes, formule que tente de retrouver la série. Excellente reconstitution historique du XIXe siècle.

Comédie musicale

◗ ***Les Misérables***, la comédie musicale créée d'abord à Paris en 1980 dans une mise en scène de Robert Hossein, a connu un gigantesque succès. Sa musique est restée célèbre et elle a été reprise plusieurs fois à Paris (en 1991 notamment), à Londres et à New York. La version américaine est connue dans le monde anglo-saxon avec comme titre *Les Mis*.

Crédits photographiques

Couverture	**Dessin Alain Boyer**
7	Bibliothèque nationale de France, Paris - Ph. Coll. Archives Larbor
11	Bibliothèque des Arts décoratifs, Paris - Ph. Jeanbor © Archives Larbor
18	Bibliothèque nationale de France, Paris - Ph. Coll. Archives Larbor
263	Ph. Neurdein © Archives Larbor
264	© Image courtesy of The Advertising Archives
265 ht	© Roger-Viollet
265 bas	© SKT Ph Jeanbor © Archives Larbor - DR
271	© Collection KHARBINE-TAPABOR
272 ht	© Maisons de Victor Hugo / Roger-Viollet
272 bas	Bibliothèque nationale de France, Paris - Ph. Coll. Archives Larbor
273	© Albert Harlingue / Roger-Viollet

Direction de la collection : Yves GARNIER et Line KAROUBI

Direction éditoriale : Line KAROUBI

Édition : Marie-Hélène CHRISTENSEN

Lecture-correction : service Lecture-correction LAROUSSE

Recherche iconographique : Valérie PERRIN, Agnès CALVO

Direction artistique : Uli MEINDL

Couverture et maquette intérieure : Serge CORTESI, Sylvie SÉNÉCHAL, Uli MEINDL

Responsable de fabrication : Marlène DELBEKEN

Photocomposition : CGI
Impression : chez Liberdúplex (Espagne)
Dépôt légal : juillet 2007
N° Projet : 11006617 – Octobre 2007